JUNIOR

la tendresse retrouvée

DU MÊME AUTEUR

MABROUK, chien d'une vie (1984)

JEAN-PIERRE HUTIN

JUNIOR

la tendresse retrouvée

ÉDITIONS ROBERT LAFFONT
PARIS

ISBN 2-221-04915-2

C'était un gentilhomme,
ses chiens l'aimaient beaucoup.

Chanson de geste
(anonyme du XIVe siècle)

J'ai bien conscience que la lecture de Mabrouk, chien d'une vie *a provoqué — des milliers de témoignages me l'ont confirmé — une très forte émotion parmi mes lecteurs.*

J'ai aussi compris qu'ils voulaient que je leur dise que la vie continuait...

En dévoilant des pans de ma vie avec Junior, je souhaite que chacun comprenne qu'à travers mon chien, c'est le sort des êtres vivants les plus proches de nous que je veux évoquer.

Ce sont des innocents qu'il faut aimer et protéger.

Si, à la fin de ces pages, j'ai pu convaincre certains que le mystérieux amour qu'ils nous portent ne peut laisser indifférent, j'aurai atteint mon but...

J.-P. H

PREMIÈRE PARTIE

JUNIOR
FILS DE MABROUK

1.
La vie continue

La pluie vient de s'arrêter. Depuis Paris, elle n'a cessé de tomber. Avec ces nouveaux modèles d'essuie-glaces composés d'une unique branche balayant tout le pare-brise, on y voit encore moins.

La route luit sous les phares... Sale temps !

Cormeilles, Marines, les bourgs se succèdent sur cette route de Dieppe que j'emprunte depuis dix ans.

Je conduis presque automatiquement, l'esprit ailleurs. J'ai déjeuné avec un homme que sa femme venait de quitter : tranches de vie et larmes au menu, paroles rassurantes dont personne n'est vraiment dupe...

Chars, Bouconvillers, les panneaux de ralentissement de vitesse se succèdent sans que je les voie réellement.

Je ne lève pas le pied et évite de justesse un poids lourd venant à ma rencontre en clignotant comme un sapin de Noël.

Quelque chose pousse doucement mon bras reposant sur l'accoudoir central.

Ce contact me ramène à la réalité : je suis en train de rouler à cent soixante alors que la vitesse est limitée à quatre-vingt-dix !

Je ralentis.

Avec son museau, Junior m'a rappelé qu'il était là...

Pour lui faire de la place, j'écarte un peu le coude. Il cale son menton sur le cuir et ne bouge plus.

Je souris.

D'un seul coup, tout devient moins hostile.

Il fait bon à l'intérieur de cette voiture dont le moteur ronronne comme une Rolls. Le tableau de bord, avec ses lueurs vertes et douces, évoque celui d'un Boeing. La route, dont je connais la moindre petite « vacherie », redevient cette bonne vieille nationale conduisant à la campagne.

Mon chien est avec moi.

Dans quelques minutes, nous allons arriver au portail et il poussera ses gémissements de bonheur, *lui aussi.*

« La maison, le jardin, les poules, les chevaux... »

Au carrefour de la route de Chaumont, j'ai une hésitation.

Personne ne m'attend, ce soir. Je suis libre, je peux aller à Dieppe !

Depuis dix ans, chaque week-end, la même envie me prend, je n'arrête pas d'en parler autour de moi : « Et si nous allions à Dieppe, à la mer ? C'est à peine à cent kilomètres, après tout. » Ce souhait si souvent répété est devenu un gag parmi mes amis, à la campagne : « Vous savez, pour Jean-Pierre, Dieppe est devenue une idée fixe, c'est sa Mecque ! »

Pourtant, il y a vingt-deux ans, j'avais réellement fait cette route.

C'était en compagnie d'un vieux copain, André, journaliste à Paris-Presse. Il avait trouvé dans ce port une imprimerie ultramoderne nous permettant de respecter les délais que nous avions promis à une trentaine de députés dont nous rédigions les journaux.

J'avais acquis une certaine réputation dans ce domaine et étais devenu depuis quelques années le rédacteur en chef de France-Avenir, journal électoral du général de Gaulle, en tout cas de celui de ses amis.

Sans m'en rendre compte, j'ai dépassé le carrefour où, d'habitude, je tourne à gauche pour m'engager sur la petite route de mon village.

Je suis en train de rouler vers Gisors.

Junior, alerté, se redresse.

« *On ne tourne pas à gauche, ce soir... Peut-être le deuxième chemin après Le Fayel ? Il le prend de temps en temps.* »

Resté debout, il voit que je continue tout droit, laissant sur le côté, à quelques kilomètres, la masse sombre de La Molière, surmontée de son énorme relais des P.T.T.

Constatant qu'on ne va pas à la maison, mon chien se recouche sur le plancher de la voiture.

23 heures...

Me voici à Dieppe.

Où est l'imprimerie ? Tout a changé... Et le bistrot, où après le « marbre » nous étions allés avaler quelques huîtres avant de rentrer à Paris ? J'ai l'impression de retrouver l'odeur d'encre fraîche des exemplaires témoins que nous rapportions à nos hommes politiques, à bord de ma Fiat 1500...

Où était-il déjà, ce bistrot ? Oui, sur le bord de mer.

Après quelques difficultés avec deux sens interdits, je trouve cette mer, que la marée a éloignée.

La brasserie est bien là, flanquée maintenant d'un restaurant un peu plus luxueux. Mais ce sont les mêmes néons verdâtres.

L'établissement est fermé, seuls brûlent à l'intérieur quelques tubes témoins.

J'arrête le moteur.

Junior, qui s'est assis dès que nous sommes entrés dans la ville, s'agite.

« *On est arrivés. Où ? Ça, il faut voir.* »

Il passe un bout de son museau par ma vitre ouverte et hume frénétiquement l'air.

« *Restes de cuisine, ou encore cette étrange odeur salée que je connais bien, celle des extraordinaires piscines : Quiberon, Beaulieu — la mer, quoi !* »

Quelques mouvements d'impatience, deux ou trois petits jappements me préviennent qu'il est temps de lui ouvrir la portière.

A mon ordre, il saute sur le trottoir bordant la plage, s'étire, puis s'absorbe dans la recherche d'odeurs plus tangibles, plus immédiates.

Me voyant immobile, il descend vers les galets et, de la tête, m'interroge : « *Tu viens, on joue ?* »

Il exécute un bond de joie mais se rend compte que les cailloux, ce n'est pas le rêve pour courir, bondir. Il revient vers moi.

Je m'assois.

Au loin, en mer, les lumières d'un ferry qui s'en va ou arrive ? Tout est assez calme et les vagues ne font guère de bruit. Ce n'est pas l'océan frappant les rochers mais la Manche, « mer forte » qui, ce soir, semble bien faible...

Pourquoi suis-je venu à Dieppe ?

Pour retrouver des souvenirs, ou vingt ans de moins ?

Junior s'est de nouveau rapproché de moi. Couché sur le ventre, il renifle des bouts de bois perdus dans les galets. Tranquillement, posément.

Quelque chose ne va pas...

Brusquement, je sais.

Il n'a pas mangé — moi non plus, d'ailleurs. Mon

escapade (ou mon pèlerinage) en est d'un seul coup gâchée.

Comment ai-je pu oublier ? Pauvre vieux !

« Allez, vite, viens, on repart, on va à la maison ! »

Et puis je me détends : dans le coffre de la voiture, il y a du pain, et « sa » viande, achetée tout à l'heure à Levallois, près des studios.

D'accord, pas de riz, pas de carottes pour ce soir, mais l'essentiel est sauvé : la viande.

Mon chien se met à pique-niquer sur le trottoir. Un peu interloqué d'abord : « *Manger dans ce papier ?* » il se régale gaillardement. « *Qu'importe le flacon...* »

Apaisé, je le regarde dévorer son dîner.

Pourquoi ai-je ressenti cette panique soudaine ? Après tout, ce n'était pas grave, il aurait parfaitement pu sauter un repas.

Peut-être. Mais c'est justement cette facilité de vivre qui me culpabilise.

« *Tu veux qu'on aille là ?... Ou bien ici ?... D'accord. On ne mange pas ce soir ? Ah ! bon, d'accord... On joue, à la place ? D'accord... On reste ? D'accord... Il faut dormir ? D'accord.* »

C'est ce « d'accord » perpétuel, cette disponibilité totale qui m'émeuvent.

Voilà pourquoi je me fais toute une histoire quand j'oublie mon devoir minimum, le nourrir, et me sens d'autant plus fautif quand, comme ce soir, il ne me réclame rien.

A la maison, en revanche, si je laisse passer un peu l'heure, il vient, très poliment mais avec insistance, se planter devant moi et souvent — malignement — entre mon fauteuil et l'écran de télévision. Puis il attend, véritable statue du Commandeur.

Le « message » est on ne peut plus clair.

Assis face à moi, son regard cherche le mien et ne le quitte plus. Parfois, pour le taquiner, je fais celui qui ne se rend compte de rien. Alors, il s'agite un peu, bâille bruyamment et même pose une patte sur mon genou. « *Eh, tu as vu, je suis là, assis, je ne dis rien, mais est-ce que tu ne m'aurais pas oublié ?* »

Je ne peux plus feindre, il a triomphé de toutes mes résistances, je m'avoue battu.

Avant même que j'aie bougé d'un millimètre, il fonce vers la cuisine.

L'air est de plus en plus humide.

Je cherche une corbeille pour y jeter le papier de sa viande, mais aucune n'est visible dans la nuit. Je le roule en boule et le laisse tomber dans le caniveau.

« Allez, Junior, on s'en va, on rentre à la maison. »

Suit ma question habituelle : « Pipi ? Dépêche-toi, on va s'en aller. »

Mon chien, qui m'a écouté attentivement, renifle un peu, lève à moitié la patte et me fait plaisir en émettant un mini-jet.

« *Il veut toujours que je fasse, c'est une manie. Parfois, je suis obligé d'aller lui montrer que j'ai* déjà *fait.* »

Nous repartons vers l'Oise.

A la sortie de la ville, une bruine commence à opacifier le pare-brise.

Saloperie de temps !

Quelle idée de venir à Dieppe... Qu'ai-je appris ? J'avais vingt ans de moins, et alors ?

Il faut encore rouler cent kilomètres sur cette route graisseuse. J'allais chercher quoi, à Dieppe, bon Dieu ?...

Derrière, Junior s'est installé pour le voyage. « *On n'est pas arrivés... et puis, Il est nerveux, pas content. Ce n'est pas le moment de bouger, le mieux est de dormir. Mais ce qu'Il est nerveux...* »

Instinctivement, un peu aussi pour le rassurer, je passe la main derrière le siège. Je cherche la tête de mon chien, ne rencontre que son dos, mais ses poils sont là, sous mes doigts. Comme chaque fois, le contact me calme.

Que peuvent-ils penser de moi, les autres, ceux qui me sont proches ? Comprennent-ils vraiment ce qu'est cette vie parallèle, à côté de l'autre, l'officielle, cette complicité retrouvée, cette relation exclusive avec Jimmy, devenue totale avec Mab, poursuivie incroyablement avec Junior ?

Je n'y croyais pas, au début.

Après Mabrouk, rien ne serait pareil, c'était vrai, mais doucement, tranquillement, geste après geste, millimètre après millimètre, Junior a entrepris de gagner « sa » place, d'atténuer ma peine, de se faire aimer, de devenir mon chien, sans aucune restriction.

J'ai de nouveau un chien et je l'aime.

Et puis, c'est le seul, en fait, à qui je puisse vraiment parler de son « père ».

*
**

Au dernier tournant surgit le portail blanc.

Junior, depuis un moment, est debout, pattes dressées sur le pont arrière. Il gémit, il jappe de bonheur.

Nous arrivons à la maison.

Les rites commencent.

Ouverture du portail, entrée de la voiture, fermeture des battants... Maintenant, mon chien est en sécurité, l'inquiétude peut me quitter — pas complètement, jamais complètement.

A quelques kilomètres d'ici, sur une immense décharge publique, les employés disposent de grandes quantités d'appâts empoisonnés pour combattre les rats. Souvent les oiseaux les saisissent et les transportent à des kilomètres de distance...

Bon, essayons un peu de juguler ces peurs irraisonnées.

Junior, que je viens d'autoriser à descendre de la voiture, est parti inspecter son domaine — le jardin — afin de recenser tout ce qui a pu se produire depuis son dernier séjour.

Il y a quelques semaines, pendant notre absence, j'ai fait tailler la haie. Le portail est resté ouvert. La chienne du voisin, souvent en vadrouille, est entrée, a fureté en toute quiétude et, quand le jardinier est parti, s'est trouvée enfermée. Le soir, en arrivant, Junior, habitué à l'odeur de la chienne, n'a pas remarqué qu'elle était pour une fois de ce côté-ci du grillage. Ce n'est que plus tard, alors que nous jouions au ballon dans la nuit, mon chien et moi, que l'intruse a été découverte : elle n'avait pu s'empêcher de donner de la voix, selon son habitude, pour manifester son amitié, et peut-être un peu de jalousie.

J'ai eu l'impression que ces aboiements ne venaient pas de l'endroit habituel.

Muni d'une lampe électrique, j'ai inspecté les lieux et l'ai découverte tapie dans un coin, près de la haie. Junior, en garçon galant et bien élevé, s'est approché gentiment et nous avons reconduit la chienne chez ses maîtres.

En cette occasion, mon chien avait des excuses d'avoir failli à sa mission de gardien, car il n'est pas doté d'un radar millimétrique — et puis, cette présence étrangère était de sexe féminin.

Tolérant envers les chiennes, Junior est en revanche intraitable avec son ennemi personnel.

C'est un énorme chien poilu, un briard, que son maître laisse vagabonder à son gré dans le village.

Lui qui fait bien le double de Junior, en taille et en volume, se sauve à sa vue mais se venge en venant le défier quand celui-ci est enfermé dans le jardin.

Alors qu'il a tout le village à sa disposition, il prend bien soin de faire ses besoins devant l'entrée, sur le terrain herbeux qui longe la maison. C'est sa façon de dire : « Tu es peut-être le plus costaud de nous deux, mais tu es enfermé, tandis que moi, je suis libre comme l'air ! » Bien entendu, Junior trépigne de rage devant cette odieuse provocation.

D'où vient ce contentieux entre les deux chiens, par quoi a-t-il été provoqué ? Mystère.

L'autre jour, le portail étant mal fermé, le briard est entré, poussé par je ne sais quelle lubie.

Junior a foncé sur lui comme un obus. L'hôte indésirable a détalé.

Emporté par la colère, mon chien l'a « coursé » hors

de la maison, infraction grave à nos règles ! Pourtant, un reste de sagesse l'a fait rester sur le côté de la route et ne pas braver cet autre interdit, plus grave, celui de traverser sans mon ordre.

Quand il est revenu, une touffe de poils ennemis entre les dents, j'étais là, devant le seuil, vivante image du maître courroucé, du Dieu en colère.

Les derniers mètres vers moi, il les a faits sur le ventre, la mine honteuse, repentante. Il savait très bien qu'il avait commis une faute... ce qui ne l'a pas dispensé de recevoir une « engueulade ».

Assis à ma table de travail, je lève les yeux des notes que je griffonne pour la prochaine émission, et je regarde le jardin envahi par l'obscurité.

La nuit tombe, le vent souffle, glacé.

C'est l'heure où les arbres deviennent fantômes, où la nature suppliciée par le froid se recroqueville un peu plus.

C'est l'heure où ceux qui sont seuls cafardent, mais où ceux qui ont un chien ou un chat peuvent se comparer à des milliardaires !

Junior passe dans le rectangle lumineux que la lumière du salon projette sur la pelouse.

Il tourne la tête dans ma direction, s'immobilise, m'observe quelques secondes, oreilles pointées, truffe humant l'air, très concentré... puis repart, cherchant je ne sais quoi, je ne sais qui. Peut-être Peggy.

La chatte Peggy est son ennemie privilégiée numéro deux.

Quand Junior est arrivé ici, il n'avait encore jamais fréquenté de chats.

Dès qu'il s'est trouvé en présence de Peggy, une visiteuse coutumière, il s'est lancé à sa poursuite.

Or celle-ci était déjà une vieille connaissance de Mabrouk, sans doute depuis que j'avais été injuste à son égard, le punissant pour avoir fait des trous dans un massif de fleurs, alors que c'était là l'œuvre de la chatte.

Après cet incident, Mab avait voué à Peggy une rancune tenace et devenait furieux dès qu'il détectait sa présence dans le jardin. Par bonheur, très rusée et très habile, elle lui avait toujours échappé.

Junior, en la pourchassant, alors qu'il est habituellement plutôt agréable avec les animaux en visite (sauf les gros chiens mâles), semblait obéir à une mystérieuse consigne transmise par son « père » :

« *Ne laisse jamais cette provocatrice violer notre territoire.* »

Les premiers temps, sa jeunesse le rendait pataud et la chatte se jouait de lui, mais maintenant qu'il est devenu un athlète au flair plus développé, aux attaques plus incisives, la partie est moins inégale.

Quelquefois, alors que tout est calme, qu'il ne se passe apparemment rien de spécial, je le vois bondir, filer à toute vitesse... une boule s'échappe d'un massif, et la poursuite commence.

Heureusement pour elle, Peggy a pris la mesure de ce nouvel adversaire et se ménage toujours une retraite stratégique qui lui permet de ne jamais se laisser coincer.

Mais à la différence de Mabrouk, je ne suis pas sûr que Junior la mettrait à mal, car il vit cet antagonisme comme une sorte de jeu rituel.

S'il aime se laisser aller à son instinct, en digne héritier de ses ancêtres gardiens de troupeau, il se maîtrise parfaitement quand l'animal qu'il poursuit n'est pas un ennemi personnel.

Sa seconde expérience avec un félin a été plus pacifique.

Il s'est trouvé nez à nez, à l'école d'équitation

voisine, avec un chaton plein de vitalité. Je l'ai vu d'abord flairer cette petite boule de poils avec curiosité, puis le bébé chat et le chien se sont mis à jouer.

J'ai eu peur que les grosses pattes de Junior ne soient un peu lourdes, mais j'ai vite été rassuré. Il faisait attention, ayant reconnu qu'il s'agissait d'un « chaton », donc d'un être sacré. Ce respect des animaux pour les petits, même s'ils n'appartiennent pas à leur espèce ou a leur race (sauf s'il s'agit de proies « comestibles »)... est émouvant.

Chez les chiens, cela donne parfois des spectacles cocasses. J'ai vu de vieux teckels grincheux se poser en protecteurs de saint-bernards envahissants et sans-gêne pesant parfois dix fois leur poids !

Le comportement des chiens mâles est assez comparable à celui des héros du film *Trois hommes et un couffin*, fort embarrassés d'un bébé qu'on leur a confié.

Ce fut le cas de Junior lors d'une séance de pose dont je ne suis pas sûr qu'il ait gardé un très bon souvenir.

Un magazine avait demandé une photo de lui en compagnie de petits chiens, pour illustrer un article, et nous nous étions rendus dans un studio.

Junior avait sagement pris la pose devant un fond blanc, quand trois éleveurs ont sorti des « paniers de chiots » de races très diverses une bonne dizaine, qui se sont précipités vers ce gros chien et ont commencé à s'agiter en tous sens, à escalader ce monstre, à le renifler sur toutes les coutures.

Certains allaient même jusqu'à tenter de le téter, le prenant pour leur mère !

Face à cette invasion, Junior s'efforçait de conserver une attitude digne, mais je le sentais dépassé, désorienté, très gêné. Il n'osait ni bouger, de peur de leur faire mal, ni admonester ces petits êtres si fragiles, comme n'aurait sûrement pas manqué de le faire une chienne.

Il me regardait et tout en lui disait : « *Écoute, tu ne vas tout de même pas me laisser aux prises avec cette marmaille ! Fais quelque chose, je t'en prie...* »

Troisième chat dans la vie de Junior : Blackie, appartenant à des amis qui vivent dans un village proche.

Comme ses maîtres sont souvent absents, Blackie mène une vie très indépendante et ne revient chez lui que lorsqu'ils sont là.

Lors de leur première rencontre, Junior, habitué à fréquenter le bébé chat, s'est avancé sans trop de méfiance.

L'autre, rompu à la vie périlleuse, a reculé en soufflant, hérissé, prêt à bondir.

Prudent, Junior n'a pas insisté, ce qui me convenait fort bien. Je ne tenais pas à ce que sa truffe ou son œil soit la cible d'un coup de griffe ni à ce qu'il fasse preuve d'agressivité.

J'incline d'ailleurs à croire que si certains chiens ont une réputation de « tueurs de chats », c'est souvent dû à leurs maîtres qui, tout en paraissant le déplorer, en sont secrètement fiers. L'animal perçoit ce contentement et son attitude s'en ressent.

Au fil des visites, un pacte de non-agression s'est établi entre Junior et Blackie. Je les ai plusieurs fois surpris, dans le jardin de mes amis, face à face, immobiles, se regardant en chat et chien de faïence.

Dans la maison, qui est son domaine, Blackie a un comportement plus élaboré.

Sachant que ce chien visiteur est astreint à observer des interdits très stricts, il prend un malin plaisir, pour le narguer, à évoluer dans le salon avec ostentation, sautant d'un radiateur à un fauteuil, traversant la pièce avec une paresseuse élégance, empruntant majestueusement l'escalier qui mène au premier étage — autant de frustrations pour ce pauvre Junior, couché à mes pieds, qui le suit des yeux en méditant sur la dure condition canine.

Sa revanche, c'est la Méhari.

Dans le champ voisin, les jeunes de la famille s'amusent à conduire une Citroën Méhari.

La plus grande joie de Junior est de prendre place dans cette extraordinaire voiture à ciel ouvert — comme tous ses congénères, il déteste les portes, les vitres, les barrières.

Escalader les bosses du terrain entouré par des enfants, quel ineffable plaisir ! Plaisir décuplé par le fait que le chat n'est pas de la partie. C'est lui, cette fois, qui observe.

Junior a une véritable passion pour cette voiture et quand, de temps en temps, le fils de mes amis vient nous rendre visite, mon chien reconnaît de loin le bruit du moteur et m'avertit d'un aboiement particulier qui exprime tout à la fois les plaisirs passés et ceux qu'il escompte...

Ce pauvre Blackie, l'été dernier, a connu une expérience éprouvante. Un doberman accompagnait l'un des visiteurs de ses maîtres.

Le chat, dont l'habituelle vigilance s'est émoussée au contact de Junior, n'a pas manifesté de crainte excessive envers ce nouveau venu...

Le doberman a foncé sur lui, avec l'intention évidente de lui faire un mauvais sort !

Blackie a dû grimper en catastrophe dans un pommier... et a refusé d'en redescendre, bien après le départ de son agresseur. Il y est resté perché trois jours entiers, complètement traumatisé !

Un mois plus tard, le doberman est revenu. Avant même qu'il soit descendu de la voiture, le chat s'était déjà réfugié dans son arbre...

De cette aventure, Blackie a su tirer d'utiles enseignements, car son attitude envers Junior a changé. « *Il y a chiens et chiens, des méchants et des gentils, et ce berger allemand, bon garçon, appartient à la seconde catégorie* », doit-il songer.

Depuis quelque temps, en effet, il nargue moins Junior, semble moins condescendant. Peut-être est-ce le début d'une solide amitié, ce qui me ravirait car j'aime beaucoup les chats.

J'ai souvent failli céder à la tentation de donner à Junior un compagnon félin. Je suis sûr qu'ils s'entendraient bien... mais c'est moi qui serais embarrassé.

A partir du moment où j'aime un animal, je le fais d'une façon absolue, trop absolue. Je sais que je ne pourrais me résoudre à laisser ce nouveau compagnon à la maison, tout seul, loin de moi.

Il faudrait donc qu'il nous suive, Junior et moi, au bureau, dans les studios, sur les tournages... et ces continuels déplacements ne seraient pas bien vécus par ce chat. Et puis, n'étant pas par nature un « accompagnateur de l'homme », l'envie et l'occasion d'aller faire de petites escapades ne lui manqueraient pas.

Combien de fois ai-je vu des amis, à la fin d'un week-end, battre désespérément la campagne à la recherche de leur minou fugueur ! Ces absences, ces incertitudes sur son sort me seraient insupportables. Cinq minutes de disparition et je me ferais un sang d'encre, mon imagination me le dépeignant empoisonné par une boulette, écrasé par une voiture ou tué par un chasseur... Aussi, dans son intérêt comme dans le mien, mieux vaut me priver d'un matou, aussi adorable soit-il...

Ou alors attendre un peu, car l'image du chat solitaire, indépendant, rebelle à toute discipline tend à se modifier.

La froideur de nos cités, les difficultés de contact

avec nos contemporains nous conduisent à rechercher la présence d'animaux familiers.

Le chat, s'il a toujours fasciné écrivains et poètes, n'avait, il n'y a pas si longtemps, qu'un rôle : l'élimination des rongeurs dans nos maisons.

Alors que le chien a toujours reçu une certaine pitance pour ses bons et loyaux services, le félin devait, bien souvent, se nourrir exclusivement de ses proies.

Tel n'est plus le cas à présent, où chats des villes et chats des champs sont fort convenablement entretenus, soignés, la poursuite des souris ne constituant plus pour eux qu'un sport, une sorte de *jogging*.

Ces nouveaux rapports qui s'établissent nous rendent plus attentifs, et les stéréotypes s'estompent.

La redécouverte du chat a été favorisée par les difficultés de la vie moderne.

Certaines personnes qui souhaitent une présence animale choisiraient volontiers un chien. Mais celui-ci leur poserait beaucoup trop de difficultés : l'exiguïté de l'appartement, les horaires de travail, les vacances, etc.

Alors, ils adoptent un « minet », qui, on le sait, est moins encombrant.

Ces « nouveaux maîtres » de chats (comme on dit « nouveaux philosophes », « nouvelle cuisine ») ont avec leur compagnon une relation différente de celle qu'on a ordinairement avec un chat. Ils exigent *plus* de lui : plus de tendresse, d'affection, de fidélité, d'obéissance.

Il semble bien que l'animal réponde à cette demande. De nombreux téléspectateurs m'écrivent : « Mon chat manifeste sa joie quand je reviens à la maison. Il est très affectueux, vient quand je l'appelle, ne me quitte pas d'une semelle et quand nous nous séparons, je vois bien qu'il est très malheureux. »

Ces « chats-chiens » ne risquent-ils pas, à ce jeu, de perdre un peu de leur mystère et de leur indépendance ?

Ce serait dommage pour l'idée un peu romantique que nous cultivons à leur égard.

Cette image du félin énigmatique, ne s'attachant jamais, n'est peut-être qu'une projection de nos phantasmes ? Elle n'a peut-être jamais correspondu à la réalité, et cette réalité, à présent, nous rappelle à l'ordre...

A « 30 Millions d'amis », nous avons réalisé un reportage sur la chatte qui jouait au théâtre le rôle de Pomponnette dans *La Femme du Boulanger* de Pagnol.

Il était troublant de constater qu'elle pouvait chaque soir entrer sur scène, manger dans un plat, rester un bon moment avec les acteurs, se déplacer suivant un itinéraire bien précis, puis ressortir.

Autre exemple de cette « évolution » du chat : on a vu au cirque de Moscou un dresseur faire accomplir à des chats les mêmes exercices que ceux que l'on demande d'ordinaire à des chiens. Après les chiens savants, les chats savants... Faut-il s'en réjouir ou le regretter ?

Je laisse au lecteur le soin d'en décider. Pour ma part, l'idée du chat rebelle à tout exercice de cirque me plaisait bien.

Les nouvelles aptitudes de nos amis félins n'ont pas échappé à certains éducateurs qui, aux États-Unis, se sont déjà spécialisés dans leur dressage. Des livres paraissent, expliquant comment leur inculquer un certain nombre de gestes, par exemple les habituer à faire leurs besoins sur la cuvette des toilettes !

De l'autre côté de l'Atlantique nous vient aussi une nouvelle mode. Les « chats-chiens » ont-ils ouvert la voie aux « cochons-chiens » ? On peut le redouter à en juger par ces porcelets adoptés comme animaux de compagnie par des familles.

Il est vrai que les animaux domestiques, pour peu qu'on s'y intéresse, qu'on les observe avec attention, se révèlent beaucoup plus complexes, plus « intelligents » même que nous l'imaginons.

Par une bizarrerie qui devrait intéresser les disciples de Freud, ce sont les animaux dont nous consommons la chair que nous méprisons le plus, que nous dénigrons. Ainsi le porc, symbole de saleté, de brutalité, est, paraît-il, un animal très propre quand on lui en donne la possibilité, et très capable de montrer de l'attachement à son maître.

Autre victime de notre légèreté de jugement ou de notre mauvaise foi : le mouton. Une séquence de « 30 Millions d'amis » le démontrait récemment.

Le maire d'un village, par ailleurs professeur d'histoire et de géographie, avait racheté un mouton au gagnant d'une loterie[1], le sauvant ainsi d'un probable méchoui !

L'animal qui vivait chez lui, avec lui, en compagnie du chien de la maison, était parfaitement apprivoisé. Il répondait quand on l'appelait et imitait en tout son compagnon à quatre pattes pour lequel il s'était pris d'une grande passion.

Comme la nuit il refusait d'être séparé de lui, son maître s'était vu contraint de construire une niche spéciale les abritant tous les deux. Lorsque le chien partait en vadrouille, le mouton, habituellement silencieux, marquait sa désapprobation en faisant entendre des bêlements poignants.

Plus étonnant : cet herbivore, s'il consentait à brouter de temps en temps, tenait surtout à bénéficier des mêmes nourritures que son copain, comme des restes de

1. Cette habitude d'offrir un animal vivant en lot est heureusement en régression. Il faut souhaiter que les pouvoirs publics feront disparaître complètement une telle pratique.

cassoulet ou de pâtes, par exemple... Ce régime particulier l'avait rendu un peu « replet » et ses pattes grêles semblaient quelque peu plier sous son poids, si bien que je me suis permis de conseiller des restrictions à son maître.

Imaginer un si gentil animal, ce « mouton-chien », transformé en côtelettes et en gigots procure un certain malaise. Nous devons bien admettre que l'homme est un fameux tueur d'animaux, et le premier de tous les prédateurs.

Si l' « apprivoisement » des animaux domestiques est envisageable — à condition qu'il ne s'agisse pas d'une mode ou d'une lubie mais d'un véritable et sincère attachement —, il faut déconseiller fortement l'adoption d'animaux dits « sauvages », ceux dont la destinée est de vivre dans la nature, loin des hommes.

Certes, quand ils sont bébés, lions ou gorilles sont doux et gentils, se comportent comme des animaux familiers. Mais à l'âge adulte, ils posent à leurs propriétaires d'énormes problèmes, et tout peut se terminer très mal.

Le véritable amour pour un animal suppose le respect de sa différence.

Un léger aboiement, en provenance du jardin.

Je tends l'oreille, cherchant à l'interpréter.

Je n'apprendrai rien aux amis des chiens en affirmant que nos compagnons possèdent toute une gamme d'intonations vocales aux nuances infinies, qui constitue un langage très élaboré dont nous ne percevons probablement qu'une partie.

Dans la journée, aussi bien dans le jardin qu'à l'intérieur de la maison, Junior donne facilement de la voix.

Les occasions ne manquent pas, qu'il s'agisse de discuter avec un chien du voisinage ou de m'avertir de l'arrivée imminente d'un ami qu'il a détecté de loin, auquel cas son aboiement exprime à la fois sa joie et son désir que j'aille vite ouvrir le portail. Si je n'y vais pas assez rapidement à son gré, il insiste sur un ton de reproche un peu agacé : « *Mais enfin, qu'est-ce que tu attends ? Tu ne comprends donc pas ?* »

Quand il se trouve dans la maison et qu'il se passe dans le jardin quelque chose qui lui déplaît ou l'intrigue, il fronce les sourcils, observe avec suspicion et concentration à travers la fenêtre et lance un ou deux aboiements de gendarme. Je lui ouvre la porte. Il file voir cela de plus près.

La cause de cette mini-alerte peut être un chat en balade, les poules qui se sont aventurées hors de la zone autorisée (encore qu'il ne se montre pas assez vigilant sur ce point, à mon avis), ou n'importe quel autre agent perturbateur de l'ordre établi.

Il arrive que ce soit une fausse alerte..., et parfois même une « fausse fausse alerte ». En chien observateur et intelligent, Junior a compris dès son jeune âge qu'il attirait mon attention et ma curiosité quand il était sur ses gardes.

Alors, s'il estime que je ne m'occupe pas assez de lui, que je le néglige un peu, il feint d'être prodigieusement intéressé par ce qui se passe à l'extérieur, manifeste tous les signes de l'excitation en fixant un point lointain, lance un aboiement, se tourne vers moi, m'appelle des yeux.

Je lui rouvre la porte, ce qui ne le satisfait qu'à moitié, parfois je sors en sa compagnie voir ce qui se passe et me dégourdir les jambes par la même occasion, et là il est ravi.

Je ne tarde pas à constater que tout est calme à l'horizon, qu'il n'y a rien de suspect. Je lui en fais la remarque et l' « enguirlande »... Peu lui importe, il a obtenu une parcelle de mon temps, de mon attention, nous sommes ensemble, il a gagné !

Évidemment, je me méfie, j'essaie de ne pas être dupe. Mais de cela il se doute aussi, car j'ai l'impression qu'il en « rajoute » volontiers dans son rôle de vigilant gardien du « logis ». Souvent, je me laisse piéger en toute conscience car ces ruses me font littéralement fondre...

La nuit, enfermé dans la maison, Junior aboie « à l'économie », plus sourdement et uniquement quand il estime cela indispensable. Son maître dort et le sommeil du maître est sacré.

Il faut vraiment que quelque chose d'anormal survienne, une présence humaine jugée menaçante ou une provocation de Peggy venue le défier, pour qu'il se permette de donner de la voix, d'ailleurs sous la forme de jappements atténués et brefs.

Mais dès le matin, les choses changent.

Ainsi, il arrive qu'exceptionnellement Carlos le jardinier vienne de très bonne heure. Il s'efforce d'ouvrir très doucement le portail et de marcher avec précaution sur le gravier de l'allée. Dans les premiers temps, à peine Junior, toujours enfermé dans la maison, l'avait-il détecté qu'il hurlait. Maintenant, il identifie le bruit que fait le moteur de la voiture du jardinier quand il se gare, il sait déjà à qui il a affaire, et son comportement est différent.

Un matin où je savais que Carlos arriverait tôt, je suis resté dans ma chambre et, par la fenêtre, je l'ai vu ouvrir le portail. Aucun aboiement.

En catimini, j'ai descendu l'escalier. Dans le salon, Junior faisait face aux volets fermés, silencieux, attentif. Il savait qu'il s'agissait du jardinier et n'aboyait pas, mais il était si préoccupé qu'il ne m'avait pas entendu.

Désireux de tester un peu les qualités de gardien de mon chien, deux semaines plus tard, j'ai demandé à quelqu'un qu'il ne connaissait pas d'exécuter le même exercice fermé. A peine « l'inconnu » avait-il engagé la clé dans la serrure que Junior grondait !

Une telle conduite démontre qu'il sait adapter, moduler ses réactions et ses instincts selon les circonstances.

Lorsqu'il m'accompagne sur un tournage ou en vacances, Junior considère le lieu privilégié où évolue son maître comme un nouveau domaine à protéger. Ainsi à Quiberon, où il partageait ma chambre, faveur insigne qui l'avait rendu à la fois fou de joie et sage comme une image.

Je lui avais assigné une place pour dormir, à l'extrémité de la chambre, la frontière symbolique et inviolable entre nous étant représentée par une chaise.

« *Tu ne le regretteras pas de m'avoir pris avec toi... Tu vas voir, toi-même tu oublieras que je suis là...* »

Junior avait fait le moins de bruit possible. Très vite, il s'était plongé dans le sommeil. Sa respiration était imperceptible, alors que Mabrouk, sans doute à cause de la maladie qui couvait en lui, émettait des grognements, de petits raclements de gorge et bougeait sans arrêt.

Et puis, au milieu de la nuit, des aboiements m'avaient réveillé en sursaut... et les aboiements d'un berger allemand, dans l'espace réduit d'une chambre, cela s'entend !

Le lendemain, j'ai interrogé le garde qui, accompagné d'une chienne, surveillait la nuit l'hôtel et son parking. J'ai alors découvert la cause des aboiements nocturnes de Junior.

L'homme et l'animal, qui faisaient des rondes en suivant le même itinéraire, s'étaient pour une fois écartés de leur route et approchés de ma chambre. C'est ce qui avait alerté Junior.

Très tôt, il les avait localisés — il perçoit parfaitement ce qui se passe à une centaine de mètres —, mais c'est seulement quand ils s'étaient trouvés à une distance jugée menaçante qu'il avait décidé de donner l'alerte.

Là encore, il avait su réfléchir et élaborer une conduite obéissant à une logique. Comment certaines personnes peuvent-elles affirmer que les chiens ne sont pas intelligents, sans faire douter de leur propre intelligence à *elles* ?

⁂

L'aboiement de Junior qui m'a le plus ému..., je ne l'ai pas entendu. En effet, on me l'a seulement décrit.

Il avait alors quinze mois. Pratiquement, nous ne nous étions jusqu'alors jamais quittés.

Ce jour-là, j'ai sorti la voiture. Pour lui, déjà, cela signifiait la route, et puis Paris, c'est-à-dire des heures à passer dans un immeuble où il resterait enfermé la plupart du temps dans un bureau, et où je m'occuperais moins de lui. Enfin, il ne s'en préparait pas moins à monter à bord, car l'essentiel était préservé : il serait avec moi.

Mais ce matin-là, le programme de ma journée m'obligeait à laisser mon chien à la maison. Alix, ma compagne, devait lui tenir compagnie.

J'ai sorti la voiture sur la route, ordonné à Junior de rentrer et refermé le portail derrière lui.

Alix m'a raconté ce qui s'était passé ensuite.

Junior est resté interloqué, désorienté, fixant ce portail, écoutant la voiture démarrer puis s'éloigner. Il était l'image même de la perplexité.

Que signifiait cette soudaine rupture avec les habitudes ? Pourquoi son maître le quittait-il ? Non, ce n'était pas possible, tout allait s'arranger, sûrement...

J'ai tourné trois cents mètres plus loin, pour emprunter la grand-route, et le bruit du moteur a cessé de lui être perceptible.

Un hurlement, un hurlement de loup est sorti de la gorge de mon chien, un hurlement de loup solitaire appelant à l'aide ses congénères dans la forêt. Ce cri exprimait la souffrance absolue de l'être abandonné et semblait vouloir dire : « *J'existe, écoute-moi, j'existe, pourquoi m'abandonnes-tu ?* »

J'avais rompu le pacte qui, depuis des siècles, lie le

chien à l'homme. Ce que je venais de faire n'était rien d'autre qu'une trahison...

A la fin du récit d'Alix, je n'ai pu m'empêcher de penser à Mabrouk, à son hurlement, le second matin de notre vie commune, à ce cri qui disait : « *Je suis à toi.* »

Ce hurlement, chez les chiens, est diversement interprété, mais je crois qu'il est avant tout le signe, chez eux, d'une intense émotion qu'ils parviennent à exprimer en puisant dans cette frustration consécutive à des millénaires de domestication.

***

Un grattement à la porte.

Je vais ouvrir.

On affirme volontiers que les grands chiens ont besoin d'espace, qu'ils ne se sentent vraiment eux-mêmes qu'au sein de la nature... et voilà que Junior, qui dispose d'un grand terrain dont il peut profiter à satiété, s'y ennuie s'il s'y trouve seul, et n'a de cesse que de me rejoindre dans la maison.

Après quelques manifestations de joie, il va prendre sa « place de bébé », près d'un coffre de bois qui jouxte un canapé et mon fauteuil.

Étant petit, il lui arrivait de se glisser sous ce meuble. Ainsi se sentait-il protégé, comme dans une niche. A présent, il peut tout juste y introduire son museau, mais voilà, c'est resté son coin, chargé des souvenirs de son enfance, et il l'aime.

Je l'observe, lui parle, oubliant mes bonnes résolutions de me consacrer au travail.

Car j'adore le regarder...

Ses attitudes, ses réactions constituent un spectacle qui me fascine, m'émeut et m'apaise à la fois. Il me fait rire aussi. Quel être au monde peut se montrer, comme lui, enfant tout fou et turbulent, pour devenir quelques secondes plus tard grave, appliqué, sérieux comme un pape ?

Quand je lui donne un os — en général une petite rotule de veau —, j'observe avec délectation la façon dont il déguste sa friandise sur la pelouse.

Il broie, mâche, pleinement concentré, en une gymnastique effrénée.

Soudain, il lève la tête, yeux et oreilles en alerte. Que se passe-t-il ? Lui seul le sait, moi je n'ai rien remarqué de particulier.

Il lâche son os, se redresse et fait quelques pas, le corps prêt à bondir. N'est-il pas investi de la très importante mission de garder la maison, de veiller sur tous ?

Puis il se détend, lance deux ou trois jappements pour la forme. Un promeneur passe sur la route. Voilà le motif d'une si grande mobilisation...

Déjà, il a repris sa mastication. Avec jubilation, il mordille, écrase la rotule. Plus rien au monde ne semble exister... jusqu'à la prochaine alerte, une odeur, un bruit qui le verront se précipiter, ses muscles tendus à l'extrême, tous ses sens exacerbés.

***

Jamais, au cours de ses allées et venues dans le jardin, il ne foule la tombe de Mabrouk. C'est un lieu interdit. Même le vieux ballon dégonflé, détrempé par les intempéries, il ne doit pas y toucher.

Sait-il qu'un autre compagnon a vécu ici avec moi, un chien qui est devenu, à sa manière, une légende ?

Au mois de juin, vers 20 heures, un rayon de soleil couchant vient éclairer comme un projecteur la tombe de Mabrouk.

Sous cette terre, enfoui dans son drap rose, gît mon ami, avec qui j'ai vécu six années d'une aventure intense et totale.

J'ai dit comment j'avais cru voir dans sa mort un signe du destin, une punition pour tous les actes d'agression que j'avais commis envers les animaux, de ce chien que j'avais heurté par accident sur la route à cet oiseau qui s'était effondré alors que je tirais sur lui par jeu, sans penser l'atteindre, avec une 22 long rifle.

Le monde animal de ma vie quotidienne a cessé d'être un simple décor pour exister par lui-même. J'y suis devenu sensible, apprenant à le respecter.

Je me surprends maintenant, alors que je m'apprête à tuer une mouche qui me harcèle, à suspendre mon geste[1]. Est-ce moi ou elle que j'épargne ? Ce que je sais, c'est que cet insecte commun et de si peu d'importance possède un souffle de vie, est une partie active et constituée d'un univers dans lequel je suis intégré.

L'homme n'est pas seul au monde, quoi qu'il s'imagine parfois dans sa vanité, il n'est qu'un élément de l'équilibre biologique de la planète, même s'il menace d'en être le destructeur.

Je ne suis plus ce Parisien classique, ce citadin qui, dès qu'il entend une mouche voler, sort sa bombe aérosol !

Ma nouvelle tolérance, cependant, a bien du mal à s'appliquer à ces animaux que je hais cordialement : j'ai nommé les araignées.

J'ai toujours ressenti à leur égard une violente répulsion, venue sans doute des images de science-fiction

---

1. Je comprends mieux, depuis, l'expression « il ne ferait pas de mal à une mouche ». Aujourd'hui, j'aurais tendance à dire : « A une mouche, non, mais à une crapule qui abandonne un animal, oui. »

de mon enfance : l'énorme araignée velue « mangeuse d'hommes »..., et je dois vraiment me faire violence pour ne pas les écraser dès que je les aperçois se faufilant le long des murs de la maison, tout en sachant que ce geste est imbécile, qu'elles sont en général inoffensives et victimes d'un « délit de sale gueule ».

Pour fortifier mes résolutions, je me dis que celles de la campagne sont moins sales que celles des cités, comme le rat des champs est plus propre que celui des villes, tout le monde vous le dira...

J'en suis venu à épargner les taupes...

Tous les jardiniers mesureront le sacrifice que cela représente, ces infernales bestioles n'ayant de cesse qu'elles n'aient défait en une nuit tout le travail patiemment et amoureusement poursuivi pour obtenir un beau gazon !

Il y a quelques années encore, je les traquais par tous les moyens possibles et imaginables, des branches de rosier glissées dans leurs galeries aux bouteilles vides destinées à siffler sous le vent, en passant par les fusées et les grandes eaux...

Je me souviens avoir veillé pendant des heures, une carabine ou une pioche à la main, guettant leur sortie de la galerie... Autant de moyens inefficaces et de rendez-vous manqués !

Puis est venu le taupier, qui disposait ses pièges — mais je n'ai jamais voulu savoir comment il s'y prenait. Sans doute le virus du respect de la vie animale était-il en train de faire souche en moi...

Et cet été, en remuant un tas de feuilles dans le potager, pour la première fois, je me suis trouvé nez à nez avec mon ennemie.

J'ai vu un joli petit être à fourrure s'agiter frénétiquement pour tenter de rentrer sous terre, trouver son salut dans les ténèbres...

Elle sentait la mort planer au-dessus d'elle.

Et effectivement, j'avais levé ma fourche, décidé à profiter de cette occasion unique de venger tous ces saccages et ces heures passées à la maudire...

Ma fourche ne s'est pas abaissée.

C'est grâce à Mabrouk, à Junior, au lent cheminement vers le respect de la vie animale, que la mort l'a épargnée.

Elle s'est enfoncée dans sa mine.

A l'heure où j'écris ces lignes, peut-être est-elle en train de saccager mon jardin !

*
**

Avec les oiseaux, plus accessibles à notre amour et depuis longtemps célébrés à la fois pour leur beauté et la liberté qu'ils symbolisent, les choses sont plus aisées.

Je suis simplement devenu encore plus attentif à leurs mœurs et plus sensible à leur détresse. L'hiver, ils savent qu'ils trouveront ici gîte et couvert. L'ancienne écurie leur est ouverte, et je place des graines enrobées de graisse sur les rebords des fenêtres, ou bien les suspends au tronc d'un arbre, dans un filet.

Ils surgissent aussitôt de partout, alors que le ciel semblait vide.

J'ai appris à les distinguer, à reconnaître le merle, le pigeon ramier, le coucou, le martinet noir aux cris perçants et le pivert au gros rire, ou encore la pie dont la hardiesse connaît de moins en moins de bornes, la mésange et le rouge-gorge aux couleurs magnifiques.

Habituellement, quand ces derniers sont en train de manger sur le rebord de la fenêtre, ma seule apparition dans la cuisine suffit à provoquer un envol piaillant.

Mais cet hiver, comme ils étaient particulièrement

affamés — et ventre affamé n'a pas d'oreilles ni d'yeux —, je pouvais m'approcher de la vitre ; ils restaient là, pressés, empilés, picorant trop voracement pour prendre garde à ma présence.

Lorsqu'ils viennent « casser la graine » au tronc du sapin, leur comportement est plus discipliné.

Dans le groupe de picoreurs qui volète autour du filet, chacun vient à son tour puiser dans la manne. Mais de temps en temps, un malappris se précipite et se sert en même temps qu'un de ses compagnons.

Cette dégustation sauvage provoque aussitôt un gros conflit, des cris du genre : « A la queue comme tout le monde », des battements d'ailes, des prises de bec, l'envol des tenants de l'ordre qui, par ce geste, veulent marquer leur indignation.

Le mal élevé, lui, reste et s'empiffre... Dans le monde des oiseaux comme dans celui des hommes, le civisme n'est pas toujours récompensé.

A bien l'examiner, l'univers de la nature n'est pas régi par des lois aussi rationnelles qu'on pourrait le croire : ainsi ces hirondelles qui, chaque année, élisent domicile au-dessus de la porte d'entrée, l'endroit le plus fréquenté qui soit, donc potentiellement le plus dangereux.

Dangereux pour elles..., mais aussi pour moi.

Les oisillons, installés en éventail, tête contre tête au centre du nid où ils tiennent d'interminables conciliabules, placent donc leurs « derrières » à l'extérieur..., si bien que passer mon seuil, c'est prendre un risque...

Les végétaux non plus ne se comportent pas toujours très logiquement.

Naïvement, le profane que j'étais croyait à la profonde sagesse des plantes et des arbres, à leur capacité à s'adapter aux conditions climatiques.

A la fin de l'un des derniers hivers, ces certitudes ont

été quelque peu ébranlées. Il y a eu un coup de froid tardif. Les plantes se sont recroquevillées, immobiles, n'osant bouger sous cette agression. Et puis a suivi un faux printemps, une chaleur avant l'heure. La nature, cette nature que je croyais si sage dans mon panthéisme un peu primaire, s'est laissé sottement avoir ! La sève s'est précipitée dans les tiges, tout a bourgeonné, éclaté à tout va..., et un second coup de froid s'est abattu, terrible, couchant, gelant, tuant partout. Pauvres bébêtes de plantes, bêtas d'arbres qui s'étaient fait « couillonner » ! Cette fragilité me les a rendus plus proches, presque humains...

Finalement, je me suis mis à aimer cette vie faite de petits riens qui ne se dévoilent qu'à l'observateur attentif : la force des plantes qui résistent quand même, percent sous la neige, jaillissent au printemps, la lente montée des arbres que j'ai plantés et dont je sais qu'ils me survivront.

⁂

Junior s'est maintenant couché près de la cheminée, sur le flanc, jambes largement étalées, joue contre le carrelage

Ses yeux sont clos, son corps immobile, strictement immobile. Il faut le regarder avec attention pour voir sa respiration soulever régulièrement son poitrail.

Peut-être rêve-t-il à un repas pantagruélique, à une chienne dont le délicieux parfum l'a ému, ou bien à Peggy, enfin rattrapée et rossée ?

A moins qu'il ne se promène dans une maison aux côtés de son maître, d'excellente humeur et totalement disponible, ne se consacrant qu'à lui.

Dans cette maison idéale, des enfants gentils le cajolent, jouent avec lui, lui offrent sans compter ces petits gâteaux apéritifs dont il raffole. Aucun endroit ne lui est interdit, bien sûr, et il ne se cogne pas le nez contre ces maudites portes « coupe-affection » que les hommes ont la manie de dresser entre les pièces, pour la bonne raison que ces portes ont disparu.

Quel rêve merveilleux ! Ses oreilles en tressaillent, sa queue bat lentement...

Mais au sein même de cette félicité, je sais que mon chien ne dort que d'un œil et d'une oreille.

Il *entend* ma présence, il sait que je suis là, tout près. C'est la belle vie !

Je l'envie souvent, de ressentir ce bonheur si simple, si aisément satisfait : « *Tu es là, avec moi, tu m'aimes, que puis-je souhaiter d'autre au monde ?* »

Si je quitte ma place, aussitôt cette masse animale faussement assoupie s'anime. Le museau frémit, les oreilles se dressent, captant comme des radars.

« *Ah, le maître fait quelque chose, bouge, où va-t-il ? Pourquoi ?* »

Questions capitales, qui mobilisent tous ses sens. Rien d'autre n'existe plus que la recherche d'une réponse à cette interrogation.

Si je vais prendre un livre ou un paquet de cigarettes, ses yeux me suivent, graves, attentifs. Mais si je jette un coup d'œil dans le jardin, derrière la fenêtre, il s'assoit, prêt à s'approcher pour savoir.

« *Qu'est-ce qu'il regarde, que se passe-t-il dehors ? C'est important, sans doute. Je dois y participer, cela me concerne.* »

Cette vigilance passionnée se manifeste aussi lorsqu'il nous arrive d'occuper ensemble une chambre d'hôtel où, je l'ai dit, je lui assigne une place précise de l'autre côté de la chaise frontière.

Le matin, en reprenant conscience, j'aime l'observer à travers mes paupières à peine entrouvertes.

Il est assis, les yeux fixés sur le lit. Depuis combien de temps est-il en faction, en alerte ?

Dès que j'ouvre un œil, hop ! il arrive, il est là, ce sont les retrouvailles, c'est la fête !

Oui, un bon chien doit savoir respecter le sommeil du maître.

Encore faut-il qu'il puisse le détecter avec certitude.

Je m'octroie quelquefois, après le déjeuner, un temps de farniente. Installé dans mon fauteuil, je regarde la télé ou feuillette un magazine. Il arrive que peu à peu, le sommeil me gagne, surtout si ma nuit a été courte.

Pour mon chien, qui m'observe, se pose un épineux problème : le maître lit-il, regarde-t-il la télé ou s'est-il endormi ? Difficile à préciser.

Après de longues et dubitatives minutes, il décide que rien ne vaut une observation plus rapprochée et le voilà tout près de moi, me scrutant.

Parfois, je le vois venir et me « gondole » de rire intérieurement, en m'obligeant à ne rien laisser paraître de mon hilarité. J'ai alors l'impression d'être un gosse participant à un jeu de cache-cache...

Pour en avoir le cœur net, Junior passe au stade de la vérification expérimentale : doucement, tout doucement, il colle sa truffe contre ma joue.

Si je me suis bel et bien laissé emporter par le sommeil, je me réveille en sursaut, incapable pendant un quart de seconde de comprendre ce qui se passe, atterrissant comme un parachutiste dans mon fauteuil..., et mon chien est tout penaud d'avoir provoqué en moi un tel remue-ménage !

Mais cela se termine toujours par des éclats de rire. Je l'empoigne par les bajoues, il se débat, nous sommes heureux, d'un bonheur primaire, immédiat, physique...

Je me demande parfois si les possesseurs de chats (est-on véritablement le « maître » d'un chat ?) connaissent ce genre de sensations. Je crois que les rapports qu'ils entretiennent avec leur animal sont tout aussi profonds, mais sans doute plus complexes et plus suaves à la fois.

Le jeu fait partie de ces plaisirs simples que partagent le chien et l'homme.

Ah, jouer, jouer, quelle passion !

Il y a d'abord les « jeux de salon » : avec Junior, on s'amuse sur le tapis, près du fauteuil. J'essaie de lui empoigner le museau, il se dérobe, tente de happer ma main. Quelquefois, il se couche sur le dos, découvrant son ventre, ce qui chez la plupart des animaux est un signe de confiance absolue, de détente heureuse.

Avec mon index, je simule un insecte faisant des loopings, j'imite son vrombissement : « Bizz... bizz... » L'insecte fait un piqué en vrille, direction le museau, dévie au dernier moment, revient à la charge... et je vois le rire danser dans les yeux de mon copain, s'élargir, s'étirer, babines largement relevées découvrant ses dents. Il feint de vouloir m'attraper le doigt, comme il le ferait pour une mouche.

Comme tous ses congénères, Junior adore gober au vol des insectes. Il se tient aux aguets pendant de longues minutes, suivant des yeux une mouche ou une guêpe et puis, tel un fauve, il bondit, referme ses mâchoires dans un claquement sec — souvent à vide —, mais, parfois, il lui arrive de happer sa proie.

Bien qu'il semble éprouver un très grand plaisir à refermer ses crocs sur ses victimes, je doute fort qu'il les poursuive pour la saveur de leur chair. Non, c'est l'instinct du chasseur qui le guide, du tueur.

Mon chien est un tueur... de mouches !

Je ressens un peu d'inquiétude quand il capture ainsi un frelon ou une guêpe, car il risque une piqûre dans la bouche ou la gorge, et cela peut être grave.

Dans notre « jeu de mouche », jamais Junior ne va jusqu'au bout de ses mouvements : même au plus fort de l'excitation, il s'arrange pour ne pas saisir mon doigt. Le maître est sacré.

Par contre, il mordille volontiers mes amis ou les enfants de mon entourage, qui adorent le taquiner de cette manière.

Mabrouk, lui, savait se dominer avec tous.

Je me souviens en particulier de ce jour où il était couché aux pieds d'une amie avec qui je prenais un verre. Je venais de lui parler de ce jeu et soudain, sans préambule, elle a abaissé en piqué son doigt sur la fesse de Mabrouk. Instinctivement, celui-ci s'est retourné en un geste de défense, prêt à « agrafer » l'insecte qui l'attaquait, mais comprenant, un millième de seconde plus tard, qu'il ne s'agissait pas d'une vraie mouche, il a freiné son mouvement. Ses dents ont claqué, mais dans le vide, au ras de la main[1].

Les jeux de salon ont cependant des limites : le manque d'espace, le carrelage glissant, les virages que l'on doit prendre trop court, les pattes arrière qui patinent et provoquent des dérapages pas toujours contrôlés...

---

1. Au début du film de Jean-Paul Belmondo *Le Professionnel*, dont j'avais acheté la cassette, le bourdonnement des mouches dans une case africaine était tellement présent que Mab tournait autour de l'écran pour tenter de gober les intruses.

Après sa mort, j'avais utilisé la musique du film pour accompagner les images-souvenirs du professionnel qu'il était.

Une agence de publicité a cru devoir utiliser cette musique — on se demande bien pourquoi — pour illustrer la course d'un berger allemand, vedette d'une marque d'aliment pour chien. J'ai cessé depuis d'utiliser cette séquence musicale pour évoquer Mabrouk.

Bref, la maison, c'est plutôt réservé aux jeux tendresse, ce n'est pas l'endroit idéal pour se donner à fond.

En revanche, sur la pelouse, on peut s'éclater !

C'est le lieu privilégié de la course poursuite, de l'« attrape-moi si tu peux »...

Tout d'abord, pattes antérieures posées bien à plat, le corps ramassé sur lui-même, tous muscles bandés, il attend, il guette le signal pour bondir.

Et c'est le départ, foudroyant..., il galope alors en larges cercles autour de moi, lancé « à fond la caisse », fou du plaisir de sentir son corps, ses muscles, sa jeunesse... Il exécute une sorte de danse du scalp, et moi je suis le totem ou l'ennemi capturé.

C'est là un rite ancestral de combat. Les cercles s'éloignent, se rapprochent...

Jamais je ne l'ai vu faire autant d'efforts que dans ces moments, où il allie à un maximum d'énergie une maîtrise parfaite de toute sa puissance pour garder son équilibre, surtout quand il rétrécit sa trajectoire. Il est le loup face à d'autres loups. Et moi, le maître, je joue le rôle de l'ennemi, peut-être parce que je suis celui dont il redoute la colère.

Parfois, il casse net son cercle, fonce droit sur moi.

Mais cette masse, lancée à toute vitesse, qui pourrait me renverser, freine brutalement des quatre fers au dernier moment pour éviter de me toucher, ou, jugeant que le choc risque de se produire, dévie sa course et ne fait que me frôler[1].

Cette totale domination du cerveau sur les muscles m'amène à soupçonner que lorsqu'il fait des bêtises, se

---

1. 36 kg lancés à 50 km à l'heure, c'est une grosse moto — 250 kg — qui vous tomberait dessus !

montre pataud ou maladroit, il y a certes chez mon chien une part d'inattention, mais aussi une petite envie de le faire exprès, une malignité.

Jouer, c'est aussi montrer son astuce, avoir la possibilité de tricher.

J'ai déjà dit comment Junior (succédant à Mabrouk) et Poppins, le chien des voisins, allaient et venaient au galop le long de la haie, jouant à qui serait le plus rapide, mais aussi à qui tricherait le mieux pour y parvenir — faux départs, demi-tours avant la fin du trajet, etc.

Et puis, le chien a disparu et Junior en a été longtemps attristé.

Or, de nouveaux amis potentiels sont apparus depuis quelque temps dans un pré prolongeant le jardin. Il y a là trois chevaux de selle, deux juments et un jeune hongre.

Nous avons fait ami-ami : un claquement de langue suffit pour qu'ils accourent. Ils savent que je suis celui qui leur procure de savoureuses offrandes : pain, sucre, carottes.

Ces amis de son maître, Junior les apprécie, malgré les apparences. Lorsqu'il s'approche d'eux, il exécute en effet un numéro très réussi de fauve guettant sa proie : marche au ralenti, corps ramassé pour bondir, expression d'alerte maximale. Arrivé à quelques mètres des chevaux, qui se sont rapidement accoutumés à ses manières et le regardent plutôt benoîtement, il bondit, aboie, tente à travers le grillage de mordiller ces mastodontes qui, pour la forme, reculent de quelques pas.

Fin du « cinéma » : le fauve est redevenu un chien copain.

Pour varier les plaisirs, il a trouvé un autre jeu. Il a entrepris d'apprendre à Rieu, le « trois ans », à pratiquer cette fameuse course poursuite le long du grillage. Cela n'a pas été sans mal.

Au début, mon chien éducateur aboyait très fort,

s'élançait comme un fou, puis, constatant que l'animal ne le suivait pas, s'arrêtait brusquement. Il faisait alors demi-tour, aboyait de nouveau, cette fois avec colère : « *T'es idiot ou quoi ? Qu'est-ce que tu attends pour courir ? Tu vas voir, c'est très amusant, on ne s'en lasse pas !* »

Et Junior repartait, revenait, répétant inlassablement son manège.

Depuis une semaine, ça marche ! Rieu a compris, il est entré dans le jeu. Pour l'instant, il ne fait qu'accompagner Junior dans sa course, mais bientôt il commencera à « carotter », car je ne doute pas qu'il trichera un jour, c'est dans l'ordre des choses.

Ce désir de gagner, d'être le premier, est inscrit dans ses gènes, comme dans ceux de beaucoup d'espèces animales..., et aussi ceux de l'espèce humaine.

Ce besoin chez l'animal d'être le premier, j'en ai fait les frais, il y a plus de vingt ans... C'était pendant des vacances, dans le Doubs. Mes deux fils et moi avions loué des chevaux de promenade. Ma monture était un « entier » qui paraissait de bonne compagnie.

L'attention absorbée par le paysage, je me suis laissé distancer. C'est alors que mon cheval a commencé à s'agiter, à donner des signes d'impatience, pour prendre soudain le mors aux dents et filer à la poursuite de ses deux voisins d'écurie. J'ai dû employer toute mon énergie afin de lui reprendre la main. Il ne supportait pas d'être derrière...

La « triche », je l'ai vu pratiquer par Junior de façon beaucoup plus subtile encore, lors d'un tournage de « 30 Millions d'amis ».

Il s'agissait pour lui de traverser une piscine en compagnie de Valérie et de Nathalie, deux jeunes championnes de nage synchronisée du Club nautique d'Antibes.

Nous avons d'abord procédé à une répétition.

Les deux jeunes filles et leur « collègue » à quatre

pattes se sont placés à quelques mètres du bord. J'ai compté : « Un... deux... trois... », et le trio a couru jusqu'au bord pour plonger...

C'est alors que Junior, tandis que ses compagnes piquaient une tête dans l'eau, a « pilé », restant sur la bordure de ciment.

Cette réaction m'a surpris.

Comme la plupart des chiens, et presque tous les bergers allemands, Junior adore l'eau, a joué très tôt avec elle, s'aspergeant, y enfonçant le museau pour récupérer des objets dans un récipient, et plus tard plongeant et batifolant avec plaisir dans la mer, où déjà il avait eu l'occasion d'accomplir des « exploits ».

Que signifiait ce refus ?

Pour en avoir le cœur net, j'ai demandé à ses deux partenaires de recommencer l'opération.

A peine ai-je eu le temps de donner le signal que mon chien s'est élancé avec ses deux petites copines et, sans hésiter, a exécuté un remarquable plongeon, comme à la parade. C'était parfait..., mais ça ne m'expliquait pas les raisons de son premier refus.

L'amour que je porte aux animaux se doublant d'une très grande curiosité à leur égard, je restais sur ma faim — ou plutôt sur ma soif d'explications. J'aurais bien examiné ce problème de plus près, mais le temps pressait, et en matière de télévision, on le sait, le temps coûte très cher. Il fallait, impérieusement, tourner la séquence.

L'équipe technique s'est mise en place, les trois nageurs se sont alignés pour le départ, la caméra a démarré... et j'ai donné le signal.

Première prise : tout s'est très bien passé, trois *plouf* simultanés.

Deuxième prise : la mascotte de « 30 Millions d'amis » a couru jusqu'au bord... et s'est immobilisée de nouveau. Deux *plouf* seulement. A refaire

Troisième prise : réussie comme la première.

Deux bonnes sur trois, c'était suffisant, j'ai demandé que l'on passe au plan suivant.

Mais pendant qu'on le préparait, que les techniciens se mettaient en place, j'ai dit à Anne, une petite fille qui connaît bien Junior, de refaire l'exercice avec lui.

Et là, n'ayant plus le souci de la réussite technique, j'ai pu examiner beaucoup plus attentivement le comportement de mon chien.

Et j'ai découvert un certain nombre de choses...

La première fois, il est parti avant que j'aie prononcé le chiffre « trois ».

Précédant son amie d'une courte tête, il a patiné des pattes arrière sur le ciment humide, mais grâce à son avance est arrivé en même temps qu'elle sur le bord.

Ils ont plongé ensemble.

La seconde fois, il a eu une seconde d'inattention, qui ne lui a pas permis de « tricher », comme la fois précédente. Anne avait de l'avance et, patinant de nouveau sur le ciment, il n'est pas parvenu à la rattraper.

Il a alors freiné à fond, stoppé et, du bord, l'a regardée plonger.

Autrement dit, pour contrebalancer son retard dû à la glissade sur le ciment, il avait mis au point un système de compensation : *il partait avant.* S'il parvenait à se maintenir à la hauteur de sa partenaire, il sautait avec elle. Si au contraire elle prenait de l'avance, alors, pas question de continuer.

C'est ce dernier point qui m'a intéressé car après tout, qu'il triche pour *gagner,* c'était astucieux, cela faisait montre d'un degré élevé de réflexion. En revanche, que signifiait son refus de plonger s'il était en retard ? Était-ce une réaction d'orgueil, de refus d'être le *second* ?

Je l'ai cru tout d'abord. Mais je n'étais pas entièrement satisfait par cette explication car Junior n'a pas, à la différence de Mabrouk, le caractère d'un chef de meute. Il est plus tolérant, disons plus « bon garçon » que ne l'était celui-ci.

Non, il devait y avoir autre chose (un sens aigu de la compétition ?).

Cette « autre chose », je l'ai découverte en faisant le rapprochement avec un de ses comportements antérieurs.

Quand il n'avait que quelques mois, je lui lançais des ballons qu'il happait au vol, exercice qui, comme tous les chiens, le ravissait. Généralement, il parvenait à les capter, mais il arrivait aussi qu'ils lui échappent, si je prenais soin de les lui expédier un peu « vicieusement ».

Soudain, il avait refusé de continuer le jeu. Pire, il avait manifesté une véritable terreur quand le ballon était arrivé sur lui, je l'ai même vu s'enfuir comme s'il s'agissait d'obus meurtriers !

C'était incompréhensible, absurde. J'étais certain de ne lui causer aucun mal, et pourtant il m'en donnait l'impression.

Comme si de rien n'était, j'ai continué l'exercice, appliquant un principe d'éducation sur lequel nous aurons l'occasion de revenir dans la suite de ce livre. Je voulais en avoir le cœur net.

Rapidement, il a repris le jeu. Oubliée, cette crainte terrible... et bien fugace ! Pour autant, je n'avais pas la clé de l'énigme.

Plus tard, lors d'un tournage où il devait attraper des balles de tennis au vol, je l'ai vu recommencer son « cirque » : tout s'est passé parfaitement jusqu'au moment où il a raté l'une des balles.

Aussitôt, il a adopté un comportement de refus, de blocage, se couchant, baissant la tête, les oreilles, recroquevillé sur lui-même... Devant une telle attitude, l'équipe s'est beaucoup amusée. Pas moi. Je venais de comprendre.

Véritablement vexé par son échec, Junior s'était inventé une bonne raison pour ne pas « perdre la face » : s'il avait raté cette balle, ce n'était pas par maladresse, mais parce qu'elle lui avait fait mal, ou qu'elle lui faisait peur. Non seulement cela justifiait son échec passé, mais aussi son refus de continuer le jeu.

Ce qui s'était déroulé à la piscine d'Antibes était dans le droit fil de cette conduite : voyant qu'il ne parvenait pas à rattraper son retard, et là encore, pour ne pas « perdre la face », il avait préféré déclarer forfait.

Sacré comédien !

⁂

Promenade du soir dans le jardin.

Junior me précède. Je distingue son dos musclé, ses poils qui luisent. Si la noblesse caractérisait Mabrouk, c'est la puissance, l'harmonie de sa stature qui m'impressionnent quand je regarde Junior.

Il a une architecture corporelle de danseur et d'athlète à la fois : la colonne vertébrale, le relevé des côtes disent la souplesse, l'agilité. Son torse est aussi large que celui d'un boxer. Les marches, la course, la nage, les exercices de saut ont fait de lui un sportif de haut niveau.

Je suis conscient de mon plaisir à le regarder évoluer.

Cette promenade du soir faisait partie de nos rites, à Mabrouk et à moi. Junior s'y est soumis, insensiblement, tout naturellement.

J'imagine parfois qu'il me dit :

« *Je suis là pour t'aider, pour que tu cesses d'avoir de la peine. Tu vois, la vie continue, c'est maintenant à moi d'assurer la relève.* »

Les places de prédilection de Mabrouk dans le jardin, il a vite découvert quelles étaient les meilleures et les a adoptées. Ainsi se tient-il souvent au pied du sapin, au centre de la pelouse (ce qui lui permet de m'observer quand je suis à ma table de travail) ou près du banc, endroit stratégique d'où il peut garder un œil à la fois sur la maison et le portail.

Au cours de cette promenade du soir, jamais nous n'allons dans un certain coin du jardin, là où Mabrouk et moi nous disions au revoir pour la nuit. Il se couchait sur le dos, me montrait son ventre. Je le caressais, lui parlais doucement, longuement.

Jamais non plus — je l'ai dit — Junior ne foule la tombe de Mabrouk. C'est pourtant l'endroit le plus frais, lorsqu'il fait très chaud. Il en a choisi un autre, derrière le baquet d'eau, humide et bien ombragé aussi.

⁂

La tombe de Mabrouk...

Quand nous l'avons comblée par une dernière pelletée de terre, cet après-midi-là, j'étais pétrifié, égaré, perdu.

Les jours qui ont suivi, j'ai vécu hors du temps, hors de la vie elle-même, rattaché à l'existence quotidienne par la force des habitudes et des besoins.

Lorsque je m'éveillais, un goût amer à la bouche, il me fallait accepter de nouveau la disparition de mon ami. Le soir, je ne m'endormais qu'après avoir absorbé ma dose de tranquillisants. Mais comment aurais-je pu être « tranquille » dans ce désert ?

Ensuite est venue une période plus calme. Je ressentais quelque chose qui ressemblait à du soulagement. Je n'avais plus à m'inquiéter. Finies les mille et une angoisses quotidiennes : « Mon chien semble fatigué, est-il malade ?... Il vient de croquer un os entier, c'est beaucoup trop, est-ce que cela ne va pas lui faire du mal ?... Il faudrait faire cette radiographie de routine, pourvu qu'on ne découvre rien de grave... »

Finie cette épée de Damoclès suspendue au-dessus de ma tête, cette impression d'impuissance devant un être qui ne peut formuler ni ses ennuis ni sa douleur...

Mabrouk, je l'observais chaque jour que Dieu fait, alerté au moindre de ses changements de comportement, et pourtant je n'avais perçu aucun signe avant-coureur de ce cancer qui devait l'emporter...

Oui, période calme !

Désormais, j'étais devenu un homme sans chien.

J'allais pouvoir accepter les invitations en ville, partir en vacances dans des lieux jusqu'ici interdits parce que trop lointains. Finie cette vie confinée, routinière, du maître d'un chien.

L'angoisse avait disparu, pour ne laisser place qu'au chagrin.

Je me sentais comme détaché, libéré d'une sorte de cordon ombilical.

Du temps ! J'avais maintenant du temps à foison, du temps à ne plus savoir qu'en faire ! Je me disais : « Tu es malheureux, mais au moins maintenant, tu peux mener la vie de tout le monde, une vie normale... »

Thomas Mann, prix Nobel de littérature 1929, l'auteur de *La Montagne magique,* avait éprouvé ces mêmes sentiments à l'occasion d'une séparation provisoire avec son chien Bauschan.

« N'était-ce pas, au fond, vanité et orgueil égoïste, écrit-il, qui m'avaient poussé à [le] mener à l'École vétérinaire ? Ne s'y était-il pas ajouté une certaine curiosité perverse à l'idée de me libérer un peu de sa surveillance servante, le besoin de savoir comment je me trouverais de pouvoir obliquer à droite ou à gauche en toute tranquillité et de sang-froid sans éveiller dans le monde des vivants un sentiment quelconque de joie ou d'amère désillusion. Je jouissais en effet, depuis l'internement de Bauschan, d'une indépendance intérieure que je ne connaissais plus depuis longtemps. Personne ne me harcelait à travers la porte vitrée en me donnant en spectacle le martyre de l'attente. Personne ne venait plus, d'une patte timidement levée, me secouer d'un rire de commisération et me persuader de sortir sans retard (...). C'était commode, calmant, et doué du charme de la nouveauté. Mais faute de stimulant habituel, je n'allais presque plus me promener, ma santé en souffrait, et comme mon état devenait singulièrement semblable à celui de Bauschan en cage, je fis cette constatation très morale, que la chaîne de l'affection était plus favorable à mon propre bien-être que l'égoïste liberté dont j'avais eu le désir[1]. »

Je pensais aussi à François Nourissier.

« On sait très bien, quand on n'a plus d'animaux, disait-il, comment l'égoïsme peut retrouver sa place, comment le confort peut reprendre sa place. Parce que c'est beaucoup plus facile de vivre sans un animal. On voyage plus facilement, on sort le soir plus facilement, les deux tiers des choses de la vie sont facilitées par l'absence d'animal. »

En mars 1985, je l'avais rencontré sous les premières frondaisons des arbres du bois de Boulogne. Il venait de perdre son deuxième chien.

D'abord, il y avait eu Polka, une chienne teckel. Quand il l'avait vue, au milieu de ses frères et sœurs,

1. Thomas Mann, *Maître et chien*, Grasset, 1984.

tellement plus costauds et dynamiques, il avait ressenti le besoin de la protéger, de l'aimer, et l'avait emmenée comme ça, sur un coup de cœur. Leur longue vie commune avait été un bonheur constant.

Après la mort de Polka, la vue d'un teckel dans la rue lui était devenue insupportable. Il n'osait plus caresser un chien, tant sa douleur était présente.

Ensuite, il y avait eu Java, qui se trouvait seule au monde, traumatisée, après un accident de voiture.

Et le drame, de nouveau : cette chienne avait égorgé une brebis, le gardien du troupeau l'avait tuée d'un coup de fusil — car on ne cherche pas à comprendre, avec les animaux, on tue sans hésiter...

Lors de cette rencontre, l'écrivain nous avait fait part de sa lassitude, de son doute sur la nécessité d'avoir avec nous ces êtres qui, souvent, nous causent une tristesse à la mesure de l'attachement qui nous lie à eux...

Quelques mois après... sa femme et lui succombaient — évidemment — en adoptant Ma-Zurka, une « bergère allemande ».

« La vie rebondit, m'a-t-il dit, c'est très mystérieux, la façon dont ça rebondit, parce que je crois que jamais un chien ne fait oublier un autre chien, mais d'un coup, il mobilise les mêmes réflexes de précaution, de peur, de tendresse, qui étaient inemployés depuis des mois. Et la tonalité de la vie change. Cette liberté qu'on a acquise si chèrement, on la balance aux orties. On reprend un chien. »

⁂

Reprendre un chien...

Certains profitent de la disparition de leur animal pour, en effet, retrouver leur liberté. La présence d'un chien à leur côté n'est pas essentielle à leur bonheur.

D'autres ont un motif bien différent pour décider de se priver de ce compagnon. Ils craignent d'exposer l'animal à l'inconnu :

« J'ai perdu mon chien, m'écrivent mes correspondants, et je suis dans un état de santé qui me fait dire que je n'en ai plus pour longtemps à vivre. Si je m'attachais à un chien, que deviendrait-il après moi ? Je n'ai pas le droit de lui faire prendre de tels risques. »

Nous sommes là en présence d'un merveilleux exemple du sens de la responsabilité, de l'amour désintéressé que l'homme — aussi — peut porter à l'animal, en oubliant ses propres joies, son propre plaisir.

D'autres enfin refusent de lui donner un successeur parce que leur peine a été trop forte. Ils ne veulent plus avoir à la supporter.

Je me souviens en particulier de cette jeune femme qui, après la mort de son cocker, m'a écrit une lettre très émouvante. Leurs liens étaient d'une telle intensité qu'elle avait décidé de ne pas le remplacer.

Elle était pourtant en « manque », mais savait aussi qu'elle ne pourrait regarder un nouveau compagnon sans penser à la mort du premier, sans songer que celui-là mourrait à son tour. Elle assisterait à cette mort...

C'est vrai que la relation humain-animal nous touche au plus profond de nous-mêmes.

Ces animaux, témoins silencieux de nos bonheurs ou de nos malheurs, de nos courages ou de nos lâchetés, nous ramènent à l'essentiel : la vie, l'amour, la mort.

Quoi d'autre d'important pour nous ?

« L'amour, l'avarice, l'ambition », comme l'affirme Alain, qui n'a jamais dû atteindre le fond du cœur d'un chien ?

Nous naissons, nous aimons (parfois), nous mourons.

Telle est notre programmation, le reste apparaissant vraiment comme accessoire.

Le chien nous donne un extraordinaire privilège : la possibilité de voir un condensé vertigineux de notre propre destinée, un raccourci que malheureusement nous pouvons regarder plusieurs fois, car nos compagnons remplacent les aiguilles de l'horloge de notre existence.

Deux, trois, quatre chiens ont jalonné notre vie : aurons-nous le temps d'en avoir un cinquième, un sixième ?

Ce rappel constant de notre « passage » ici-bas est sans doute l'une des clés de ce mystérieux attachement qui unit deux êtres paraissant si différents, si éloignés l'un de l'autre.

Tu vas mourir...

Lorsqu'on regarde un être humain, on peut penser qu'il disparaîtra après nous, on ne sait pas. Mais un animal ?

Quand nous vivons avec un chien, une idée s'impose sans cesse à notre esprit, qu'elle soit ou non formulée : *nous le verrons mourir*. D'où la naissance d'une énorme pitié, d'une infinie tendresse.

Alors que depuis des années je cherche la motivation intérieure, fondamentale, qui nous fait avoir une relation avec un animal, j'en viens à me demander si ce n'est pas aussi la présence de sa mort prochaine qui suscite notre élan ?

Reprendre un chien...

Je sentais ce désir profondément ancré en moi, chevillé à mon âme, mais j'avais peur.

En choisissant Mabrouk, j'avais jeté mon dévolu sur le chien le plus formidable... mais aussi le plus fragile.

avec sa dysplasie qui, avec l'âge, se serait accentuée, et cette effroyable maladie qui l'avait emporté à six ans.

J'avais peur de choisir de nouveau, par une sorte de superstition.

J'ai pris conscience, assez vite, du complot qui se tramait autour de moi. On voulait me sauver de ma dérive, me redonner goût à la vie, au travail. Alors, j'ai laissé les autres choisir.

Junior est venu...

Je ne lui ai pas résisté, car avec lui revenait la tendresse.

J'avais pris de fermes résolutions : cette fois, cela ne serait plus pareil, je serais intraitable, je me réserverais des zones à moi.

Peu à peu, par son amour obstiné, il m'a pris, m'a gagné, « entortillé ».

Et me voilà de nouveau enchaîné.

Faire un voyage en voiture sans qu'il soit là, à l'arrière, je n'arrive plus à le concevoir : il me manquerait quelque chose. Le quitter pour une semaine de vacances, une toute petite semaine ? Jamais je ne m'y résoudrai.

Depuis deux ans, des amis nous invitent à passer Noël à Abidjan.

J'en rêve. Un réveillon sous les palmiers, avec « tout mon monde ». Mais il faudrait prendre l'avion, et *lui,* le mettre dans la soute réservée aux bagages... et aux animaux. Il n'en est pas question.

Mes amis ne me comprennent pas : « Comment, toi qui recommandes des pensions formidables, tu ne pourrais pas y laisser Junior une semaine ? »

Oui, je sais, j'exagère. Mais comment expliquer à Junior que mon absence ne sera que de courte durée ?

Il va s'imaginer, en ne me voyant pas revenir, au fil des heures, puis des jours, que je l'ai complètement abandonné ! Il sera très malheureux. Comment pourrais-je ainsi le faire souffrir, en toute conscience ? Comment serais-je capable de me sentir pleinement heureux, loin de lui, sans pouvoir passer une main dans son poil, sans entendre son souffle à mes côtés, sans le savoir là ?

Oui, mon chien est une drogue, je le reconnais. Heureusement, tous les maîtres ne sont pas à mon image. Cependant, je souhaite à tous les drogués de la terre d'avoir une *overdose* comme la mienne...

La tombe de Mab.

J'évite de trop m'y rendre en présence de son « fils ». Mais quand celui-ci est parti en promenade, il m'arrive souvent de m'en approcher. Debout près du carré de terre, je m'adresse à Mabrouk à travers la terre, le temps, la vie.

J'évoque des moments, des instants, parfois fugaces. Tous sont joyeux et émouvants, tous le montrent obéissant, aimant, se donnant absolument à moi.

Je n'ai aucun souvenir d'un Mabrouk me décevant, trahissant mon attente.

Il ne m'a jamais apporté que du bonheur.

Même au cours de son interminable agonie, mon costaud ne pensait qu'à m'aimer.

Je vais plus souvent sur sa tombe que sur celle de ma mère et de mon frère car, à l'exception des Corses, qui ont le privilège de garder leurs morts sur leurs terres, nous sommes obligés de placer nos défunts loin de nous. Ma mère et mon frère sont enterrés à Nice.

Seul privilège de nos chiens et nos chats, ils peuvent être ensevelis près de leurs maîtres quand ceux-ci vivent à la campagne. Mais à la ville, bien souvent, ils finissent dans un sac poubelle ou chez l'équarisseur.

Combien de fois ce problème n'est-il pas évoqué dans les lettres adressées à « 30 Millions d'amis[1] » !

Quand Junior revient de sa promenade, il sent que je suis allé dans le jardin. Son flair lui fait retrouver mon itinéraire et celui-ci le conduit à la tombe. On ne peut lui cacher grand-chose...

Je lui parle alors de son « père[2] ».

Avant la venue de Junior, j'ai eu un autre confident.

C'est auprès de Folie que je me suis réfugié, lui qui avait été l'un des témoins de la vie de Mabrouk.

Folie est un pur-sang, ancien cheval de course. Il a connu l'excitation de la compétition, les applaudissements des turfistes.

---

1. « Dans un cimetière de chiens, on est sûr de ne trouver que de braves gens. Au Père-Lachaise, c'est une autre histoire... », disait le cinéaste Claude Autant-Lara.

L'un des plus fameux cimetières de « braves gens », le premier qui ait été construit au monde, en 1899, celui d'Asnières, est menacé au moment où j'écris ces lignes. La Société anonyme propriétaire des lieux a estimé que l' « affaire » n'était plus rentable. Il est vrai qu'on enterre moins à Asnières depuis que d'autres emplacements se sont créés et qu'existe l'incinération pour nos compagnons. Mais Asnières est plus qu'un rectangle de terre, c'est un site historique. Plus de cent mille chiens ont été déposés là, dont le célèbre Rintintin (la vedette de la fameuse série de télévision américaine était en effet née en France) ou Barry, le célèbre chien sauveteur.

L'émotion soulevée par ce risque de disparition a été considérable. Le maire de la ville et le président du conseil général des Hauts-de-Seine, auprès desquels je suis intervenu, nous ont promis de tout faire pour sauver l'île aux chiens. Pour mesurer encore l'importance de nos compagnons dans nos vies, il fallait voir, lors de la séquence consacrée à cet événement au journal télévisé, les centaines et les centaines de maîtres de chiens réunis ce samedi de septembre pour protester contre ce danger.

Les journalistes — qui n'ont pas toujours conscience de l'importance du phénomène que représentent les animaux de compagnie — en étaient, on le sentait bien, tout interloqués, sinon choqués...

2. Je dis « père », mais c'est frère qui serait plus juste, car Mab et Junior ont le même père... moi !

Vivre dans cette école d'équitation dont il est maintenant pensionnaire, alors qu'on a connu la gloire, doit être assez dur, surtout quand on n'a plus la possibilité de galoper tout son saoul : Folie a eu les poumons brûlés et, s'il se donne trop à fond, il saigne rapidement des naseaux.

Les jours de concours, il assiste au départ de ses voisins de box, bichonnés, nattés, choyés, entourés d'attentions.

« *Moi aussi,* doit-il penser, *j'aimerais bien parader, sentir sur mon dos un cavalier angoissé, et sur moi des milliers de paires d'yeux emplis d'admiration...* »

Malgré cette frustration, il avait trouvé un certain équilibre dans cette vie tranquille quand, il y a quelques années, une dame pleine de bonnes intentions, voyant que Folie vieillissait, a proposé de l'emmener finir ses jours dans sa propriété.

Brusquement, l'animal s'est retrouvé dans un pré, seul, lui qui avait été habitué depuis son plus jeune âge à la fréquentation de ses congénères et des hommes.

Cette retraite qu'on lui organisait, c'était la déchéance, l'isolement, le bannissement !

Au bout de quelques semaines, devenu comme fou, il a sauté les barrières qui le maintenaient prisonnier et s'est échappé. Une fois retrouvé, sa bienfaitrice l'a ramené à l'école d'équitation.

A ce moment, bien sûr, la boucherie le guettait. Alors je l'ai acheté et il a repris sa petite vie de pensionnaire.

De temps en temps, on le fait « participer » à des concours de dressage, le brave Folie est persuadé qu'il tient de nouveau sa place dans la communauté, qu'il y joue son rôle.

Je vois cependant venir le jour où il ne sera plus possible de le garder là. Comment lui assurer une fin de vie digne et heureuse ? L'idéal serait d'acheter un pré, d'y construire une écurie et de lui offrir deux ou trois compagnons. Mais ce n'est pas aussi facile que cela.

Trouver une solution pour assurer la retraite du vieux Folie m'obsède, non seulement parce que je suis son « propriétaire », mais surtout à cause des souvenirs et des émotions qui ont tissé entre nous de profonds liens, durant ce bout de chemin que nous avons parcouru ensemble.

Pourtant, du temps de Mabrouk, il était jaloux de lui, et manifestait même une certaine animosité à son égard. Mauvais coucheur, Folie avait tendance à mordre facilement.

Après la mort de Mab, pendant les jours et les jours où j'étais seul, j'allais me réfugier auprès de lui.

Je n'étais plus le maître qui impose superbement sa volonté mais un être qui lui parlait longuement, doucement, alors que tout dormait autour de nous.

Peu à peu, il est devenu plus gentil, plus tendre.

Maintenant, il met sa tête sur mon épaule, ce qu'il ne faisait jamais auparavant. Il s'est établi entre nous un lien que je serais bien en peine de définir.

Quand j'arrive, et qu'il est en train de manger — et on sait qu'à ce moment-là, il n'est pas aisé de déranger un cheval —, avant de tourner le coin de l'écurie, je toussote pour annoncer ma venue. Il pousse alors un énorme hennissement de joie, crache toute son avoine et sort la tête de son box...

Avec Junior, il se montre gentil et tolérant. Bien sûr, il l'a connu tout petit, et la place qu'il lui donne n'est pas celle d'un rival, comme il le faisait pour Mabrouk.

Mais ces bonnes dispositions ne s'adressent-elles pas aussi au chien de ce maître si différent que je suis devenu ?

A ses côtés le bon Mars. (C'est lui qui apparaît au générique de « 30 Millions d'amis », retroussant sa lèvre supérieure.) Auprès de lui aussi, j'allais chercher un réconfort.

Je n'oubliais pas que c'est entre ses jambes que Mabrouk, effrayé par l'orage, s'était réfugié. Mais ce grand cheval, si gentil, si « bonne pâte », n'avait pas l'air de comprendre mon chagrin. Peut-être parce qu'il n'avait pas changé : il était (il est) toujours bon...

J'ai pu encore le constater, il n'y a pas si longtemps.

Les chevaux savent très bien qui est sur leur dos. Ils reconnaissent le cavalier expérimenté à la seule manière dont celui-ci est monté en selle et a pris les rênes en main. S'il s'agit d'un débutant, il aura tôt fait de « descendre ». Eh bien, avec moi, Mars a d'autres critères.

Il y a quelques semaines, j'ai voulu faire un tour avec lui.

Je ne l'ai pratiquement jamais monté.

A peine étais-je calé dans ma selle qu'il s'est mis à faire des bonds et des bonds.

C'est un grand cheval et, de là-haut, la terre semble très basse et très dure.

J'ai serré mes jambes sur ses flancs, mais c'est surtout à ma voix qu'il s'est calmé.

« Eh dis donc, Mars, c'est moi ! »

La mer calmée ! du velours ! Il s'est arrêté en pleine croupade. Tout, dans ses gestes, était excuse.

Il est parti à l'allure que je lui demandais — le galop —, d'une manière extrêmement académique, « en mains », disent les spécialistes, sans que j'agisse sur aucune des « aides ». Il m'a permis de parader, « frimer », comme l'on dit aujourd'hui.

J'avais utilisé la même voix que celle avec laquelle je lui apprenais à manger proprement un morceau de sucre.

Au début, il m'enveloppait entièrement la main avec ses grosses lèvres et, de temps en temps..., avec les dents.

Quelques petites tapes, beaucoup de caresses et des

remontrances verbales ont fait qu'aujourd'hui je peux véritablement glisser mes doigts dans sa dentition.

Il tâte très doucement. « *Attention ce sont ses doigts !* » Ce poids lourd de 500 kg a de ces délicatesses... !

Dernièrement, un autre témoin de la présence de Mab a disparu.

Mémère est morte.

Mémère, la doyenne de mes poules...

Elle aussi, je m'étais mis à l'observer plus attentivement, à l'apprécier, à la découvrir.

Elle était, ancienneté oblige, la reine du poulailler et y faisait office de coq !

Cette responsabilité qu'elle s'était octroyée et que les autres ne songeaient pas à lui disputer allait très loin.

Un jour, je l'ai retrouvée déplumée, presque nue ! Elle s'était battue, à n'en pas douter, l'intrépide vétérante, jusqu'à la limite de ses forces, peut-être avec un chien.

Ce n'était pas impossible car, après la mort de Mabrouk (avec qui elle entretenait des relations distantes mais fondées sur un respect mutuel), un setter venu en visite s'était soudain précipité sur les poules. Tandis que ses compagnes prenaient la fuite, Mémère, au mépris de tout danger, s'était avancée au-devant de l'agresseur, lui tenant tête bravement. Déconcerté par cette résistance imprévue, le médor avait hésité, ce qui avait permis à son maître d'intervenir à temps.

Ce comportement courageux n'est pas rare chez les animaux, où souvent le chef se sacrifie pour la survie du groupe, alors que chez les hommes, on le sait, peu de dirigeants nous donnent l'exemple d'un tel altruisme...

Je sentais que Mémère était mal fichue. Elle commençait à se tenir à l'écart des autres et elle, si gourmande habituellement, n'accourait plus quand j'apportais du pain. Ce sont là des signes qui ne trompent pas : dans l'univers animal, tout individu malade, blessé, diminué par l'âge, quitte le groupe ou en est exclu.

Parfois même, il est malmené, comme si on voulait hâter sa mort.

Ces mœurs obéissent sans doute aux nécessités de survie de l'espèce, l'individu fragile rendant le groupe plus vulnérable à ses ennemis ou à la contagion.

Cela peut choquer ceux qui, animés par un certain angélisme, parent la nature de toutes les vertus, c'est-à-dire, en fait, ne veulent la voir que conforme à leurs souhaits, pour être digne de leur amour. Mais la nature n'a pas pour finalité de reproduire les rêves de l'homme. Elle est réalité en soi, avec ses lois immuables, et c'est à l'homme, qui en fait partie, qui est né d'elle, de la respecter.

Voyant que l'état de Mémère ne s'améliorait pas, je téléphonai au vétérinaire.

Malheureusement, j'eus affaire à son remplaçant.

Quand celui-ci comprit que je me faisais du souci pour la santé d'une *poule*, il ne put s'empêcher de manifester son étonnement :

« Mais enfin, ce n'est qu'une volaille ! »

Dans ma hâte de demander du secours, j'avais oublié que pour la plupart des gens, vétérinaires compris, une poule, ce n'est rien, à peine un être vivant, dont le seul intérêt est de fournir des œufs ou d'être mangé...

N'a-t-on pas vu récemment un aviculteur de Bretagne tuer froidement les trente mille poules de son élevage, pour protester contre la baisse des cours des œufs ?

Je veux bien croire que le désespoir guidait ce geste, mais il n'en reste pas moins qu'il est très représentatif du peu de considération que l'on accorde à la vie de ces animaux.

Il est à noter que, lors des reportages télévisés consacrés à ce « fait divers », alors que les images que l'on nous montrait étaient celles d'un véritable charnier, rien dans le commentaire de mes confrères ne manifestait le moindre sentiment de commisération.

Bref, mon appel au secours en faveur de Mémère avait été inutile. L'homme de l'art ne pouvait rien pour elle, d'autant que la malade avait atteint l'âge canonique de huit ans, et j'avais bien senti à son ton un agacement teinté d'ironie envers ce monsieur qui lui faisait ainsi perdre son temps.

Quelques heures plus tard, je rappelai, nullement découragé — je suis toujours prêt à affronter le ridicule quand il s'agit d'aider les animaux. J'eus la chance cette fois de parler au fils du vétérinaire en titre.

« C'est de Mémère qu'il s'agit ! » s'écria-t-il.

Il avait lu *Mabrouk, chien d'une vie* et, pour lui, la doyenne de mes poules *existait*. J'ai cru que, grâce au livre, Mémère allait être sauvée.

Mais son heure était venue, et les médicaments, les vitamines prescrits ne firent que la prolonger d'une journée.

Le lendemain elle était au plus mal. Elle gisait au fond du poulailler, dans un coin, la tête entre un morceau de bois et le mur, pitoyable, attendant la fin.

Je décidai de l'installer dans l'ancienne niche de Mabrouk, au soleil, protégée de ses sœurs par un grillage. Je mis à ses côtés de l'herbe, de la salade, et cette mie de pain qu'elle aimait tant.

Nous étions là, Junior, le jardinier et moi.

Vers cinq heures, Mémère mourut, lentement, paisiblement, telle une reine entourée de sa cour.

Elle est enterrée au fond du jardin, parmi les autres défuntes.

Maintenant, il ne reste plus que Roussette qui ait connu Mabrouk...

Étant la plus ancienne dans le grade le plus élevé, elle est logiquement devenue la doyenne et a pris tout de suite de l'ascendant sur les nouvelles arrivées. Elle, l'éternelle seconde, est enfin la première !

Cette responsabilité, elle l'assume avec fermeté. J'ai assisté il y a peu à une scène étrange, qui m'a laissé pantois.

Les nouvelles étaient dans le potager et j'ai voulu les faire fuir. Bruits de bouche, claquements de mains... Deux ont sauté prestement le mini-grillage. La troisième, affolée, essayait de traverser les fils de fer plutôt que de les franchir. Je l'ai prise dans mes mains et l'ai aidée à sauter.

A peine avait-elle fait quelques pas que Roussette, qui n'avait pas transgressé l'interdit, s'est précipitée sur elle et l'a corrigée à coups de bec sur la tête.

Pas de punition pour les deux premières, qui avaient su se sauver, mais des « baffes » pour celle qui s'était fait remarquer par sa bêtise !

Comment expliquer autrement cette réaction ?

⁂

La lumière du soleil matinal éclaire les notes, les rapports accumulés sur ma table. Je m'étais promis, hier soir, de m'y plonger entièrement, et voilà que mon esprit s'en évade sans cesse.

Assis devant cette table où s'accumule un travail impossible, je vois à gauche par la fenêtre Junior au pied de son arbre. Plus loin, derrière lui, les poules qui passent à la queue leu leu, en caravane, toujours dans le même ordre et avec — comme il se doit — une traînarde, toujours la même, la « sauvage ».

A droite, me *regardant*, une tapisserie de Mabrouk. Ce sont les « faiseurs de chair » d'Aubusson qui me l'ont offerte. Ils l'ont exécutée d'après sa plus belle photo, celle de la couverture du livre.

Cette photographie a une particularité. Que vous soyez à gauche, à droite, au centre, les yeux semblent vous suivre.

Assis donc à ma table, ou déjeunant, ou encore plus loin dans un fauteuil, si je lève mon regard sur cette tapisserie, je rencontre celui de mon chien, qui semble me protéger dans tout ce que je fais. Parfois, je vais de ces yeux de laine à ceux allumés, pétillants de Junior qui debout me regarde comme fixement.

En un éclair, je vois toute la vie dans les paillettes d'or qu'il m'offre.

Mon regard erre sur les arbres, le ciel, la pelouse.

Les poules s'avancent vers l'espace interdit.

Elles ont tout le jardin pour « piocher » à leur aise, mais non, il faut qu'elles viennent là, le plus près possible de la maison. L'herbe y possède sûrement la saveur inégalable du fruit défendu...

Junior, chiot venu de son élevage, a débarqué ici un soir alors qu'elles étaient déjà couchées.

Le lendemain, il les a découvertes picorant sur le gazon. Sans hésiter, obéissant à son instinct ancestral de chasseur, il a foncé.

Habituées aux bonnes manières de Mab, mes poules l'ont vu arriver sans manifester de méfiance particulière et n'ont commencé à s'égayer en piaillant que lorsqu'il a saisi Négrette, l'une des anciennes.

Mémère, la responsable, la patronne, déjà malade, était sans doute à l'autre bout du jardin, sans quoi elle aurait aussitôt fait front pour défendre sa troupe.

Je me suis précipité, mais comme Junior n'avait

encore reçu aucune éducation, je n'avais d'autre possibilité pour l'arrêter que de le prendre par la peau du cou pour lui faire lâcher prise.

Négrette en a été quitte pour une peur bleue et un derrière déplumé.

Les tapes et la colère contenue dans ma voix ont fortement impressionné et même terrorisé le jeune coupable.

Il fallait « marquer le coup », faire entrer dans sa caboche qu'un tel comportement était inadmissible. Je voulais pouvoir lui faire confiance, préserver la part de liberté à laquelle chaque animal vivant chez moi a droit.

Junior a immédiatement compris la leçon et les poules ont pu continuer de picorer sans entraves. Jamais plus il n'a tenté de nouveau de les attaquer ni même de les courser, à moins que je ne lui en aie donné l'ordre.

Ils vivent maintenant très bien ensemble.

Souvent, il m'accompagne à la distribution du pain.

Quel spectacle de voir cette escadrille de poules accourir du fond de la pelouse, de cette démarche sautillante, claudicante, disgracieuse au possible, pour bénéficier de cette manne !

Tout entières concentrées sur le but à atteindre, elles ne s'occupent guère de Junior, parfois l'une d'elles lui passe même entre les pattes pour couper au plus court.

Il ne s'en formalise pas, habitué à ces êtres dont il se demande peut-être quel intérêt je peux bien leur trouver.

Quand je sors du poulailler, il scrute avec curiosité ces petites balles blanches que je porte et avec lesquelles, apparemment, elles seules ont le droit de jouer.

L'une d'elles, qui a pris la sotte manie de se fourrer littéralement dans mes jambes, au point de me faire trébucher, montre plus d'audace encore que ses pareilles : elle court après le ballon que je lance à Junior qui, le pauvre, en est tout interloqué. Il s'immobilise et, secouant sentencieusement la tête, observe : « *Ça ne va pas bien, chez toi ?* »

Ces gallinacés, qu'on prétend volontiers stupides, sont, je le répète, injustement considérés. Les éthologistes, s'ils daignaient s'intéresser à eux, découvriraient qu'ils ne manquent pas de discernement.

Lorsque j'envoie le ballon dans leur direction et que Junior file à toute allure pour le rattraper, elles pourraient avoir la sensation qu'il fonce sur elles dans l'intention de leur faire un mauvais parti.

Mais non, elles ne bronchent pas, regardent (en douce) le gros chien piler à une portée de mâchoire, ramasser le ballon, les frôler puis repartir, et elles n'arrêtent pas de manger.

Elles savent que ces deux êtres que sont l'homme et le chien jouent au ballon et que ce jeu ne les concerne pas (sauf la footballeuse à laquelle j'ai fait allusion plus haut et qui, émule du baron de Coubertin, ne demande qu'à participer...).

En revanche, quand je lance Junior à leurs trousses pour les éloigner de la maison ou les chasser du potager, elles ne se trompent pas et s'enfuient à toutes ailes et pattes.

Je passerais des heures à observer la vie de leur petite société[1].

L'aventure de la Sauvage, une Cayenne, m'a captivé.

Elle a surgi un jour, sans que l'on sache d'où elle venait. De très petite taille, elle volait assez haut, tel un gros oiseau maladroit. Dans la journée, elle picorait les graines de « mes » poules et le soir, repartait vers les bois voisins.

---

1. Depuis des siècles, d'éminents savants observent les fourmis ou les abeilles. A notre époque, ces scientifiques sont même salariés par le C.N.R.S... Je n'en demande pas tant !

Quand Junior l'a découverte, voletant, il s'est dit : « *Ah, voilà un oiseau, il n'y a pas d'interdit concernant les oiseaux, à nous deux !* » et il s'est lancé à sa poursuite.

Pendant des mois, dès qu'il s'apercevait de sa présence parmi les autres, il se précipitait sur elle.

Pendant des mois, elle lui a échappé *in extremis,* réussissant à s'envoler au ras de son museau, parfois en y laissant une plume ou deux.

Un jour, en fin d'après-midi, le jardinier l'a capturée en se disant que, puisqu'elle se nourrissait *ici,* elle pourrait tout aussi bien pondre *ici,* plutôt que dans les bois.

Il lui a rogné un peu les ailes et elle a couché avec les autres dans le poulailler... dont la porte est restée ouverte.

Le lendemain matin, en la découvrant sur la pelouse, Junior s'est empressé de foncer droit sur elle.

La Sauvage s'est mise à courir en agitant ses ailes..., mais sans parvenir à décoller vraiment.

Junior, imperceptiblement, a ralenti l'allure.

Visiblement, il ne comprenait pas. Qu'attendait-elle pour prendre son envol ? Il semblait lui dire : « *Alors, ma fille, tu te décides ? Qu'est-ce qui te prend ? Et nos habitudes, alors ?* »

Il a pratiquement pilé sur elle... et l'a bloquée entre ses pattes.

Je l'ai rappelé au pied.

Aussitôt, il est revenu à moi, abandonnant sans hésiter à son sort cet être bizarre, passé brusquement de l'état « d'oiseau-gibier » à celui de « poule-tabou ».

Depuis, il fait semblant de ne pas la reconnaître parmi les autres, tandis que de son côté, elle se tient toujours à une bonne dizaine de mètres de lui, ce qui l'oblige parfois à effectuer de grands détours pour rejoindre ses congénères.

Avec celles-ci non plus la métamorphose de la Sauvage n'a pas été de tout repos.

Auparavant, quand elle allait et venait à sa guise hors de la frontière du jardin, les autres manifestaient un respect craintif pour cette aventurière venue d'horizons lointains.

A partir du moment où elle a dû vivre dans leur cercle, j'ai remarqué que son crâne était fréquemment déplumé.

Pendant deux ou trois mois, elle a ainsi reçu leurs coups de bec, subissant de véritables brimades pour le prix de son entrée dans le groupe et sa place au « grainetier ».

Puis ce bizutage a pris fin, et elle est maintenant une poule parmi les autres. Longtemps, elle s'est montrée craintive à mon égard, et j'ai dû faire preuve d'une très longue patience avant qu'elle n'accepte le pain que je lui offrais.

Junior, lui, n'a rien oublié.

Malgré son apparente indifférence envers la Sauvage, il a dû garder la nostalgie de leurs anciennes poursuites, car lorsqu'il fait son travail de gardien, c'est toujours elle qu'il prend en ligne de mire.

Ainsi, quand je les chasse du potager qu'elles envahissent quelquefois en sautant le grillage, et qu'il vient me prêter main-forte, je constate souvent qu'il la traque en priorité, tandis qu'elle pousse des cris de détresse d'un volume étonnant si l'on considère sa petite taille.

Il prend bien garde à ne pas la toucher ! Il se contente de la houspiller, afin de lui rappeler qu'il est toujours là et que si elle a changé de condition sociale, lui n'a pas oublié ses origines.

Impitoyable, l'univers de Junior...

Le petit monde des poules connaît aussi sa créature étrange, un peu fantomatique : la « Nuiteuse »...

Certains soirs, à l'heure où le jardin devient silencieux et paisible, une poule, qui ressemble à Mémère, semble rechigner à vouloir regagner le poulailler. Toutes ses sœurs sont déjà couchées depuis longtemps alors qu'elle continue à « vaguer » sans vraiment picorer.

Pourquoi celle-là, et pourquoi cette envie d'être seule en tête à tête avec le crépuscule ?

Souvent, en la regardant, j'ai l'impression qu'elle est la réincarnation d'une âme errante.

Cette dernière déambulation, avant la nuit, a quelque chose de désespéré, et je m'interrogerai toujours sur la conduite de la Nuiteuse... à moins que, tout simplement, son horloge biologique ne soit détraquée..., ce qui serait moins poétique !

2.

Junior : un cerveau

La promenade du soir terminée, nous rentrons.

Il reste un dernier rite à accomplir : celui de la séparation pour la nuit.

Pas plus que Mabrouk, Junior ne dort dans ma chambre. Je sais que si nous passions la nuit ensemble, il se réveillerait au moindre bruit pour s'interroger aussitôt : « *Est-ce qu'il va se lever ? S'occuper de moi ? Va-t-il me demander quelque chose ?* »

Jamais il ne dormirait autrement que d'un œil.

Aussi cette coupure, pénible dans les premiers temps de notre vie commune mais à présent parfaitement admise, est-elle nécessaire à son bon équilibre. Elle permet de débrancher cette « machine à aimer », de la déconnecter, de la laisser un peu au repos.

Ne ressentons-nous pas nous-mêmes le besoin de nous ménager des temps de décompression, des parenthèses ? Une bonne nuit de sommeil, les week-ends, les vacances nous permettent de réaliser ce désir.

Faisons en sorte que nos animaux larguent eux aussi quelque peu les amarres qui les relient si puissamment à nous !

Cette séparation du soir, Junior et moi la vivons à notre manière.

Avec Mabrouk, qui était un chien d'une pudeur extrême, qui s'extériorisait très peu, la cérémonie avait lieu dans le jardin. Elle était intense mais brève.

Il m'avait communiqué sa pudeur. Quelques caresses, quelques mots tendres nous suffisaient.

Junior, c'est autre chose. Lui s'extériorise sans complexe, aussi bien dans la douleur que dans la joie. Il faut le voir, lorsqu'il est un peu souffrant, se réfugier près de son « papa » avec une mine affligée, faisant un véritable « cinéma » ! Qui pourrait rester indifférent devant une telle image de détresse profonde ? Sa joie, bien entendu, est exubérante, effrénée.

Notre au revoir a lieu dans le salon. Il va se coucher dans son coin favori, sa « place de bébé ». Je m'agenouille à côté de lui et lui parle doucement à l'oreille des événements qui ont marqué la journée, de son bon comportement et de ses bêtises de « chien fou », des enseignements qu'il doit en tirer s'il veut être un bon garçon.

Mots tendres, douces remontrances entrecoupées de baisers, de caresses. Moments de réelle communication...

Je sais à ses mines qu'il m'écoute avec attention, concentration, qu'il fait des efforts pour capter le sens de mes mots :

« *Qu'est-ce qu'il est en train de me dire ? Que veut-il que je comprenne ?* »

Souvent, il pose sa patte dans ma main, une patte que je m'amuse à manipuler comme un morceau de caoutchouc, en la glissant derrière son oreille. Il se laisse faire, comme engourdi de plaisir.

Le plus étonnant est que mes petites remontrances, je l'ai remarqué, ne sont pas sans effet sur sa conduite ultérieure. S'il n'a pas compris le sens des phrases, peut-être a-t-il ressenti les émotions, les intentions qu'elles véhiculaient ?

Au moment de nous quitter, il entreprend de me lécher la main, consciencieusement, sans oublier le moindre centimètre de peau.

Cette marque d'amour dont il est l'inventeur, qu'il tient à renouveler chaque soir, me fait encore une fois mesurer la différence de personnalité de mes deux compagnons.

Mabrouk, je l'ai dit, au plus fort de son désir de me manifester son attachement, se contentait d'un petit coup de langue, à la sauvette. Sans doute cette réserve de Mab venait-elle de son enfance difficile, du fait qu'il ne l'avait pas vécue près de moi, peut-être aussi de ma propre attitude à son égard : je ne l'avais pas connu chiot, je n'étais pas habitué à le traiter comme tel.

Junior, lui, est entré dans ma vie alors qu'il était bébé. L'image du chiot pataud, avec son oreille en canard[1] et ses émouvantes maladresses, reste gravée en moi.

De même, lorsque je regarde mes fils, qui sont à présent des hommes, je vois souvent se juxtaposer à leur apparence d'adultes leurs visages d'enfants.

Cette façon différente de « vivre l'image » de mes deux chiens, mes collaborateurs la partagent, souvent de façon plus accentuée, aussi bien dans les bureaux qu'aux studios.

Avec Mabrouk, ils ont vu arriver un grand chien costaud, massif. Ils n'ont pas tardé à savoir qu'il avait mordu le vétérinaire, ce qui n'a pas atténué leur légitime circonspection...

---

1. Junior a deux signes distinctifs : son oreille droite..., pas très droite justement, et que je n'ai pas voulu faire redresser par une opération de chirurgie esthétique, car il est bien plus drôle comme ça..., et une langue « en dentelle » : en jouant, il s'est mordu avec une telle force que les points de suture n'y ont rien fait.

Qui plus est, lorsque je visionnais un film en salle de projection, Mabrouk, dès qu'un membre de l'équipe entrait, émettait une sorte de petit grondement de gorge, se levait et allait identifier le nouveau venu. Il faut reconnaître que, dans l'obscurité, un tel face-à-face avec ce chien méfiant était assez impressionnant, bien qu'il n'ait jamais montré d'hostilité particulière.

Même ceux qui le connaissaient depuis longtemps et savaient que je le contrôlais parfaitement éprouvaient alors un instant de crainte. Certes, on le caressait, on lui disait : « Bonjour Mabrouk », on savait qu'il était gentil, qu'il n'aurait attaqué personne..., mais on restait tout de même sur le qui-vive.

Junior, lui, placé dans les mêmes circonstances, reste sagement couché.

Depuis sa plus tendre enfance, il connaît toutes les personnes qui entrent, ce sont des amis, des copains, qui lui font fête dès qu'il leur rend visite. Il faut vraiment qu'un inconnu surgisse soudain dans la salle pour que mon compagnon se lève et aille, lui aussi, y voir de plus près.

Dans ces studios de Levallois, où il est accueilli comme un enfant gâté, il se promène des salles de montage aux salles de visionnage, des bureaux à l'auditorium, comme dans un monde merveilleux. Et chaque fois, ce sont des exclamations de joie : « Ah, voilà Junior ! Bonjour Junior... » et des mains qui s'avancent pour le caresser, le flatter, sans appréhension.

Par contre, dans l'ascenseur, à Montparnasse, Junior se tient assis au milieu de la cabine et moi, le plus souvent appuyé à la paroi. Quand la porte s'ouvre aux étages, les nouveaux passagers ont quelquefois un mouvement de recul en découvrant ce « chien-loup » imposant, avant de réaliser qu'il est tenu en laisse.

Au chiot qu'il restera toujours à mes yeux, je passe

certaines peccadilles que je n'aurais pas acceptées de Mabrouk.

Lorsque nous sommes seuls, il lui arrive de temps à autre de ne pas entendre mes ordres. Si cela m'énerve, si je crie plus fort, alors il vient vers moi en manifestant une énorme inquiétude, prend un air fort préoccupé, semblant me dire : « *Mais quoi, que se passe-t-il ? Je ne comprends pas, je ne l'ai pas fait exprès...* »

Peu à peu, je me suis rendu compte que ce comportement obéissait à une certaine stratégie. En « faisant l'âne », il se ménageait des territoires d'autonomie, la non-compréhension qu'il affectait lui servant de paravent, de protection.

Mais Junior ne se comporte ainsi que lorsque nous sommes seuls. Jamais, lorsque je lui ai demandé de faire certains exercices en présence de tiers ou, *a fortiori,* sur un tournage, il ne s'est permis d'agir de la sorte.

C'est d'une grande subtilité...

Cette subtilité, je peux la vérifier chaque jour.

Ainsi, pour communiquer avec moi, m'expliquer ou justifier l'une de ses attitudes, il est capable de puiser dans notre mémoire commune.

Je l'ai découvert à l'époque où je lui enseignais les rudiments de la garde d'objets. Comme je manifestais une certaine impatience parce qu'il s'obstinait à revenir vers moi, abandonnant le sac sur lequel il devait veiller, je l'ai vu brusquement abandonner son attitude contrite pour courir vers le banc du jardin, sauter dessus... et s'y asseoir, en me regardant.

Il exécutait le premier exercice d'obéissance que je lui avais enseigné quand il était bébé, ce premier exercice qu'il avait accompli très facilement et dans la joie.

Le message était clair.

Mon chien me disait :

« Tu vois, cet exercice que je faisais quand j'étais tout petit, je le recommence, preuve que je suis plein de bonne volonté, que je ne demande qu'à te satisfaire, que je ne suis pas un chien buté. Mais cette fois, je ne comprends pas ce que tu me demandes. »

J'ai ressenti une grande admiration pour son esprit d'invention, sa capacité de bâtir un raisonnement. Nous discutions véritablement et je me suis rendu à ses raisons : j'avais sans doute été trop pressé, ou bien confus dans mes directives. Il fallait reprendre l'exercice plus patiemment, plus méthodiquement.

Je l'ai fait, et tout s'est parfaitement déroulé.

Je me demande si ces comportements, qui sont autant d'affirmations de sa personnalité, ne correspondent pas chez Junior à un désir de me faire reconnaître sa spécificité.

Ce désir, je comprends fort bien qu'il demeure.

Car dans les premiers temps de notre vie commune — et l'on sait que cette période est fort importante, dans la constitution du psychisme du chien —, je n'ai pas toujours été très juste avec lui, malgré tout l'amour que je lui portais.

Très tôt — trop tôt sans doute —, j'ai voulu qu'il soit à l'image de son « père », oubliant que Mabrouk lui aussi avait subi un apprentissage. Mais là encore subsistait cette vision de mon ancien compagnon dans sa splendeur, à la fin de sa vie.

Sans cesse, souvent de façon inconsciente, je comparais Junior à ce modèle, sans tenir compte de la différence d'âge et de personnalité.

Parce que Mabrouk était volontiers vindicatif envers ses congénères, comme un vrai chef de meute, je me suis senti vexé quand, à l'âge de huit mois, face à un teckel écumant de rage, Junior a paisiblement refusé le combat.

Bien entendu, je ne souhaitais pas qu'il se produise, ce combat, j'ai en horreur ce genre d'affrontements, mais j'aurais voulu au moins que mon nouveau compagnon fasse montre d'une certaine fermeté.

J'ai alors pensé : « Mabrouk était un dominant, Junior sera un dominé. »

La suite m'a démontré qu'il fallait se méfier de ce genre de jugements, hâtifs et superficiels.

Autre incident qui m'a fait douter de lui, cette fuite de plusieurs heures, que j'ai relatée dans *Mabrouk, chien d'une vie,* qui lui avait fait traverser une bonne partie de Paris.

J'en étais directement responsable, dans ma hâte de le voir réagir comme un adulte, alors qu'il n'était qu'un enfant. On ne doit pas laisser aller à sa guise un chien encore très jeune, qui peut céder à des frayeurs soudaines. On doit le garder à la laisse.

Cette période a dû lui être assez difficile à vivre, et j'imagine ce qu'il aurait pu me dire :

« *Pourquoi me juges-tu sans cesse, au moindre de mes actes ? Pourquoi interprètes-tu si tragiquement la moindre de mes fautes ? Pourquoi me compares-tu continuellement à Mabrouk ? Ne pourrais-tu pas me regarder objectivement, m'observer, découvrir* qui *je suis,* moi, *Junior ?* »

Peu à peu, au fur et à mesure que je cessais d'étalonner la moindre de ses réactions au « modèle » de mon ancien compagnon, j'ai découvert évidemment que Junior avait une personnalité bien à lui.

Outre les qualités reconnues aux bergers allemands — courage, sérieux, loyauté, amour des enfants et profond attachement au maître —, il réfléchissait beaucoup, élaborait des conduites très « affûtées », inventait des comportements au gré des circonstances. C'était — c'est — un « intellectuel »...

Très tôt, il a connu les caméras.

A la différence de Mabrouk, qui a commencé à tourner alors qu'il avait plus de deux ans, Junior a fait ses débuts dès l'âge de six mois. Mais ce n'était qu'un petit bébé maladroit et gambadeur, dont la caméra « volait » des moments de vie.

Il a fait connaissance avec la neige en Suisse, une occasion pour lui de rééduquer sa jambe, cassée en jouant avec un enfant.

Nous l'avons filmé allant et venant, ravi, sur ce tapis blanc, froid et souple.

Lors de la première nuit au chalet, j'ai été réveillé par ses aboiements, vers 1 heure du matin.

Je suis allé le faire taire et le gronder, car rien ne justifiait apparemment cette bruyante manifestation : ni voiture ni lumière suspectes à proximité de cette maison, qui dominait le village. Junior me décevait, m'inquiétait même :

« Voilà un chien qui va aboyer tout le temps, après n'importe quoi... »

Le lendemain matin, quand nous nous sommes promenés dans le jardin, je l'ai vu se lancer, museau au ras du sol, adoptant l'allure du pisteur. Effectivement, il y avait des traces de passage d'un animal. Les empreintes étaient trop grandes pour appartenir à un chat ou un chien. De quoi pouvait-il s'agir ?

Le soir, vers minuit, nous avons fait notre promenade, dans le petit champ jouxtant le chalet... Et nous nous sommes trouvés nez à nez avec une biche.

Mon brave aboyeur, que j'avais injustement tancé, la nuit précédente !... C'étaient donc les effluves de l'animal, rôdant silencieusement autour de la maison, le bruit de ses sabots étouffé par la neige épaisse, qui avaient éveillé ses instincts !

Dans ces villages de montagne, quand l'hiver est très

rigoureux, il n'est pas rare, je l'ai appris par la suite, que biches et cerfs descendent vers la civilisation, poussés par par la faim.

Nous étions tous trois interloqués...

Junior a été le premier à réagir. Il s'est élancé vers la visiteuse, qui a pris gracieusement la fuite.

J'ai stoppé net le chasseur par un « sifflet d'angoisse ».

Pendant ce séjour, je n'ai cessé de l'observer, pour tenter d'évaluer ses aptitudes.

Alors qu'il jouait avec des enfants, l'un d'eux s'est couché dans la neige, mimant un évanouissement. Junior, intrigué, s'est approché du corps allongé, et puis a refermé doucement ses mâchoires sur l'un des poignets et a tiré.

Ce geste purement instinctif, était celui du « sauveur type ».

J'ai songé à utiliser cette inclination naturelle lors d'une séquence que nous avons tournée en mer.

Junior avait pris place à bord d'une vedette du Groupe d'intervention nautique des pompiers de Nice. Ces hommes, qui assurent la surveillance de douze kilomètres de côtes entre Nice et Villefranche, tout au long de l'été, avaient accepté que la mascotte de « 30 Millions d'amis » les accompagne lors d'un exercice de sauvetage.

En rade de Villefranche, une collaboratrice, partie sur une planche à voile (à distance suffisante pour qu'il ne la reconnaisse pas et que le tournage s'effectue donc dans des conditions proches de la réalité), a simulé un accident. Junior s'est jeté à l'eau, a nagé vers la noyée, lui a attrapé le poignet et l'a tirée vers la plage jusqu'au moment où ils (et elle) ont eu pied.

Geste instinctif, disais-je. Mais très « dosé » aussi, car il demande un « mordant » spécial.

Ainsi, l'un des marins-pompiers avait-il envoyé d'abord son propre chien, habitué à le suivre en mer. Mais l'animal avait mordu trop fort la « noyée » tandis que Junior — tel Mabrouk dans cette séquence de Rintintin où il devait « mordre » un Indien — savait parfaitement tenir sans faire mal.

Cette aptitude de mon chien, il m'arrive de l'utiliser dans des circonstances un peu... inattendues.

Lors d'une réunion d'amis, je lui demande parfois : « Va chercher cette jeune femme qui est là, sur le divan, amène-la à papa... » et Junior referme ses mâchoires sur la main de la jeune personne, pour la conduire gentiment mais fermement jusqu'à moi. Souvent, la prisonnière fond... ! Comment résister à une telle « drague » ?

Ce petit jeu remporte un certain succès, et il m'arrive de penser que si Junior avait été à mes côtés quand j'avais vingt ans, il m'aurait été d'un très grand secours pour lier connaissance avec les demoiselles...

Ses premiers exploits, c'est à la neige qu'il les a accomplis. Et le premier d'entre eux m'a paru déterminant.

Je souhaitais qu'il prenne place sur une luge conduite par un enfant. Voilà qui peut paraître facile, au regard de tout ce que je lui ai demandé par la suite. En fait, cela exige beaucoup du chien.

Dans un premier temps, Junior et moi avons regardé des enfants dévaler joyeusement la pente sur ces drôles de petites machines.

Très vite, j'ai senti que mon compagnon était captivé, excité. C'est d'ailleurs ce que j'escomptais, car je connais bien son appétit du jeu.

Nous avons ensuite lié connaissance avec l'enfant qui devait l'accueillir à bord de l'engin. Puis je l'ai fait monter sur la luge en lui disant : « Pas bouger. » Il m'a obéi avec confiance et gravité, comme s'il sentait que le moment était important, qu'il ne s'agissait plus d'un jeu comme un autre, que les choses devenaient sérieuses...

J'avais devant moi un nouveau Junior, conscient de la présence des caméras et peut-être aussi de mon état de tension psychologique.

La luge a commencé sa descente, a pris de la vitesse.

Junior est resté figé alors même que le sol semblait se dérober sous lui, que les bosses du parcours devaient le déséquilibrer.

Il n'avait sûrement qu'une idée en tête : sauter de cet esquif inquiétant et courir me rejoindre..., ce qu'il a fait avec la promptitude que l'on imagine, à peine la luge arrêtée.

Nous avons recommencé, et cette fois les caméras tournaient.

Il a repris sa place, et il a participé à la descente, tenant parfaitement son rôle.

Compréhension, bonne volonté, soumission... J'ai su ce jour-là que Junior serait formidable.

Cette faculté de rester immobile en position délicate, sur des engins inconnus, il a souvent eu à l'exercer, que ce soit à bord d'une « moto des mers », d'une planche à voile ou d'un dériveur, confiant à chaque fois son sort à une personne autre que son maître, généralement inconnue.

Après la luge, il s'est montré, on l'a vu, époustouflant dans la recherche de « victimes » ensevelies sous une avalanche, faisant montre de dispositions étonnantes.

Un an plus tard, nouveau tournage à la neige, cette fois à Neuchâtel.

La veille, j'étais comme toujours angoissé.

Si doué soit-il, serait-il aussi formidable que Mabrouk ?

Je me disais : « On a déplacé toute une équipe technique en misant uniquement sur les dons, le désir de bien faire de ce jeune chien. Tout dépend de lui. Cette responsabilité, il sera seul à l'assumer, car moi, je ne pourrai pas intervenir, je serai dans la position de l'entraîneur observant le comportement de son poulain au cours d'un match... »

En fait, j'avais le trac... pour lui !

Et lui, comment cela se passait-il dans sa tête ? Percevant mon inquiétude, il devait en chercher la cause...

Ce trac, mes craintes, je les devais à certaines expériences malheureuses, lors des tournages de « 30 Millions d'amis ».

Nos reportages nous font connaître parfois des mésaventures. Tel maître de chien, de chat, d'oiseau ou de tout autre animal nous affirme que son compagnon réalise des prouesses hors du commun — ce que nous ne demandons qu'à croire.

A notre première visite, destinée à établir un contact, il n'est pas rare que l'animal montre ses talents avec bonne grâce et sensibilité. Rendez-vous est pris pour le tournage.

Le jour fixé, débarquement de l'équipe de tournage au grand complet dans la maison ou l'appartement... et c'est là que les choses se gâtent.

Le chat s'obstine à rester sous le buffet, le chien à aboyer sans en démordre, tandis que le perroquet, habituellement si disert, reste muet comme une carpe ! Le maître, très gêné, s'emploie à faire revenir son compagnon à de meilleurs sentiments, mais en vain, celui-ci reste intraitable.

Et le temps passe.

Pas le moindre petit bout de pellicule impressionnée. Il nous faut rentrer bredouilles. Voilà une journée qui nous aura coûté cher, car en matière de télévision, le temps, c'est beaucoup, beaucoup d'argent...

Dans ma chambre d'hôtel de Neuchâtel, les souvenirs de ces mésaventures me harcelaient.

Heureusement, ceux d'expériences plus positives venaient rétablir un peu l'équilibre et tempérer mon anxiété.

Ainsi ce reportage chez un grand photographe ami des bêtes, où tout se déroula divinement — cela arrive aussi, Dieu merci !

Il possédait deux chats et un perroquet. « Vous allez voir, nous avait-il dit, comment le perroquet se nourrit aux dépens de ses deux compagnons. »

Nullement intimidé par la présence des caméras, le volatile s'est livré à son jeu favori : alors que les deux chats mangeaient paisiblement dans leurs plats, lui, en revanche, ne semblait pas très attiré par les cacahuètes contenues dans son assiette métallique. Soudain, il l'a saisie par le bec et s'est mis à en marteler le carrelage avec conviction, produisant un bruit épouvantable à cinquante centimètres des deux félins.

Évidemment, ceux-ci se sont enfuis, effrayés.

Le perroquet conquérant s'est alors empressé d'avaler à grandes becquées le contenu des plats délaissés, qui devaient à ses yeux posséder une très grande valeur, peut-être celle du bien mal acquis.

Les deux chats ne paraissaient pas lui en vouloir pour ces hold-up répétés (le maître s'arrangeait pour combler leurs frustrations culinaires)... Ils ne le touchaient jamais, lui qui se promenait en voletant dans la maison, alors que d'un coup de patte un peu vif, ils pouvaient le mettre à mal. Mais ils respectaient l'interdit que leur maître leur avait inculqué dès leur plus jeune âge.

Je voudrais profiter de l'exemple de cette cohabitation réussie pour inviter mes lecteurs à ne pas se résigner devant le comportement instinctif de leurs compagnons.

Souvent, dans certaines lettres ou témoignages, on nous dit : « Le canari était imprudemment sorti de sa cage, alors, naturellement, notre chat, qui le guettait depuis des années, a mis fin à ses jours... C'est très triste, mais il ne faut pas lui en vouloir, il ne savait pas... »

Je suis tenté de répondre : « S'il ne savait pas, c'est qu'on ne lui a pas appris qu'il devait respecter l'oiseau, qu'on ne s'est pas donné la peine de le lui faire comprendre, alors qu'il en était parfaitement capable. » Sachez qu'il faut lui fixer des tabous, se donner le mal de les faire entrer dans sa tête, sans se lasser. Dix fois ? Quinze fois ? Il n'y a pas de limites. Il ne suffit pas de dire au chat ou au chien : « Ne touche pas », il faut accompagner cette interdiction de mimiques afin qu'il comprenne que c'est très grave, qu'on ne joue pas.

« Vous devez aussi le tester en provoquant des rencontres où vous resterez maître de la situation et le punirez s'il désobéit. Il finira par juguler son instinct, surtout si vous êtes convaincu, *vous*, que c'est possible.

« En revanche, si vous faites tout cela du bout des lèvres, sans y croire vraiment, si vous vous sentez prêt à l'excuser en cas de récidive, il le sentira parfaitement et n'en fera qu'à sa tête... »

En cette veille de tournage à Neuchâtel, je continuais à m'interroger : « Junior sera-t-il capable d'accomplir tout ce que j'ai prévu ? »

Voilà une inquiétude qui peut paraître exagérée, mais je souligne, à ma décharge, que ce que j'exige de lui n'a rien de comparable à ce que l'on demande à ses semblables dressés pour le cinéma. C'est d'une tout autre nature.

Dans un film, lorsqu'on a besoin de voir un « animal-héros » accomplir des prouesses, on en engage à cette fin non pas un ou deux, mais quatre ou cinq, voire plus, chacun étant spécialement dressé, des mois avant le tournage, pour assumer une phase bien particulière de l'action : celui-ci sautera d'un haut mur, celui-là creusera un trou sous un grillage et s'y glissera, cet autre se précipitera dans les bras d'un enfant et lui léchera le visage.

Ce travail de préparation est confié à des dresseurs professionnels qui, le jour « J », présentent leurs élèves et leurs doublures parvenus au *top* niveau.

Lors du tournage, on ne lésine pas sur le nombre de prises, afin qu'au montage le choix soit le plus large possible. Aussi une équipe de cinéma peut-elle tourner toute une journée pour ne produire qu'une ou deux minutes utilisables — dont d'ailleurs une partie sera peut-être coupée lors du montage définitif.

Enfin, tout ce qu'on ne peut obtenir des animaux dans la réalité (mouvements de bouche imitant la parole par exemple) sera demandé au trucage, qui parvient à réaliser des miracles. Faire appel à tous ces procédés s'inscrit parfaitement dans la logique du cinéma, puisque celui-ci se nourrit de fiction et nous propose le merveilleux...

Au contraire, dans les reportages de « 30 Millions d'amis », c'est la réalité que nous traquons.

Car le souci de vérité prime tout.

Junior, succédant à Mabrouk en cela, accomplit devant les caméras ce que le chien de Monsieur Tout le Monde, entouré d'affection et convenablement éduqué, serait sans doute capable de réaliser.

Jamais je n'ai songé à faire de mes compagnons de vie des vedettes de cirque ou de cinéma.

J'ai toujours considéré que leur popularité était au service de la cause animale, qu'elle avait pour mission de susciter un nouveau regard sur nos amis, enfin considérés comme des êtres doués d'intelligence et de dignité, et à ce titre aussi respectables que les êtres humains.

Junior, sans doublure, exécute donc dans la continuité les exercices que je lui demande. Pas d'astuces de montage, pas de trucages — si ce n'est parfois l'utilisation de l'accéléré ou du ralenti au cours des prises de vues, mais de façon tellement évidente, soulignée, qu'ils sont autant de clins d'œil.

Pas de « bidon » non plus : Junior, quand il arrête un penalty ou dribble à la façon d'un footballeur, ne fait que reproduire sur un stade ce qu'il accomplit en ma compagnie dans le jardin.

Je me borne à utiliser ses compétences.

Pour ce qui est du dribble, par exemple, j'ai remarqué qu'il aimait tenir un ballon entre ses mâchoires et m'en disputer un autre, qu'il poussait de ses pattes avant.

C'est ce qui m'a donné l'idée de lui faire réaliser cet « exploit » de footballeur.

Jamais il ne me viendrait à l'esprit de lui imposer un exercice qu'il trouverait très déplaisant, non seulement parce que je le respecte trop pour cela, mais aussi parce qu'il se montrerait peu coopératif : c'est avant tout le plaisir de jouer qui le motive. Celui-ci disparu, ne resterait plus qu'une corvée à accomplir de très mauvaise grâce, et je le connais assez pour savoir qu'il se montrerait alors terriblement peu opérationnel...

Donc, nous tournons vrai.

Ce souci de l'authentique nous fait refuser l'emploi de figurants jouant les passants qui s'arrêtent pour applaudir ou s'extasier...

Je crois que cette sincérité parle au cœur des téléspectateurs.

Cette nuit d'angoisse à Neuchâtel était évidemment sans fondement, quoique...

Pour rejoindre les couloirs d'avalanche, nous devions emprunter un hélicoptère... et Junior n'avait jamais voyagé à bord d'un tel véhicule. Surtout, petit, il avait eu peur des parasols et des parapluies, alors les pales du rotor tournant au-dessus de sa tête !...

Le lendemain, il s'est montré impérial.

C'est sans aucune réticence qu'il a pris d'abord place dans un *track*, cet immense véhicule à chenilles. Celui-ci l'a conduit à l'hélico, où la mascotte de « 30 Millions d'amis » est montée sans l'ombre d'une hésitation, indifférente aux pales du rotor ou au sifflement de la turbine.

Quand l'appareil s'est envolé, il est resté parfaitement à son aise, observant avec intérêt les paysages neigeux qui défilaient sous ses pattes...

Lorsque nous nous sommes posés, Junior a sauté sur le sol à mon commandement, comme à la parade. Pour des raisons techniques, nous avons dû réaliser plusieurs prises de cette arrivée. A chaque fois, il a repris sa place, sautant dans la neige en vrai « pro ».

J'ai le souvenir d'un autre tournage où sa docilité et son sérieux ont également fait merveille.

C'était à Nice où nous avions donc participé à l'exercice de sauvetage en mer avec des pompiers-marins de la ville. Junior devait arriver sur le quai d'embarquement à bord de l'une de leurs camionnettes de secours, descendre en compagnie des hommes en uniforme. Rien de plus simple... sur le papier.

Or, justement parce qu'il ne s'agissait pas de cinéma et que nous ne faisions pas appel à des figurants, les choses se sont compliquées.

Arrivée de la voiture sur le quai..., arrêt..., descente des occupants... L'un d'eux, mettant pied à terre, a pris une mauvaise direction, si bien qu'il a masqué Junior à la caméra.

Bon. Rien de grave. Nouvelle prise..., nouvel arrêt..., nouvelle descente..., et, oubliant tout ce qu'on lui avait dit, le pompier s'est de nouveau trompé de sens, faisant écran devant Junior.

Nous avons filmé cette scène cinq fois !

Jamais Junior, lui, n'a commis la moindre erreur de placement et ne s'est départi de son calme...

A Neuchâtel, il devait participer pour la seconde fois à un exercice de recherche en montagne. Quand je lui ai dit : « Cherche », il a flairé quelques minutes avec hésitation, puis s'est élancé vers un point précis, s'est immobilisé, a gratté furieusement de ses pattes avant, faisant gicler la neige... et mis à jour le skieur suisse qui s'était dissimulé dans le trou. Il a eu droit à une médaille d'honneur de chien d'avalanche. Lors de la cérémonie, il se trouvait entouré d'une cinquantaine de bergers allemands qui, bien que fermement tenus par leurs maîtres, aboyaient rageusement, grondaient en direction de cet intrus isolé, au centre de leur cercle, et qui semblait les narguer.

Malgré cette situation délicate, Junior restait immobile, sûr de lui, ne manifestant aucune crainte particulière..., sauf pour les énormes chaussures de ski du directeur de stage qui se tenait à côté de lui...

Je revoyais Mabrouk recevant sa médaille de chien d'honneur de la gendarmerie à Gramat, et lui aussi entouré d'une meute hostile...

Ce rôle difficile, Junior l'a tenu de nouveau, lors du tournage de la « 500e » de l'émission.

Pour fêter les dix ans d'existence de « 30 Millions

d'amis » (qui, depuis son apparition sur le petit écran, a touché plus de trois milliards de téléspectateurs !), j'avais décidé de rendre un hommage symbolique aux chats, aux chevaux et aux chiens, ainsi qu'à tous ceux qui les aiment, les protègent, se dévouent pour eux et font progresser leur cause.

Les téléspectateurs ont eu la surprise de découvrir, vu d'hélicoptère, l'hippodrome de Longchamp avec, sur la pelouse, une immense carte de France dessinée par quatre-vingts chiens de races différentes, ambassadeurs de neuf millions de leurs compagnons vivant dans notre pays.

Étaient également à l'honneur, dans un ordre impeccable, les chiens de travail représentant les trois mille six cents auxiliaires de l'armée, de la police, de la sécurité civile, en compagnie de leurs maîtres. Il y avait là les chiens de catastrophe, d'avalanche, de détection de drogue ou d'explosifs. Au milieu d'eux, un chien-guide d'aveugle, lui aussi distingué. Enfin les chevaux, en l'occurrence ceux de la garde républicaine, aux ordres de leurs cavaliers, n'avaient pas été oubliés.

Jean-Claude Brialy présentait l'émission.

Notre mascotte est encore arrivée en hélicoptère. Quand l'appareil de la gendarmerie, à bord duquel il avait pris place, et son « escorte » de la sécurité civile se sont posés et que la porte s'est ouverte, Junior est resté immobile sous l'œil des caméras et n'a sauté à terre qu'après avoir entendu mon « Allez ». Une telle maîtrise ne m'a pas surpris, je lui fais maintenant entièrement confiance.

Et là, au centre de cette immense carte vivante, de cette foule, cerné par tous ces chiens, Junior, juché sur un petit podium aux côtés des présentateurs, n'a pas bronché.

L'esprit parfaitement libre à son sujet, j'ai pu participer à la remise par l'A.D.A.C.[1] de chèques importants destinés à aider ceux qui, dans l'ombre, s'occupent des animaux abandonnés avec une modestie, une opiniâtreté et surtout une générosité, une gentillesse qui frôlent l'abnégation.

Le dispensaire parisien de l'association Assistance aux animaux a été également aidé, puisqu'il a bénéficié d'un appareil de radiologie destiné à prendre place dans une salle baptisée, selon le vœu de ses responsables, salle Mabrouk...

Nous n'avons pas oublié, dans cette « 500ᵉ », nos amis les chats !

Vingt-six d'entre eux, de races différentes, les plus beaux, les plus étonnants, étaient présentés... dans les bras de magnifiques girls, dans le décor des Folies-Bergère.

Mais les chats et chiens malheureux, les chats et chiens abandonnés n'étaient pas absents de cette fête et avaient leur juste place auprès de ces princes de l'aristocratie féline et canine...

C'est à Quiberon que Junior a tourné pour la première fois à la mer..., dans l'océan, veux-je dire.

Très tôt, il a aimé l'eau. Cette inclination n'a rien d'exceptionnel : il arrive que certains chiens soient réticents devant l'élément liquide (presque toujours, cette phobie est due à une expérience malheureuse subie durant l'enfance), mais la plupart considèrent l'eau comme un élément naturel, et tous savent nager de naissance.

---

1. A.D.A.C. : Association de défense des animaux de compagnie, (3, rue de l'Arrivée, BP 107 75749, Paris Cedex 15) que nous avons fondée en 1982.

On connaît des races comme les terre-neuve qui possèdent dans leur patrimoine génétique l'instinct de sauvetage et n'hésitent pas à aller secourir des naufragés, même quand la tempête fait rage, ou comme les labradors, les water-spaniels ou les divers retrievers, qui excellent à la poursuite du gibier d'eau et sont même d'adroits pêcheurs. Ils ont d'ailleurs de véritables « palmes » entre leurs doigts.

Le bébé Junior avait à sa disposition un bac dans lequel il pouvait étancher sa soif.

Un jour, en jouant avec moi, il a laissé échapper sa balle de tennis, qui est tombée dans le récipient. Un peu déconcerté, il a plongé la patte dans le liquide pour la récupérer.

Mais comme il n'a pas cinq doigts, elle lui échappait sans cesse, disparaissant, remontant à la surface de façon imprévisible en l'éclaboussant. Ce petit jeu l'a prodigieusement intéressé et, tout naturellement, voyant qu'il n'obtiendrait rien avec sa patte, il a plongé le museau et récupéré sa balle entre les dents.

Témoin de ce manège, j'ai décidé de pousser les choses un peu plus loin. Je voulais que mon compagnon se familiarise, sans heurt et le plus complètement possible, avec cet élément.

A l'occasion d'une autre séance de jeu, j'ai délibérément lancé la balle dans le bac, puis j'ai plongé mon bras dans l'eau pour la retenir au fond. Junior a enfoncé son nez..., une partie de son museau..., le museau entier, jusqu'aux yeux, pour attraper cette balle.

Plus tard, j'ai lesté une balle de tennis de quelques cailloux, de façon à ce qu'elle reste entre deux eaux. Pour l'atteindre, Junior a enfoncé de nouveau son museau jusqu'aux yeux..., et, n'y parvenant pas, a plongé plus profond, allant jusqu'à immerger ses oreilles, ce qui est remarquable si l'on songe que les chiens n'aiment pas mouiller cette partie de leur corps, qu'ils prennent bien soin de conserver hors de l'eau quand ils nagent.

A la même époque, je passais un jet sur le gazon et, immédiatement, il s'est passionné pour ce fil d'argent qui dessinait de si gracieuses arabesques. Il traquait l'eau, l'attrapait d'un coup de gueule, la mâchait..., et j'en profitais pour bien lui nettoyer les dents.

Quand je modifiais le débit du tuyau d'arrosage pour faire retomber le jet en pluie, Junior s'éloignait aussitôt, appréciant peu l'averse. Tel a été du moins son comportement jusqu'à l'époque du Mundial.

Là, son attitude a changé, non parce que l'équipe de France était parvenue en demi-finale de cette grande compétition de football, mais plus simplement parce qu'en ce milieu du mois de juin, il a fait aussi chaud en Normandie qu'à Mexico, ce qui n'est pas peu dire ! Junior crevait littéralement de chaleur et quand, pour arroser ma pauvre pelouse, j'ai mis le jet en action, il s'est approché et s'est offert avec une satisfaction évidente à cette bienfaisante ondée...

Lorsque j'ai installé des appareils automatiques qui dispensent des jets rotatifs, fasciné par ces drôles d'engins, « Ju » s'est mis à tourner autour pour tenter d'attraper les milliers de filets argentés qu'ils expédiaient dans toutes les directions.

C'est vite devenu un jeu exaltant, et je crois bien qu'il prend aussi un grand plaisir à se faire chatouiller le ventre. Son exubérance atteignait de tels sommets qu'il renversait rapidement les petits robots. J'ai donc été contraint de lui interdire ces ébats aquatiques, ce qu'il a fini par accepter à contrecœur.

Maintenant, il reste là, planté devant eux, toujours passionné. Parfois, s'il se trouve sur la trajectoire d'un jaillissement puissant, sa seule masse déséquilibre l'appareil. Dans ce cas, Junior ne tarde pas à venir me chercher, prenant une mine bien particulière, penaude, qui me fait comprendre ce qui s'est passé. Je l'accompagne pour réparer les dégâts en le grondant pour la forme.

Grâce à cette familiarité avec l'eau acquise dans le jardin, Junior n'a fait montre d'aucun complexe quand nous sommes allés à Quiberon.

Pour son premier contact avec cet *immense bac sans fin,* les vagues étaient assez fortes. Pourtant, à la différence de ses frères qui, en les voyant arriver sur eux, s'enfuient prudemment vers la plage, Junior a littéralement foncé dedans, heureux d'affronter cet élément liquide qu'il aimait tant.

A Quiberon, il a fait du jogging avec Juliette Mills et Marie-Paule Belle.

Désireux de joindre l'utile à l'agréable et de poursuivre un peu son éducation, je l'ai fait courir en suivant la voiture où était installée la caméra, avec interdiction formelle de « descendre » sur la chaussée. Or, il n'y avait pas de trottoir, pas de frontière très bien définie entre l'herbe et le goudron. Pas un seul instant sa course n'a dévié du droit chemin !

Ce jour-là, après le dîner, Marie-Paule Belle s'est installée au piano du bar et nous avons eu droit à un récital si formidable qu'il m'a fait oublier l'heure et la promenade de Junior, resté dans la chambre au calme.

J'ignorais que, pendant que nous nous divertissions au bar, mon pauvre copain avait, lui, bien des problèmes.

Quand je suis allé le retrouver, il était tard, très tard, et une odeur caractéristique régnait dans la pièce. Dans un coin de celle-ci, mon chien, gêné, triste, me regardait intensément.

Devant un tel manquement à l'éducation, ma première réaction a été de le gronder, et puis j'ai réalisé que le fautif, c'était moi.

Junior avait en effet passé une bonne partie de sa

journée à la plage et bu un peu d'eau de mer, dont on connaît le pouvoir très laxatif. Et moi, au lieu de lui faire faire sa promenade hygiénique, je ne m'étais soucié que de la petite fête du soir, oubliant les nécessités intestinales de mon chien...

Pour prix de ma négligence, je me suis employé à nettoyer les dégâts (par chance, je savais où se trouvait le placard destiné à abriter les produits d'entretien de la femme de chambre).

Le lendemain matin, je suis sorti sur la terrasse. Mon voisin de chambre, qui avait fait de même, n'était autre que le général de Bénouville, à l'époque directeur de *Jours de France*. Nous avons bavardé un peu, et puis Junior nous a rejoints.

« Ah, c'est votre chien, c'est Junior, alors, s'est-il exclamé. Si j'avais su, je serais venu vous chercher. Le malheureux a commencé à aboyer vers minuit, et puis il a gémi pendant un long moment.

— Je regrette de vous avoir dérangé.

— Ce que je regrette, moi, c'est de n'avoir pas participé à cette soirée et profité du grand talent de Marie-Paule Belle ! »

Honteux, j'étais honteux.

Le malheureux Junior avait tenté d'appeler au secours et finalement, malade mais horrifié, j'en suis sûr, n'avait pas su se retenir, lui qui, en temps normal, pouvait le faire pendant douze heures dans un train de nuit !

Chaque fois que Junior a retrouvé l'élément liquide, mer ou piscine, au cours d'autres tournages, il s'est montré un élève surdoué.

En revanche, lorsque nous avons tourné sur la terre ferme de Saint-Paul-de-Vence, une certaine appréhension m'a de nouveau gagné.

Apparemment, aucune difficulté majeure ne se présentait : il s'agissait simplement pour notre mascotte d'assister à une partie de pétanque où se mesuraient les comédiens Georges Descrières et Georges Géret, au milieu de leurs amis. Mais il y avait la foule, et le bruit des boules qui s'entrechoquaient — et donc la nécessité pour Junior de vaincre un traumatisme né de sa fuite.

Alors qu'il n'était âgé que de dix mois, — et non de douze —, ainsi que je l'ai raconté dans *Mabrouk, chien d'une vie*, Junior a pris peur, au moment où nous sortions du hall de la tour Montparnasse.

Un jeune homme qui courait ne l'a pas vu et est tombé sur lui. Affolé, mon chien s'est enfui et a traversé une bonne partie de Paris avant que je le retrouve enfin dans une cour de la rue Gay-Lussac.

Comble de malchance, le lendemain, alors que nous traversions ce même hall, trois gosses ont surgi et sont arrivés sur nous, lancés sur leurs patins à roulettes. Junior, qui aurait peut-être oublié cette fuite de la veille, s'est soudain senti replacé dans les mêmes circonstances et sa panique a resurgi.

Depuis, les lieux très fréquentés et bruyants le rendaient nerveux.

Aussi, sur cette petite place animée de Saint-Paul-de-Vence, je surveillais très attentivement mon compagnon.

Est-ce le « métier », sa conscience professionnelle, qui lui ont dicté sa conduite ?

Je l'ignore.

Toujours est-il qu'il s'est montré très calme, très sûr, se mêlant à la foule (qui le reconnaissait), sans l'ombre d'une hésitation [1].

---

1. Bénéficiant de la notoriété de son père, Junior est devenu plus populaire que Mabrouk. Plus facilement reconnaissable, sa présence ameute des foules d'adultes ou d'enfants, ainsi que l'on a pu

Pourtant, le souvenir de cette fuite est toujours gravé dans sa mémoire, comme je peux le constater chaque fois que nous nous rendons dans cet immeuble de Montparnasse.

Traverser le hall constitue pour lui une épreuve désagréable qu'il cherche à éviter par tous les moyens. Il fait donc appel à son intelligence.

Quand nous quittons la voiture, dans le parking du sous-sol, pour monter aux bureaux de « 30 Millions d'amis » et de l'A.D.A.C., nous avons deux possibilités.

La première est d'emprunter l'un des trois ascenseurs les plus proches, qui montent jusqu'au rez-de-chaussée, et de là, traverser le hall, emprunter d'autres ascenseurs jusqu'à l'étage voulu.

La seconde possibilité est de suivre un dédale de couloirs, pousser plusieurs portes et prendre un ascenseur conduisant, lui, *directement* à notre palier.

Dès que nous sommes descendus de la voiture, Junior donne des signes d'impatience. Si je lui ordonne : « Au pied », il renâcle, tant est forte sa crainte que je choisisse l'un des trois ascenseurs proches de nous, ce qui l'obligerait à traverser ce maudit hall. Si je lui permets de me précéder, il se dirige avec assurance à travers le labyrinthe de couloirs, où il ne s'égare jamais, jusqu'à

---

s'en rendre compte lors du reportage de l'été 1986 à Juan-les-Pins. Des centaines de mains voulaient le caresser, le toucher. Même phénomène à Genève, où les milliers de personnes qui se pressaient à la première fête des Animaux venaient faire la connaissance de la mascotte de « 30 Millions d'amis ». Junior, en vraie vedette, en grand professionnel, semble avoir compris qu'il s'agit là de la rançon du succès. Content, gentil, flatté même, il donne la patte à tout le monde — comme d'autres signent des autographes — et a... j'allais dire un mot aimable pour chacun. C'est l'impression qu'il me donne en tout cas.

l'ascenseur direct. Son fil d'Ariane n'est pas l'odorat, car dans ce sous-sol confiné, tout sent l'huile et le crésyl. Non, il est évident qu'il a mémorisé l'itinéraire très soigneusement dans son cerveau.

Avec Mabrouk, il nous arrivait souvent de nous perdre dans ce lacis — il est vrai que choisir tel ou tel parcours le laissait rigoureusement indifférent.

Lorsque enfin nous sommes dans le « bon » ascenseur, alors Junior se détend, respire. Ouf... En même temps, il observe le décor dévoilé à chaque ouverture des portes d'acier, pour reconnaître son étage.

Et ceux qui pénètrent dans la cabine, le premier mouvement de surprise ou de crainte passé, ne peuvent s'empêcher de sourire en le voyant pencher sa tête à droite, à gauche, tendant l'oreille pour capter et interpréter tous les bruits, l'air concentré, très sérieux.

Il ne se trompe jamais de palier.

Pour redescendre, les problèmes qu'il doit résoudre sont plus complexes encore.

Sur la batterie de trois ascenseurs côte à côte, un seul donc descend jusqu'au parking, les deux autres s'arrêtant au rez-de-chaussée.

Junior n'a d'yeux que pour le « bon » appareil.

Il pourrait s'asseoir devant et attendre, mais le sol étant recouvert d'un carrelage lisse, il sait qu'en station prolongée, n'ayant aucune prise, il glisserait peu à peu. Aussi s'installe-t-il à deux ou trois mètres, à l'extrême bord de la moquette qui tapisse le couloir, le regard rivé sur l'ascenseur.

Ce qu'il observe, ce sont les deux flèches, côte à côte, qui surmontent les portes coulissantes.

Quand il entend la sonnerie indiquant que la cabine est à notre étage, et qu'il voit en même temps s'allumer la flèche indiquant la descente, il se lève et se précipite. Si c'est l'autre flèche, il ne bouge pas.

Sa grande crainte, c'est que, lassé d'attendre l'ascenseur direct, j'emprunte l'un des deux autres, ce qui se produit parfois. Alors, le voilà qui fait la mauvaise tête. Il semble me dire :

« Mais pourquoi n'attendons-nous pas l'autre, le bon, tu sais bien, celui qui descend directement au parking ? »

Je lui explique qu'on n'a pas le temps. Il se décide enfin à me suivre, traînant la patte...

Pourtant, depuis quelque temps, j'ai constaté que sa réticence à traverser le hall s'estompait. Quand nous l'empruntons, Junior est certes toujours aussi attentif, mais beaucoup moins sur le qui-vive. Sans doute est-ce là l'œuvre de la maturité.

Récemment, je lui faisais faire sa promenade hygiénique de la mi-journée, dans une rue voisine, quand deux adolescents chahutant ont débouché d'un escalier, sauté une barrière métallique à quelques mètres de nous.

Junior s'est avancé vers eux, afin de vérifier qu'ils n'étaient pas menaçants ou dangereux.

Pour autant, il n'aime pas croiser sur son chemin des adeptes du patin à roulettes. Il ne hurle pas, n'aboie pas. Il se contente d'observer avec circonspection.

Il gardera sans doute toujours gravé en lui le souvenir de sa frayeur de jeunesse, mais il l'a « traitée », dominée.

Cette maturité nouvelle, je la constate sur les tournages, si bien que je lui accorde désormais une confiance absolue. Je sais qu'il exécutera parfaitement tout ce que j'attends de lui.

J'en suis d'autant plus sûr qu'il commence à prendre des initiatives, comme en témoigne le tournage de l'émission que, selon une tradition solidement établie, nous avions consacrée en 1985 aux meilleures séquences de l'année.

Nicoletta et Jean Lefebvre nous avaient fait l'amitié de présenter cette « rétro 1985 ». Tout d'abord, nous devions tourner une petite scène dans un décor représentant une loge d'artiste, avec dans le fond un escalier.

Il était prévu que Jean Lefebvre descende ces marches pour rejoindre Nicoletta en train de se maquiller et, après un court dialogue, que Junior fasse son entrée, descende à son tour les marches et vienne se placer sur une petite estrade spécialement prévue à cet effet. Jean Lefebvre devait alors expliquer que notre mascotte aiderait les deux comédiens à commenter les séquences sélectionnées.

Rien que de très simple, apparemment.

Première anicroche : l'estrade ne correspondait pas à ce que j'avais demandé. Elle était beaucoup trop haute et, comble de malchance, recouverte de velours, ce qui la rendait glissante. En outre, garnie de coussins, elle évoquait un divan.

Or les divans, comme les fauteuils, sont pour Junior frappés d'interdit. Dans la vie courante, il n'est pas question qu'il y prenne place, et il le sait.

Il était trop tard pour remplacer ce meuble inadéquat. Toute l'équipe attendait, prête à tourner... Il fallait y aller.

Je lui ai fait répéter la scène.

Il a vite compris ce que j'attendais de lui et, sans hésitation, a sauté sur le meuble. Ainsi, il opérait parfaitement la discrimination entre ce qui était interdit « en ville » et autorisé à la scène...

Cependant, malgré toute sa bonne volonté, il lui arrivait de glisser sur ce satané velours.

A la télévision comme au cinéma, il y a des plans maudits : pour une raison quelconque, les choses qui théoriquement paraissent très simples se passent très mal.

Mon énervement devant ce meuble mal adapté à sa fonction s'était-il communiqué à toute l'équipe ? Ce n'est pas impossible. En tout cas, nous avons dû faire de nombreuses prises, soit parce que Nicoletta n'était pas prête, que Jean Lefebvre modifiait légèrement son texte, ou enfin que Junior glissait.

Pourtant, nullement rebuté par l'ambiance de plus en plus tendue qui régnait sur le plateau, Junior, caché avec moi derrière le décor, manifestait à chaque nouvelle prise son impatience d'entrer en scène pour y jouer son rôle, au point qu'il en gémissait d'excitation en attendant mon signal... ce qui naturellement posait des problèmes à l'ingénieur du son.

Je m'interrogeais : « Qu'est-ce qui fait qu'il tient tant à tourner ? Pourquoi y prend-il un tel plaisir ? Il n'est pas récompensé d'une friandise après son travail, tout juste a-t-il droit à un " C'est bien, mon chien ". Mais sans doute est-ce pour lui la plus belle des récompenses... »

Moteur... action... les prises se succédaient.

Quand enfin la scène a été « mise en boîte », nous avions un fameux retard sur le sacro-saint horaire.

Dans la scène précédant le final, un régisseur devait frapper à la fameuse porte, située en haut de l'escalier, l'entrouvrir et lancer : « Mademoiselle Nicoletta, c'est à vous ! » La chanteuse devait alors monter l'escalier et sortir, pour se rendre sur scène, chanter *La solitude, ça n'existe pas* et présider à l'adoption d'un certain nombre de chiens et de chats abandonnés.

Junior devait l'accompagner.

J'ai décidé, pour aller plus vite, qu'il ne participerait pas à cette scène. Pas le temps de répéter, etc.

Une fois l'équipe en place, prête à tourner, je me suis assis à côté de la caméra, mon compagnon à mes pieds.

Moteur... action...

Nicoletta, après plusieurs allées et venues dans la pièce, s'est assise à sa table de maquillage.

Le « régisseur » ouvre la porte.

« Madame Nicoletta, c'est à vous ! »

La chanteuse se lève...

Et je vois Junior s'asseoir, oreilles dressées, prodigieusement intéressé par ce qui se passe sous les lumières.

Nicoletta s'engage sur les premières marches de l'escalier...

... Et Junior se met debout.

Sous nos yeux ébahis, il se dirige vers la jeune femme, la rejoint et monte les marches à ses côtés !

L'équipe, bien que surprise par l'entrée de notre mascotte « dans le champ », a le réflexe de ne rien manifester. La caméra tourne, les micros enregistrent.

Nicoletta, en vraie professionnelle, s'adapte instantanément à sa situation.

« Allez, viens, Junior, on y va », dit-elle.

Et tous deux gravissent l'escalier, passent la porte le plus naturellement du monde !

« *Coupez ! On garde la prise !* »

Instantanément, le studio bourdonne comme une ruche. Les commentaires vont bon train. Bien sûr, la même question est sur toutes les lèvres : pourquoi ?

Junior savait parfaitement, en vieux routier des tournages qu'il est déjà, qu'il ne faisait pas partie de la scène.

Pourquoi a-t-il soudain décidé d'y participer ? Alors que nous n'avions procédé à aucune répétition, comment se fait-il qu'il ait tenu exactement le rôle prévu dans le scénario ? Avant l'arrivée du régisseur, Nicoletta s'était levée plusieurs fois, était passée derrière un paravent. Jamais Junior n'avait bougé. Pourquoi l'avait-il fait précisément quand la jeune femme s'était dirigée vers l'escalier ?

Dans *Mabrouk, chien d'une vie*, je raconte comment son « père », alors que nous tournions une séquence où il franchissait un obstacle en compagnie d'un cheval, avait délibérément accordé son allure à celle de son compagnon pour réaliser avec lui un saut d'un synchronisme parfait.

Dans ce plan de la « rétro 1985 », je n'avais aucune envie que Junior intervienne. Certes, c'était écrit sur le scénario, mais je ne pense pas qu'il en ait pris connaissance...

Que conclure, sinon que les chiens, ces chiens « qui ne sont que des bêtes », comme certains l'affirment encore, se comportent en êtres pensants, à l'exemple des hommes ?

C'est cette faculté qui rend chacun d'eux unique.

Mabrouk, Junior..., tous deux peuvent apparaître comme très semblables : deux bergers allemands appartenant successivement au même maître, recevant une éducation comparable, participant à des tournages, plongés dans le même univers familial et professionnel...

Entre eux, pourtant, que de différences !

Mabrouk, quand nous tournions, ne songeait qu'à me faire plaisir. Sans cesse, je sentais dans son regard l'amour fou, insatiable qu'il me portait, la confiance totale qu'il m'accordait.

Selon l'expression consacrée, il se serait jeté au feu pour moi. C'était le chien d'un seul maître.

Junior, au contraire, n'est jamais si heureux que lorsqu'il a « tout son monde » autour de lui. Il entretient avec chaque membre de mon entourage des relations spécifiques.

Alors que son « père » n'entendait, ne comprenait, ne

parlait que le « Hutin », Junior s'adapte beaucoup plus aisément à son entourage. Il parle et comprend... le français !

D'une certaine façon, l'équipe de télévision constitue une extension de la famille. Lorsque nous tournons, il sent que chacun s'intéresse à lui et, à l'instar d'un enfant, il éprouve un énorme plaisir à occuper cette place, au centre du monde. Aussi le tournage est-il un espace de joie dont il ne se lasse pas.

Sans doute est-ce pour cela qu'il est d'une patience rare, alors qu'il arrivait à Mabrouk, quand je lui demandais de refaire trois ou quatre fois une prise, de me signifier par un aboiement :

« *Je le fais de nouveau parce que c'est toi, mais cela suffit, je n'en ferai pas plus !* »

Bien qu'il soit toujours de bonne composition, j'ai parfois l'impression que Junior est absent, lointain, sur le plateau, qu'il n'est pas dans le coup.

En réalité, il réfléchit à ce que je lui demande, évalue l'effort à fournir. Je l'ai dit, c'est un intellectuel... Il discute, me fait comprendre ses problèmes, devine mes pensées et mes intentions.

Cette dernière faculté, qui peut paraître étonnante — encore qu'elle ne surprendra pas les maîtres suffisamment observateurs —, je peux la vérifier en bien des circonstances de notre vie commune, et en particulier quand il me vient à l'idée de le peser.

Pour contrôler la bonne santé de son chien, il faut, on le sait, vérifier régulièrement son poids.

Mais placer sur une bascule nos compagnons n'est pas une mince entreprise, étant donné qu'ils restent rarement immobiles sur cette plate-forme instable et n'ont de cesse de la quitter pour gagner le sol. Aussi est-il recommandé de les prendre dans les bras et de monter ainsi chargé sur l'appareil.

Retombée bénéfique de cette méthode : on est conduit, par soustraction, a connaître l'évolution de son propre poids...

Junior, dès son plus jeune âge, pour un motif que je n'ai jamais pu déterminer, a mal vécu cette séance de pesage.

Dès que je le prenais dans mes bras, il urinait d'émotion. Rien de bien grave. Je tâchais d'y remédier en me montrant rassurant, le câlinant, l'embrassant.

Mais j'avais dû commettre une faute qui s'était imprimée dans son esprit — à moins que cette réaction n'ait été due plus simplement au déplaisir qu'ont les chiots d'être soulevés du sol (comme nous le verrons dans les tests de Campbell, dans la suite de ce récit). L'incontinence, en tout cas, se poursuivait.

Désireux de la faire disparaître, j'ai tenté de prendre Junior par surprise : je n'allais pas chercher moi-même le pèse-personne, afin qu'il ne se doute de rien.

Quand l'appareil était en place, je me précipitais vers mon chien, le prenais dans mes bras... Trop tard, il avait déjà uriné. Incontestablement, il m'avait entendu dire : « Va chercher la balance », et avait compris la signification de cette phrase.

J'ai alors épelé le mot fatidique : « Va chercher la B.A.L.A.N.C.E... », puis employé des périphrases du genre : « Descends ce que tu sais pour le peser », ou encore : « Apporte l'appareil à compter les kilos... » J'ai joué l'indifférence, la désinvolture, j'ai demandé à d'autres de le prendre dans les bras, interprété de véritables rôles de composition, imaginé les scénarios les plus divers..., peine perdue.

Dès que l'opération avait commencé, Junior se recroquevillait, s'écrasait littéralement sur le sol et faisait ses trois gouttes fatidiques. Alors que, pris dans les bras pour une autre raison, il semblait très content.

Décourageant...

Rien n'a changé depuis. Il *sait* toujours et, quoi que je fasse, ce grand bébé saura toujours ce qui se passe dans ma tête à ce moment précis.

Voilà qui peut encore nous faire réfléchir sur cette connaissance intuitive que nos compagnons ont de nous, alors que, souvent, nous nous trouvons dans l'ignorance totale, nous qui nous croyons tellement supérieurs, de ce qu'ils ressentent et de ce qui agite leur esprit.

Autre anecdote faisant intervenir aussi une « balance », le mot ayant là un sens tout à fait différent...

A la campagne, lorsque des enfants séjournaient à la maison, Mabrouk, on le sait, bravait un interdit majeur : au petit matin, il se glissait jusqu'à leurs chambres, sous les combles, s'installait silencieusement pour veiller sur leur sommeil et s'esquivait dès qu'il entendait le premier bruit indiquant que j'étais levé.

Lorsque je descendais l'escalier, je le trouvais à sa place habituelle, dans la salle de séjour. Le plus hypocritement du monde, il venait me dire bonjour...

Junior, qui adore autant que lui les enfants, a repris cette tradition, mais avec le temps, l'a modifiée de façon de plus en plus maligne.

Au début, quand il trouvait la porte des enfants fermée, il redescendait sans insister.

Maintenant, il gratte pour qu'on lui ouvre et, la visite du chien de la maison s'étant transmise d'enfant à enfant, telle une légende, on s'empresse de lui ouvrir.

Mais Junior reste sur le qui-vive et le moindre bruit provenant de ma chambre le fait déguerpir. Il reprend sa place dans le salon et m'accueille aussi innocemment que son « père ».

Ces transgressions avaient toujours lieu au petit matin, jusqu'à ce qu'il se rende compte que lorsque j'étais au téléphone, ma conversation m'absorbait complètement, et pour un bon moment.

L'idée s'est alors fait jour dans son esprit qu'il pourrait profiter de cette occasion et, désormais, lorsqu'il entend les enfants dans les combles et que j'ai le combiné contre mon oreille, il passe derrière mon dos telle une ombre, file dans les chambres, embrasse tout le monde et redescend comme un voleur.

Un matin, alors que je prenais mon petit déjeuner, Junior à mes côtés, Bernard, l'un des enfants, du haut de l'escalier m'a dit :

« Tu sais, Junior est venu nous voir.

— Oui, je sais, il monte souvent, le matin.

— Oui, mais là, il est venu hier soir et il est resté toute la nuit. »

Et le garçon m'a raconté avec force détails comment mon chien s'était comporté.

Je l'écoutais, plutôt amusé, puis je me suis retourné.

Et j'ai découvert un Junior littéralement aplati sur le sol, dans l'attitude qu'il prend parfois quand il a commis une grosse faute. Tout dans la position de son corps, dans son regard, semblait dire :

« *Bon sang, mais qu'est-ce qui lui prend de tout lui raconter, de me " balancer ", il est fou !* »

J'ai pris conscience de l'étrangeté de la scène : Junior avait compris que Bernard était en train de le trahir, de le dénoncer !

Cet amour des enfants le conduit à prendre de nouveaux risques et à déployer des trésors de ruse pour sortir des situations où il s'est fourvoyé.

Récemment, à 3 heures du matin, trouvant difficilement le sommeil, je descends chercher des cigarettes.

Junior ne se trouve pas au bas de l'escalier pour m'accueillir comme il en a l'habitude.

Par acquit de conscience, je vérifie qu'il ne dort pas à

sa place préférée, mais je savais déjà : « Ça y est, il est encore chez les enfants... »

Je remonte et, sur le palier, claque des doigts pour l'appeler.

Pas de Junior.

Voilà qui est bizarre. Habituellement, c'est un appel auquel il obéit promptement. Et il ne peut être sorti, la maison étant parfaitement close.

Je monte quelques marches et entre dans la chambre des enfants.

Dans l'obscurité, nouveau claquement de doigts.

Silence total.

De plus en plus perplexe, je me décide à appuyer sur le commutateur... et je découvre mon gaillard, couché au pied d'un lit, pas fier pour un sou, plutôt déconcerté.

Il avait dû m'entendre trop tard.

« *Que faire ?* s'était-il interrogé. *Le mieux est de rester planqué là, il n'aura peut-être pas l'idée d'aller voir si je me trouve à ma place, en bas.* »

Et quand j'ai claqué des doigts pour la première fois : « *Ne nous manifestons pas, il ne viendra peut-être pas me chercher jusqu'ici.* » Mon deuxième claquement de doigts dans la chambre avait dû l'affoler, mais demeurait un espoir que je ne puisse pas le voir, à cause de l'obscurité, et puis il ne pouvait plus reculer...

C'était mal joué, mais puissamment raisonné !

Cette faculté qu'il a de me déchiffrer s'applique à d'autres aspects de la vie quotidienne.

Par exemple, il parvient à peu près parfaitement, quand nous sortons de la maison, à deviner l'endroit où nous allons nous rendre.

Évidemment, comme tous ses semblables, il sait très bien, en me voyant prendre le collier et la laisse, que nous allons sortir. Plus précisément, la laisse de corde le met en joie, car elle annonce une grande promenade dans la campagne où il pourra gambader à loisir.

Mais ses déductions sont plus pointues. Elles s'appuient sur une infinité de détails.

Si je m'habille « campagne », il se pose la question :

« *Va-t-on au village faire des courses ou à l'école d'équitation ?* »

Il a un moyen de le savoir :

« *Est-ce qu'il va prendre des sucres et les mettre dans sa poche ? Dans ce cas nous allons voir les chevaux. Mais attention, il ne faut pas que je me trompe, car il peut très bien aller chercher ce sucrier et le poser sur la table simplement pour son petit déjeuner.* »

Collier, laisse..., nous voilà partis dans la voiture.

Là, je peux réserver à Junior une petite surprise, en décidant d'aller au village avant de me rendre à l'école d'équitation. Je prends la route de droite.

« *Ah, constate-t-il, il tourne de ce côté, il va faire les courses d'abord, le plaisir est pour plus tard...* », et mon chien se couche sur le tapis de sol.

Il y restera tout le temps de mes allées et venues dans le bourg.

Mais je peux aussi tourner immédiatement à gauche.

Aussitôt, il se met debout, tout excité. Dans quelques minutes, il va retrouver ses amis les chevaux, cette atmosphère, ces odeurs qu'il aime tant...

Lorsque j'enfile mes habits de citadin, le moins qu'on puisse dire est que mon chien manifeste peu d'enthousiasme ! Il montre ses réticences en faisant la mauvaise tête, reste sourd à mes ordres, au point que je dois souvent aller à lui et le « gymnastiquer » d'une voix ferme : « Assis... » « Debout... » « Couché... »

Il comprend alors que le départ est inévitable, qu'il n'y a pas moyen d'y couper, et monte dans la voiture.

A partir de cet instant, je ne l'entends plus. Aucune manifestation de mauvaise humeur.

Junior est un chien réaliste.

Il ne recommence à se manifester que lorsque nous arrivons au bout de l'avenue de Clichy.

Mystérieusement averti de l'endroit où nous nous trouvons (alors qu'il était assis sur le tapis de sol et donc ne pouvait voir par les vitres), il se lève.

C'est là que tout va se jouer, qu'il va pouvoir collecter les indices lui permettant de déduire la destination exacte du voyage — soit Levallois, avec l'auditorium et son « climat » qu'il aime bien, soit Auteuil et l'appartement, également apprécié quoique offrant moins de distractions, soit enfin le bureau de Montparnasse, synonyme d'ennui et de vie plus rétrécie, avec ce hall si désagréable à éviter à tout prix...

Assis derrière moi, il interroge le paysage citadin qui défile.

Si c'est vers Montparnasse que nous roulons, il se recouche. Rien ne l'intéresse plus. Il ne se lèvera qu'une fois arrivé au parking, pour descendre de voiture.

Ainsi, il a mémorisé tous mes itinéraires et les signes annonciateurs de nos diverses destinations — virage, accélération, ralentissement, odeurs, façon de conduire, etc. Lorsque ces données lui arrivent, il se livre à un rapide travail de déduction.

Son cerveau fonctionne donc exactement comme le mien.

Bien entendu, mes divers états d'esprit lui fournissent aussi des éléments d'appréciation.

Cette habitude de pénétrer mes intentions le conduit à interpréter mes moindres gestes, et parfois à leur accorder une trop grande signification...

Il y a quelque temps, un après-midi, alors que j'étais à ma table de travail et qu'un enfant regardait la télévision, il est venu rôder autour de moi. Puis il a posé sa tête sur mes genoux, pour me montrer qu'il s'ennuyait un peu et qu'il voulait que je m'occupe de lui.

Je résiste assez mal à ce genre de sollicitations, tant Junior se montre alors attendrissant et comique... Et puis, tout prétexte pour laisser tomber le boulot est bon à prendre, un après-midi à la campagne, quand il fait beau !

J'ai alors demandé à Philippe, le jeune téléspectateur, de venir faire une partie de cache-cache avec « Ju », c'est-à-dire de s'enfermer avec le chien dans la cuisine tandis que, sortant du jardin, j'irais me cacher de l'autre côté de la route.

De temps en temps, pour entretenir le flair de mon compagnon, j'organise ces petits exercices de recherche. Par exemple, je lui donne à sentir le mouchoir de l'un de nos hôtes qui va se cacher, tandis que je reste avec Junior dans la cuisine. Dès que nous sortons de la pièce, Junior hume l'air et cherche. Assez rapidement, il retrouve le possesseur du mouchoir.

J'ai donc attendu derrière un buisson. Bientôt, mon chien a franchi le portail, tenu en laisse par Philippe.

Il est parti sur la droite, longeant mon effluve au maximum, puis s'est immobilisé, regardant dans ma direction. Visiblement, il se disait :

« *Mais comment faire ? Il est de l'autre côté de la route, et moi qui n'ai pas le droit de traverser sans ordre...* » Enfin, le garçon lui a dit : « Allez », et Junior a filé droit sur le buisson derrière lequel je me tenais.

Félicitations, embrassades...

Le soir, lorsque je lui ai donné sa « pâtée » dans la cuisine, la machine à laver fonctionnait en faisant beaucoup de bruit.

En quittant la pièce, j'ai refermé machinalement la porte pour ne plus entendre le vacarme et suivre plus aisément les informations à la télévision. Philippe était de nouveau enfoncé dans le canapé.

Au bout d'un quart d'heure, nous entendons un aboiement — un tout petit aboiement —, puis un autre.

Je me retourne... et me rends compte alors que j'ai enfermé Junior.

Je me précipite pour lui ouvrir la porte.

Et voilà mon chien qui fonce dans le jardin et se met à aller et venir, cherchant manifestement une piste.

Je regarde son plat.

Lui si glouton n'a mangé que la moitié de son contenu.

Je comprends tout de suite ce qui s'est passé.

Il commençait à manger. Et je suis parti en fermant la porte derrière moi. Son intellect s'est mis en marche :

« *Pourquoi m'a-t-il enfermé ? Pour me punir ? Non, nous n'avons pas eu de problème et de toute façon, c'est dans l'écurie qu'il me met au piquet, pas ici.* »

Suite de ses déductions : « *Voyons, il est en compagnie de Philippe, avec qui nous avons joué tout à l'heure, et il vient de refermer la porte : aucun doute, c'est pour faire un nouveau jeu de recherche. Attendons qu'il me fasse sortir.* »

Et il a attendu, cinq minutes, dix minutes, trop excité pour finir sa pâtée, les yeux fixés sur la porte. Puis, comme rien ne venait, il s'est demandé pourquoi c'était si long.

Alors, très discrètement il a donné de la voix. « *Ho, je suis toujours là, vous en mettez du temps !* » Il était comme un enfant, celui qui « s'y colle » dans un jeu de cache-cache, qui, abandonné par ses camarades, leur crie : « Alors, ça y est, vous êtes cachés ? Je peux venir ? Moi, j'ai compté jusqu'à cent... »

Dès que j'ai ouvert, il n'a même pas remarqué la présence du garçon dans le salon, tant il était pressé de filer dans le jardin...

Il a reniflé un peu partout et a fini par retrouver une ancienne odeur de son copain, ce qui l'a fait revenir vers lui et se jeter dans ses bras en manifestant la plus grande joie !

Comme pour lui tous mes actes sont conscients, signifiants, il n'avait pas imaginé que j'avais refermé la porte simplement par inadvertance. Il lui fallait donner une finalité, un sens à cet acte.

D'une certaine façon, je n'ai pas droit à la faute ! C'est d'ailleurs assez logique, puisque de mon côté, je lui donne une éducation qui n'admet que très peu de manquements.

C'était donc la réponse... du berger à la bergère.

***

Autre exemple de compréhension.

Aux sports d'hiver, un après-midi, nous jouions, Junior et moi, dans un vaste champ de neige. Roulades, boules, courses, etc.

Fatigués mais heureux, au bout d'une heure nous reprenons la voiture et rentrons à l'hôtel.

Au moment de lui ôter le collier, je constate que celui-ci a disparu. C'était ennuyeux car, pendue à sa chaîne, il y avait sa médaille spéciale. Je n'en avais pas de rechange et il n'était pas question d'être à l'étranger sans que mon chien porte sa carte d'identité sur lui.

Que faire ? La nuit — qui tombe très vite en hiver, à la montagne — était déjà là, et j'étais sûr que c'était au cours de nos jeux, dans le champ, qu'il avait perdu le collier.

Je ne pus retourner à l'endroit où celui-ci devait se trouver que le lendemain vers midi.

Par où commencer ma recherche ?

J'avais devant moi dix mille mètres carrés au moins à fouiller, une tâche impossible !

Et le chien, alors ? C'est vrai qu'il avait appris à chercher dans la neige un corps humain aux effluves importants, mais du métal lavé pendant plus de dix-neuf heures par cette même neige ?

Je réfléchis quelques minutes. Où avions-nous joué ? Ici, là, là-bas près de l'arbre, plus loin, à côté d'une souche ? Sans beaucoup de conviction, j'emmenai Junior à l'*endroit* le plus proche de nous et lui ordonnai : « Cherche, Junior, cherche le collier ! »

Pas plus intéressé que cela, mon compagnon renifla une seconde puis releva la tête. Je donnai un coup de pied dans la neige, « des fois que j'aurais un coup de pot »...

Junior s'était mis à jouer, essayant d'attraper la poudreuse que je soulevais avec mes souliers.

« Mais non, Junior, cherche, cherche, on ne joue pas ! »

J'allai un peu plus loin.

Les traces de nos pas et de nos pattes, durcies par le gel, étaient restées visibles. « Cherche, Junior, cherche le collier. »

Junior, comme la première fois, laissa traîner son museau rapidement sur la surface blanche et se remit à gambader.

Il ne comprenait sûrement rien : pourquoi chercher un collier, son collier, qui devait sûrement, dans sa tête, se trouver dans sa maison ?

Je poussai jusqu'à l'arbre.

« Viens, Junior, viens chercher, cherche le collier ! »

Encore une fois, mon chien flaira.

Puis, très tranquillement, posément, il se mit à gratter avec ses pattes la neige accumulée...

... et découvrit son collier.

J'en étais confondu.

Depuis le début, en fait, il savait parfaitement ce que

je lui demandais. Mais il était si sûr de son flair qu'un seul coup de « balayage » lui suffisait pour savoir si le collier était là ou non.

Tel est le subtil personnage avec qui j'ai la chance de vivre, et à qui je consacre ces lignes...

Tels sont les subtils personnages avec qui vous avez la chance de vivre.

*
**

Voilà, les poules vont maintenant arriver sous les fenêtres. Et Junior est là, tranquille, indifférent, couché sous son arbre. Drôle de « berger » !

Je me lève et, depuis le pas de la porte, le rappelle à ses devoirs.

Le terrible Junior court alors vers elles, les disperse, revient fièrement : « *Mission accomplie, chef.* »

Mais voyant que je rentre pour me remettre au travail, il prend un air dépité et regagne sa place favorite, sous l'arbre.

La tête posée sur ses pattes avant, il ferme les yeux et glisse dans je ne sais quelle songerie. Il m'attend... en tuant le temps.

Moi, de nouveau face à ces documents toujours aussi rébarbatifs, je laisse errer ma pensée, retrouve des souvenirs...

3.

Le théâtre des hommes

Pourquoi un beau matin, à trente-huit ans, en pleine force de l'âge, venant de créer une importante affaire de tourisme qui m'occupait quinze heures par jour, envié par beaucoup de mes confrères, me voyant enchaîner tour du monde sur tour du monde, pourquoi ai-je eu besoin des chiens ?

Pourquoi me suis-je mis à les aimer — non pas simplement, mais profondément, déraisonnablement — au point d'apparaître un peu fou aux yeux des autres..., surtout de ceux pour lesquels ils ne sont que des bêtes ?

Au point qu'ils allaient modifier ma façon d'être, influencer ma vie privée, changer même mon « plan de carrière » ?

Sans aller jusqu'à ces extrêmes, cinquante-trois pour cent des Français ont ressenti un jour ce même besoin.

Pourquoi ?

Où se situe la source, l'origine de cette nécessité absolue d'avoir un lien avec un animal ?

Dans l'enfance ? Ou plus tard dans le spectacle des rivalités humaines ? Ou alors dans notre face-à-face avec la mort, dont nous parlons peu, mais que nous évoquons tous les jours, et s'il nous arrivait de l'oublier, radios et télévisions seraient là pour nous la rappeler à travers les informations, au petit déjeuner, au déjeuner, au dîner... et même au souper.

Et, comme si ce n'était pas suffisant, nous voudrions avoir là sous nos yeux un rappel constant de la précarité et de la vanité des choses d'ici-bas ?

Chacun de nous doit remonter le temps pour (peut-être) trouver sa réponse.

⁂

Le bruit des bombes, le reflet des baïonnettes — je suis allé à l'école sous la protection de Sénégalais en armes —, une certaine fréquentation très personnelle de la mort ont constitué la toile de fond de mon enfance.

A l'âge de neuf ans, j'étais pensionnaire chez les franciscains à Oujda, au Maroc. Je servais la messe, un peu par piété, beaucoup pour les avantages que cette « fonction » pouvait me procurer.

Outre un petit déjeuner plus copieux que celui de mes camarades (ce qui, en ces années 40, n'était pas à dédaigner), mon statut d'enfant de chœur me permettait, lors des cérémonies religieuses (baptêmes, mariages, enterrements), de me faire de substantiels « pourboires ».

Une année, la ville connut une épidémie de typhus (fièvre mortelle à l'époque), ce qui se traduisit pour moi, ainsi que pour mes trois autres « collègues », par un surcroît de travail... et de bénéfices.

Tous les jours, parfois deux fois dans la journée, nous faisions le trajet de la ville au cimetière, derrière le corbillard traîné par des chevaux empanachés.

Ainsi ai-je enterré, parmi d'autres, des amis de mes parents, un camarade de mon frère.

A la maison, ma mère désinfectait les armatures métalliques des lits à la lampe à pétrole, faisait bouillir interminablement le linge dans la buanderie et nous bardait de sachets antipoux...

Mais cette maladie ne pouvait pas m'atteindre.

Ma seule préoccupation était de ne pas être lésé par mes « confrères », âpres au gain lors de nos sordides discussions-partages après chaque enterrement [1].

Le curé — ou plutôt le père supérieur —, voyant cette manne qui lui échappait, avait tenté de nous imposer un forfait, mais devant nos protestations n'avait pas insisté. Voilà quel garnement j'étais, si gonflé de vie, de désirs immédiats, que rien de ce qui se passait autour de moi ne pouvait vraiment émouvoir.

Huit ans plus tard cependant, le sort s'est amusé à me placer dans une situation inverse. Je me suis trouvé de l'autre côté de la barrière.

Je menais alors à Paris une existence fort précaire. Je suivais les cours du Centre de formation des journalistes.

Excepté une maigre mensualité que m'envoyaient mes parents, je n'avais aucune ressource car je venais d'être chassé de mon emploi de pion dans une école privée de Neuilly pour cause de laxisme : j'avais toléré que des « grands » (ils n'étaient guère plus jeunes que moi) fument et même, ô scandale ! boivent un peu d'alcool.

Sans salaire ni domicile fixe, je menais une vie de semi-clochard, couchant sur une banquette du Dupont-Clichy, qui à l'époque ne fermait pas la nuit, faisant ma toilette chez mon frère, pion également.

Pour me procurer un peu d'argent, j'achetais des carnets de tickets de la R.A.T.P. que je revendais à l'unité à l'entrée des bouches de métro, sur un ton pathétique

1. Sordides..., c'est du moins ainsi que je les juge aujourd'hui. A l'époque, je ne devais pas connaître le mot, et encore moins sa signification...

propre à susciter la générosité des bonnes âmes — bref, ce n'était ni plus ni moins qu'une forme de mendicité.

Je ne me nourrissais que de baguettes de pain, de café... et d'amour, car je vivais alors une passion, elle aussi inconfortable, les parents de la jeune fille ne voulant pas entendre parler de moi...

La peur que ma famille me fasse revenir à Oujda, me séparant ainsi de ma bien-aimée (qui deviendrait la mère de mes enfants) et coupant court à ma future carrière de journaliste, était telle que je cachais soigneusement mes ennuis.

Un soir, je me suis effondré sur le trottoir, victime non pas d'inanition, mais, beaucoup moins romantiquement, d'une crise d'appendicite. Ramassé par Police-Secours et transporté à l'Hôtel-Dieu, on ne jugea pas utile de m'opérer d'urgence.

Mon oncle, secrétaire général de la préfecture de la Seine, chargé par mes parents de me surveiller du coin de l'œil, me retrouva assez vite et, sans perdre de temps, me mit dans le train, destination Marseille... puis le Maroc.

Fâcheuse initiative... car les conditions de mon opération à l'hôpital d'Oujda ne furent pas idéales.

Outre mon état de faiblesse physique et ma détresse morale, qui faisaient de moi un patient fragile, les précautions d'hygiène, pourtant particulièrement indispensables sous ce climat où la moindre égratignure s'infectait, étaient loin de constituer un souci majeur. Le chirurgien, par exemple, opérait la cigarette aux lèvres...

Le résultat ne se fit pas attendre.

Après quelque temps, j'étais atteint de gangrène.

C'était la douleur totale, absolue. Le moindre geste m'arrachait des cris de souffrance.

On me faisait à longueur de journée des piqûres d'extrait de sang de bœuf mêlé à de l'huile (le goutte-à-goutte ne se pratiquait pas encore). J'étais d'une maigreur effrayante ; je ne devais pas dépasser trente kilos et vivais dans un demi-coma.

J'entendis un jour, dans le brouillard — et par le conduit de la cheminée —, la voix du chirurgien, un ami de la famille, s'adressant à mon père :

« Tu sais, Marcel, il ne tiendra pas deux jours. C'est fini. Il faut que tu le dises à Alexandrine. »

Alexandrine, c'était ma mère. Très pieuse, elle me demanda si je voulais bien recevoir un prêtre, « pour une visite seulement ».

Et dans un moment de lucidité, je vis entrer, accompagnant le curé, un petit enfant de chœur, un autre Jean-Pierre qui me regardait exactement de l'air que je devais avoir quand je faisais le même « apostolat » que lui : il s'en fichait complètement, rêvant à je ne sais quoi — au pourboire sans doute —, tandis que le prêtre m'imposait les saintes huiles du sacrement de l'extrême-onction.

La « cérémonie » accentua d'abord mon délire. Je voyais des sauterelles sur mon lit, les murs, le sol de ma chambre et... des chats sur un bateau.

Une juxtaposition d'images hallucinantes et poétiques.

Pas de guerre, de bombardements, pas de visages aimés, non, des sauterelles et des chats. Sans doute deux scènes qui avaient choqué ma sensibilité profonde.

***

Ces sauterelles, je les avais d'abord connues aux étals des petits marchands ambulants d'Oujda qui en vendaient les cuisses grillées. Et puis, brusquement, j'avais été plongé dans l'Apocalypse et avais fait connaissance avec l'une des sept plaies d'Égypte.

Voici comment.

Un jour, mon père, ingénieur, fut averti qu'un accident venait de se produire dans l'un de ses chantiers, à la suite d'une invasion de sauterelles. Il décida de s'y rendre aussitôt et accepta que je l'accompagne.

Quelques kilomètres après la sortie de la ville, nous découvrîmes, de part et d'autre de la route, des nuées sombres qui se déplaçaient dans le ciel.

Des paysans répétaient les gestes de leurs ancêtres depuis des siècles : pour dissuader les insectes de se poser dans leurs champs, ils tapaient frénétiquement sur des ustensiles de cuisine.

Même enfant, la dérision de l'acte m'apparaissait..., comme toutes les autres actions des hommes devant les catastrophes naturelles. tremblements de terre, raz de marée, éruptions volcaniques, incendies de forêt, marées noires.

Soudain, les sauterelles entrèrent dans la voiture comme des pierres, s'agglutinant aux banquettes, aux vêtements, à notre peau... Elles me semblaient énormes et, de fait, mesuraient plus de dix centimètres...

Nous remontâmes les vitres. Elles continuèrent de nous assaillir, se fracassant avec un bruit de grêle contre la carrosserie, le pare-brise, qui se tachait de leurs chairs éclatées... J'avais l'impression qu'elles allaient nous enterrer complètement ! La route avait changé d'aspect : l'asphalte était recouvert par une sorte de pellicule rugueuse, avec des couleurs orangées, jaunes, verdâtres, comme dans un film d'horreur...

La voiture continua de rouler sur ce tapis vivant, en creusant des sillons de plus d'une vingtaine de centimètres d'épaisseur.

Les champs alentour disparaissaient sous des centaines de milliers, de millions de sauterelles, dont mon père me dit qu'elles étaient en train de déposer leurs œufs.

Enfin, nous arrivâmes au chantier, lui aussi assailli par la marée ignoble.

Mon père m'ordonna de rester dans la voiture et, de l'habitacle, je pus le voir patauger, ainsi que les ouvriers, dans cette boue vivante.

L'invasion des insectes avait provoqué le dérapage d'un camion contre une grue. Il y avait un mort, plusieurs blessés.

Le lendemain, avec fatalisme, les habitants d'Oujda avaient cessé de se lamenter sur leurs récoltes perdues. Ils avaient repris le travail, tentant de récupérer ce qui pouvait l'être dans leurs champs dévastés.

Et sur les éventaires des petits marchands ambulants — le commerce reprenant toujours ses droits —, on pouvait voir des quantités de sauterelles, dont les prix avaient évidemment fortement baissé, pour cause de surproduction...

Voilà donc ce qui m'agitait au cours de mon provisoire passage dans l' « au-delà » et les images — on le comprend — étaient assez fortes pour me tirer par les pieds... mais celles des chats et du bateau ?

En 1941, au Liban, ma famille et moi vivions dans la tourmente de la guerre. Bombardements de l'aviation alliée, réplique des troupes de Vichy.

Mon père songeait à rejoindre les forces françaises libres et un certain général de Gaulle. Mais ma mère s'y opposa et décida de notre retour en France.

Nous embarquâmes à bord d'un convoi neutre, qui entreprit le long et difficile voyage sur une mer Méditerranée aux eaux infestées de mines et au ciel envahi de flottes aériennes « ennemies ». Pour ma première traversée, j'étais gâté...

Chaque jour se déroulaient à bord des exercices

d'alerte qui nous effrayaient fort. Sirènes hurlantes, marins courant en tous sens, passagers s'entassant à bord de chaloupes qui, grâce à Dieu, n'étaient pas descendues à la mer car, j'en suis sûr, elles auraient coulé comme du plomb...

Un jour, au milieu de cette agitation, j'aperçus un gros chat noir et blanc qui s'avançait nonchalamment, en équilibre sur le bastingage, à quarante pieds au-dessus de la mer. Il semblait en promenade.

Cette image de l'agilité et de l'indifférence féline est restée gravée dans ma mémoire...

*
**

Autre souvenir de chat et de bateau : à l'époque où je suivais mes études à Paris, dans les conditions calamiteuses que l'on sait, j'embarquais au début à bord du paquebot *Ville d'Oran* pour rendre visite à ma famille.

En ces temps de vaches maigres, je prenais un « billet de pont », ce qui me donnait le droit de dormir à la belle étoile enveloppé dans un manteau, parmi les pauvres hères. J'enviais les riches passagers qui, eux, dormaient dans des cabines que j'imaginais aussi luxueuses que douillettes.

Ces gens me fascinaient et, pour me donner l'illusion d'être des leurs, je me glissais dans leur territoire. Là, pipe au bec, ganté, je m'accoudais à la lisse dans la posture classique du « gentleman désinvolte », tournant le dos aux officiers pour ne pas être repéré.

Aux heures des repas, je m'esquivais dans les toilettes, le temps d'avaler un sandwich.

Quand mes finances s'améliorèrent un peu, je pus bénéficier d'un moyen illégal, mais toléré. Je louais pour mille francs (d'alors) sa couchette à un marin, ce qui me permettait d'accéder au pont et au bar des secondes. Je prenais mes repas en compagnie des hommes d'équipage, qui m'accueillaient avec sympathie.

Il y avait parfois de bons moments, en particulier quand les serveurs, qui passaient à proximité en portant les plats destinés aux premières, distrayaient quelques bons morceaux pour nous en régaler (plus tard, quand j'ai enfin eu droit aux premières, je n'ai pu m'empêcher, en voyant arriver les plats sur ma table, d'imaginer qu'un passager, hôte des marins, y avait peut-être goûté avant moi...).

Cette cote mal taillée ne me satisfaisait pas et j'en venais à envier le chat du bord.

Tout petit, tout noir, âgé de quelques semaines seulement, il venait de succéder à la mascotte, dont les exploits de chasseur infatigable étaient relatés avec émotion et force détails par les marins.

Lui, il sautait d'une couchette sur l'autre et se sentait parfaitement à l'aise, alors qu'il n'était là, m'avait-on appris, que depuis huit jours. On pouvait le rencontrer aussi bien dans les secondes que dans les premières, allant et venant avec un sens aigu de l'orientation dans ce gigantesque bateau. A l'heure sacrée de son lait, on le voyait revenir, la queue haute, toujours fidèle au rendez-vous.

Pourquoi ces deux scènes de chats — somme toute assez banales — étaient-elles venues hanter le mourant que j'étais presque ? Étais-je déjà « un homme à chiens » ?

Étrangement, c'est en me remémorant ces images de félins indépendants, fiers et assurés, que j'ai su — *a contrario* — que seule la pathétique dépendance d'un chien saurait me convenir et trouver le chemin de mon cœur.

Quel inimaginable travail de l'inconscient !

L'extrême-onction eut un effet salutaire.

Mon esprit de contradiction et la pénicilline, qu'on venait heureusement de découvrir, me firent survivre. Mais les médecins étaient formels : désormais, il me faudrait mener une vie calme et régulière, suivre un régime alimentaire très strict, éviter tout excès.

Par la suite, je me suis lancé dans la vie un peu insensée de journaliste, partant n'importe quand suivre des enquêtes n'importe où, me nourrissant de sandwiches et de bière avalés en quatrième vitesse... et je suis encore là !

La mort... je l'ai aussi rencontrée professionnellement.

Pendant plus de quatorze ans, j'ai « couvert » l'actualité pour *France-Soir*, à une époque fertile en événements et en drames : la guerre d'Indochine, puis celle d'Algérie, l'arrivée au pouvoir du général de Gaulle, les barricades d'Alger, le putsch des généraux, l'O.A.S...

Et avant, il y avait eu les « faits divers », le drame relaté en trois lignes à la rubrique des « chiens écrasés ». C'est par eux que j'ai commencé mon métier, que j'ai découvert les dimensions de la « tragédie humaine ».

Tout y est brutalement authentique, criant d'une vérité parfois insoutenable...

Je n'oublierai jamais « mon » premier crime.

La dépêche était tombée un soir sur un téléscripteur :

AU PLESSIS-ROBINSON M. X A TUÉ SA MAÎTRESSE.

J'étais de permanence, on m'a envoyé sur les lieux.

Je suis parti dans la nuit, dans une traction avant

noire conduite par P'tit Louis, un chauffeur de presse flegmatique qui en avait vu d'autres...

A travers un dédale de rues désertes perdues dans le brouillard, nous avons enfin rejoint un petit pavillon de banlieue tristement identique à tous ses voisins, devant lequel stationnait un car de police.

J'ai annoncé *France-Soir* à l'agent en faction, qui m'a laissé entrer sans problème.

A cette époque, la presse jouissait d'une certaine considération auprès des policiers. Accrédité auprès de la Criminelle, j'ai longtemps occupé un bureau au fameux 36, quai des Orfèvres.

Aujourd'hui, rien de tel n'existe et les relations presse-police sont complexes, parfois même conflictuelles.

Dès la porte du pavillon franchie, une odeur m'enveloppa, que je reconnus immédiatement.

Pour me rendre au journal, tous les matins, je traversais le quartier des Halles et notamment une rue où, entre les chariots contenant des porcs égorgés, il y avait tout juste la place pour le passage d'une file de voitures. L'odeur de sang frais qui imprégnait ces lieux était inoubliable. Je la retrouvais ici, douceâtre et entêtante.

Deux agents sortirent d'une pièce portant un brancard sur lequel un homme, le visage ensanglanté, s'agitait furieusement, bien que ses poignets et ses chevilles fussent attachés aux montants. Il hurlait comme un possédé.

Quand il passa près de moi, je vis ses yeux révulsés.

« Qui est-ce ? demandai-je à l'un des agents.

— Le meurtrier.

— Et la victime, où est-elle ? »

D'un geste du menton, le policier me désigna le premier étage puis il poursuivit sa marche.

Les deux hommes et leur fardeau sortirent et se dirigèrent vers le car de police, laissant derrière eux des traces de sang sur le carrelage de l'entrée.

Tandis que je me dirigeais vers l'escalier, j'aperçus par une porte entrouverte deux enfants prostrés, assommés, qu'une femme serrait contre sa poitrine.

Les jambes flageolantes, je gravis les marches de bois.

Sur le palier du premier étage, quatre hommes discutaient.

Je les abordai en lançant mon sésame : *France-Soir*.

« Ah, *France-Soir*, venez donc, monsieur le journaliste, venez, me dit l'un d'eux, qui se présenta comme le commissaire. Je suis le légiste, ajouta un autre en poussant une porte.

L'odeur m'assaillit encore plus brutalement.

Nous étions dans une petite chambre. Les murs, les plafonds, les meubles, le lit surtout étaient maculés de sang.

Sur la descente de lit gisait le corps d'une femme. Courtaude, guère plus d'un mètre cinquante, mais pesant bien quatre-vingts kilos.

Morte. Nue. Sur le dos. Les yeux fixes, le visage et le corps tailladés.

« C'était son amant », dit le commissaire d'une voix neutre. Un cas de folie meurtrière, probablement.

Le médecin légiste intervint.

« Je ne vois pas la blessure qui a causé la mort. Il faudrait la retourner. »

Les deux policiers soulevèrent le cadavre comme un paquet de viande et le mirent sur le ventre.

Je faillis hurler.

Le manche d'un énorme couteau de cuisine sortait

du dos. Dans le mouvement, la plaie s'était rouverte et des bulles en sortaient.

Le médecin se pencha et retira la lame.

Cette fois, je n'y tins plus.

Je fis demi-tour et dévalai les marches, plié en deux.

Je débouchai dans la rue.

Bien qu'il fît très froid, j'étais en nage. J'enlevai mon manteau et m'assis sur le bord du trottoir.

Je me répétais : « Ne vomis pas, sinon tu ne pourras jamais faire ce métier... Ne vomis pas ! Ils l'ont fait exprès, voyant que tu étais un nouveau... Ne vomis pas... »

P'tit Louis, le chauffeur, me tendit une fiole.

« Tiens, bois ça. »

J'ai bu... et aussitôt vomi dans le caniveau.

Le commissaire m'a rejoint, regrettant peut-être la brutalité de son initiation.

« Alors, c'est votre premier crime, hein ? On s'en est un peu doutés... Bah, vous verrez, on s'y fait. »

Lorsque j'ai rédigé mon article, j'ai tenté de restituer toute l'horreur du drame, de cette folie meurtrière dans un décor anonyme du bout du monde... J'étais persuadé d'avoir vécu le fait divers du siècle.

La réaction du chef des informations, en lisant mon papier, ne fut pas à la hauteur de mon espérance : « On ne vous demande pas de faire du Racine. »

Dix lignes dans une page intérieure rendirent compte de l'affaire.

La mort..., ce fut aussi plus tard celle de ma mère, vécue comme un interminable cauchemar.

C'était une femme à la fois douce et dure, volontaire, qui avait élevé ses enfants d'une main ferme, avec des méthodes bien à elle.

Quand nous avions dit un « gros mot », par exemple, elle nous mettait une pincée de poivre sur la langue et nous partions en hurlant...

De ses deux fils, j'étais le plus récalcitrant et, bien sûr, le plus souvent puni.

Au Maroc, je m'amusais à confectionner des fouets de cuir tressé — influence de Zorro... — qui étaient autant de verges pour me faire battre, car immanquablement, dans un temps très rapproché, je commettais une bêtise et ma mère se servait de mon œuvre pour me corriger !

Jamais, pourtant, je ne lui en ai voulu car je l'aimais, cette femme tyrannique, attachante, un peu comédienne, et secrète aussi.

Après sa mort, nous avons retrouvé dans son armoire un paquet d'images pieuses dont la provenance était assez insolite : pendant des années, sans jamais en souffler mot à personne, elle avait cotisé au Mouvement irrédentiste du Tyrol italien (sa région natale).

En échange de sa participation à la cause, et en guise de reçu, le Mouvement lui faisait parvenir ces images pieuses.

D'aussi loin que je me souvienne, je l'ai toujours connue malade. Quand ses épouvantables maux de tête la prenaient, elle s'écroulait sur le sol.

Dès l'âge de six ans, j'avais appris ce qu'il fallait faire en pareil cas : verser de l'eau de Cologne sur un gant et le lui passer sur le front, courir chercher ses médicaments.

Il y a toujours eu des médecins à la maison.

Dès que l'on arrivait dans une nouvelle ville, on s'enquérait du meilleur praticien qui, tout en soignant ma mère, deviendrait rapidement un ami de la famille, serait invité à notre table le dimanche.

Je les revois lui faisant des piqûres de Pyramidon dans le cou, quand ses douleurs atteignaient une trop grande intensité.

Il n'était pas rare que ses crises la prennent... quand on la contrariait ou que l'on s'opposait à elle.

Plus tard, elle a souffert d'une cirrhose du foie. Elle ne buvait pourtant que de l'eau, mais le paludisme qu'elle avait contracté dans sa jeunesse était, paraît-il, à l'origine de ce mal.

Dans la dernière période de sa vie sont venues s'ajouter des hémorragies œsophagiennes. Pendant quatre années consécutives, notre famille a connu l'univers des hôpitaux.

Maman revenait pour une période plus ou moins longue à la maison puis — toujours en catastrophe — repartait vers les urgences de Cochin.

Combien de fois ai-je reçu un coup de téléphone m'annonçant que son état était désespéré ! Alors je courais à son chevet et, là, je la voyais lutter contre la mort et la vaincre. Elle faisait l'admiration de ses médecins par sa personnalité et son courage.

A l'hôpital comme à la maison, elle continuait de régenter nos vies à tous.

Des images me reviennent souvent, violentes, précises, au point de me faire souffrir comme si je revivais de nouveau ces instants.

La baie vitrée du quatrième étage de l'hôpital Ambroise-Paré, d'où je voyais mon chien Jimmy jouer avec mes deux fils, en bas, sur la pelouse.

Dans son lit, à quelques mètres, ma mère en train d'agoniser.

Notre famille était réunie autour de son « chef » depuis six heures du soir.

Dans l'après-midi, mon père nous avait tous alertés : « Maman est au plus mal, elle ne me reconnaît plus. » A midi, la secrétaire du directeur de l'hôpital m'avait joint à mon bureau. « Peut-être est-il temps, monsieur, de ramener votre mère chez elle. »

Je n'avais pas compris sur le moment ; elle avait insisté : « Euh ! si vous ne voulez pas que les choses arrivent à l'hôpital... »

J'avais réagi : « Vous ne voulez pas dire qu'elle va... ? » J'avais laissé la phrase en suspens, n'osant prononcer le mot. Elle non plus, sans doute par réflexe professionnel.

J'ai insisté : « Mais hier, le professeur X m'a affirmé que son état ne justifiait aucune alarme, que la situation n'avait pas empiré, qu'il n'était pas question d'arrêter les soins, mais au contraire, qu'elle devait continuer de se battre... »

La secrétaire n'a pas répondu.

Le téléphone inutile à la main, je sentais que tous les efforts poursuivis depuis quatre ans arrivaient à leur terme.

Ma mère allait mourir, je le savais. Elle me l'avait dit elle-même, huit jours auparavant, alors que pour la énième fois, on la transportait de sa chambre à l'unité de soins intensifs : « Jean-Pierre, il faut arrêter et laisser faire Dieu, je n'en peux plus. »

Mais cinq jours plus tard, dans un instant de lucidité ou de délire, je ne sais, elle s'était accrochée à ma main en disant : « Il faut me sortir d'ici, mon fils, ils sont tous en train de me tuer. Tu dois m'emmener à l'Hôpital américain. »

C'est ce qui avait justifié mon entretien avec le professeur.

Car j'étais celui à qui elle avait délégué les fonctions de « directeur de sa maladie ».

A moi les contacts avec les infirmières, les médecins, l'administration hospitalière, à moi la mission d'établir des bulletins de santé pour tenir les autres au courant, de faire venir les sommités médicales à son chevet.

Ce rôle m'avait été confié le jour où, lors d'une

première hospitalisation à Cochin, mécontent de constater que le chef de service n'avait pas trouvé le temps de venir la voir alors qu'elle souffrait atrocement, je ne m'étais pas privé d'appeler ce « patron » au téléphone pour lui dire ma façon de penser.

Le lendemain, retournant voir ma mère, j'avais alors constaté que l'ambiance n'était plus la même. Elle était mieux surveillée, elle-même paraissait détendue.

« Ils sont tous passés me voir, m'apprit-elle l'air archisatisfait, l'interne, la surveillante en chef, et même le grand professeur qui m'a longuement examinée et m'a dit pour finir : " Votre fils m'a proprement engueulé, madame, qui est-il donc ? " J'ai répondu : " Mon fils, docteur, c'est un Monsieur. " »

Par ce simple mot, prononcé avec fierté, elle avait tout dit. Que pouvait ajouter le mandarin ? Il n'était pas de taille, face à cette *mamma*, même affaiblie par la maladie...

Mon père, lui, avait pour mission de la calmer, c'est-à-dire, en fait, de subir sa mauvaise humeur. Rien de nouveau pour lui, qui l'affrontait depuis quarante-cinq ans et en avait une solide habitude.

Doté d'un optimisme à toute épreuve et d'une inaltérable bonne humeur, il lui arrivait de sortir de la chambre en souriant : « Elle m'a encore enguirlandé, nous confiait-il, radieux, ça prouve qu'elle a un bon moral, que ça va. Je la préfère comme ça... »

Ma sœur avait été promue intendante. A elle le soin de renouveler le linge, les objets de toilette, d'apporter des cadeaux offerts par des amis dont, je m'en souviens, une bouteille d'eau de Lourdes que ma mère avait beaucoup appréciée.

Parfois, j'entendais des discussions surréalistes : « Tu n'as apporté que deux mouchoirs, deux blancs, comment se fait-il que le rose ne soit pas avec ? Tu ne l'as pas perdu, au moins ? »

Et ma pauvre sœur de compter et de recompter dans sa tête les carrés de tissu pour tenter de justifier l'absence du rose, qu'elle ne manquerait pas, bien sûr, d'apporter la fois suivante...

A mon frère aîné étaient réservées les « choses de l'esprit ». Leur mysticisme se complétait, bien que ma mère appartînt à la sainte Église apostolique et romaine, et lui à des sociétés spirituelles aux contours moins définis. Ils parlaient de Dieu et de l'au-delà pendant des heures.

« Pour ce qui est de la vie pratique, c'est un couillon, disait-elle avec tendresse, mais il pense beaucoup. Il aurait dû se faire prêtre, ce garçon. »

Cette dernière observation était sans doute destinée à la consoler de le voir célibataire à quarante-six ans, encore qu'elle fût pour une bonne part responsable de cette situation, par son attitude intransigeante et possessive...

A 22 heures, elle était toujours dans le coma. Aucun médecin n'était passé la voir. Tout était inutile, désormais.

Ma sœur et moi étions restés au chevet de son lit et lui tenions chacun une main, tentant désespérément de lui parler, d'établir un contact.

Soudain, les râles s'arrêtèrent, les paupières de ma mère se soulevèrent. Elle nous regarda. Je vis des larmes couler de ses yeux. Ses doigts, nous semblait-il, serrèrent doucement les nôtres. Nous avons crié comme des fous : « Maman, tu vas bien, tu vas aller mieux ! Reste avec nous... reste ! »

Mais aussi soudainement qu'elles s'étaient ouvertes,

ses paupières se refermèrent, ses doigts redevinrent inertes et les râles reprirent.

Il allait être bientôt 23 heures quand l'infirmière de service, une jeune femme brune, calme, est entrée dans la chambre où j'étais resté seul.

D'une voix très basse, elle commença à me parler : « Votre maman est très fatiguée, elle souffre beaucoup, cela peut durer encore plusieurs heures... Mon service se termine à 23 heures. Ensuite, ce sont les filles qui font la nuit qui vont s'occuper d'elle, et ce n'est pas pareil. »

Je la regardais vaguement, sans comprendre vraiment ce qu'elle disait, ce qu'elle voulait.

Elle poursuivit : « Ce serait mieux que ce soit nous, ma collègue et moi, qui fassions sa toilette, qui la préparions. N'importe comment, on ne peut la laisser souffrir ainsi, il faut lui donner un calmant, vous comprenez ? »

Cette voix douce, sur fond de râles, me paraissait irréelle. Je m'entendis répondre : « Vous savez ce que vous devez faire. »

Sans un mot, l'infirmière injecta le contenu d'une seringue dans le tube transparent de la perfusion, qui reliait encore le poignet de ma mère au flacon contenant du sérum.

Tout était incolore, aussi bien le liquide de la perfusion que celui de l'injection.

Avant même la fin de la piqûre, les râles commencèrent à s'espacer. Le corps de ma mère semblait s'apaiser.

A peine l'aiguille ôtée, elle a eu un, deux hoquets, et puis plus rien.

L'infirmière, d'un geste qui me parut machinal, prit son pouls, puis se tourna vers moi.

« Voilà, c'est fini. »

Elle retira le morceau de caoutchouc troué qui,

écartant les lèvres de ma mère pour lui permettre de mieux respirer, déformait son visage.

Je reconnus de nouveau maman, désormais en paix, vieille combattante donc le cœur avait farouchement battu jusqu'au bout.

Aujourd'hui, quand je vois ou entends de graves débats sur le droit à l'euthanasie, comme s'il s'agissait de quelque chose d'abstrait, de théorique, je ne peux m'empêcher de penser à ces hommes ou à ces femmes dont on écourte la vie dans les hôpitaux d'un geste simple, naturel, réfléchi, parce qu'une infirmière estime qu'ils ont assez souffert.

Pas de grands mots, de déclarations fracassantes, de prises de position publiques, non, la simple décision en conscience...

Dans ces moments-là, l'hypocrisie disparaît.

***

Cette hypocrisie que j'ai rencontrée en entrant dans le « théâtre des hommes », celui notamment de la politique. S'il y a une explication rationnelle à mon amour des chiens — ou en tout cas de leur pureté — et des animaux en général, c'est sans doute là qu'il faut la trouver.

J'ai découvert un univers sans doute plus nuancé, plus policé, mais aussi mille fois plus âpre.

Cette fois, je passais de la tragédie à la comédie amère où, pour satisfaire leurs ambitions, les hommes deviennent dérisoires.

En 1964, Alain Peyrefitte, ministre de l'Information, demanda à Pierre Lazareff, directeur général de *France-Soir* et grand « patron de presse » devant l'éternité, s'il pouvait lui conseiller un journaliste capable de redonner une bonne image de marque à l'O.R.T.F., alors critiquée et vilipendée de tous côtés.

Pierre Lazareff, qui m'avait fait débuter dans la presse et me considérait affectueusement comme l'un de ses poulains, eut la gentillesse de me recommander.

C'est ainsi que je débarquai à l'O.R.T.F., cette étrange et vaste maison, pour y prendre mon poste de directeur des relations publiques.

Mais celui-ci était déjà occupé !

Le directeur général adjoint y avait placé l'un de ses protégés. C'était la dernière péripétie d'une « guerre des chefs » fertile en coups fourrés et tordus de service à service, de bureau à bureau, qui m'était totalement étrangère et dont, à peine débarqué, je faisais déjà les frais !

On m'avait fait quitter *France-Soir*, il fallait bien me caser quelque part.

Je me suis retrouvé — à sa demande — conseiller technique du directeur de la télévision[1]. A ce titre, je m'occupais de l'information, de la grille des « programmes » et de l'achat des films de cinéma, etc.

Je m'attaquai de bon cœur à cette nouvelle tâche. Notre souci principal était d'obtenir que passent sur le petit écran des films de qualité et non plus ces navets dont on se contentait alors.

Objectif que nous avons atteint. C'est de cette époque que date le film du dimanche soir, en particulier.

Si mes nouvelles fonctions me plaisaient, l'atmosphère qui m'entourait n'était rien moins qu'empoisonnée.

J'étais un reproche vivant pour ceux qui, entre ma

1. Il s'agissait — déjà — de Claude Contamine, actuel P.-D.G. d'Antenne 2.

désignation à la direction des relations publique et mon arrivée dans la maison, m'avaient court-circuité de si belle manière.

Je constituais aussi une menace car ils craignaient que je n'intrigue pour reprendre ce poste dont on m'avait évincé. Chacun voit le monde à son image...

On me tenait donc à l'écart par tous les stratagèmes possibles et imaginables, et Dieu sait s'ils étaient légion dans cette maison ! Hélas, je n'étais pas d'un caractère à supporter cette petite « guéguerre », moi qui avais été habitué, pendant des années, à foncer, à prendre les événements à bras-le-corps.

Un incident éclata avec le directeur de l'information de l'époque.

Nous eûmes dans un couloir — beaucoup de choses se passaient dans les couloirs — une altercation pour le moins violente, qui se termina malheureusement pour mon contradicteur par un nez et quelques côtes brisés.

Je dus à l'amitié de certains d'échapper à la guillotine, mais cette fois on me mit complètement sur la touche, avec interdiction de participer aux réunions de décision de la direction générale du quai Kennedy.

Ainsi, j'avais quitté *France-Soir* pour me retrouver traité en pestiféré, avec un contrat de misère renouvelable — donc résiliable — tous les trois mois.

Détail révélateur : lors de ma nomination, il avait été entendu que je bénéficierais d'une voiture et d'un chauffeur. Or je ne les voyais jamais venir. En revanche, j'approchais à grands pas de ces fameux placards de la télévision, formule moderne des oubliettes médiévales.

Je me morfondais depuis un an dans ce siège éjectable quand je reçus un coup de téléphone de Pierre Lazareff, décidément promu au rôle de bon ange :

« Jean-Pierre, me dit-il, j'ai auprès de moi l'ambassadeur de France en Algérie, Georges Gorse. Il se présente aux élections et cherche quelqu'un pour organiser sa campagne sur le plan de l'information. Comme je sais que tu es un gaulliste à tout crin... »

Je l'étais en effet (et je le suis toujours), et la perspective de travailler aux côtés de Georges Gorse, « gaulliste historique » mais ouvert à bien des courants de pensée (il avait été sous-secrétaire d'État de Léon Blum en 1946), me séduisait. J'ai d'ailleurs rapidement apprécié l'homme, puis l'ami.

Après une élection de « maréchal » à Boulogne-Billancourt et alors que, deux jours plus tard, je discutais avec le chef de cabinet de Georges Pompidou, Claude Brosse, celui-ci me confia que le Général avait poussé Georges Gorse à se présenter aux élections parce qu'il tenait ensuite à lui confier un portefeuille et voulait donc qu'il fût un élu de la nation.

A Matignon on voulait savoir quelle fonction il souhaitait occuper, le ministère du Travail !... Avais-je une opinion ?

Très sincèrement je répondis tout de go qu'à mon sens, Georges Gorse, ancien directeur des services d'Information de la France Libre au Caire, ancien élève de la rue d'Ulm, agrégé des lettres, latiniste et égyptologue, serait à l'Information l'homme le plus efficace.

Quelques jours plus tard, le nouveau député fut convoqué à Matignon. Je l'accompagnais à bord d'une 4 L blanche que lui avait prêtée la Régie Renault.

« A votre avis, me demanda-t-il, quel portefeuille vont-ils me confier ?

— Sans doute celui de l'Information. »

Il pâlit.

« Ah ! non, pas question ! Tout, mais pas ça... »

Je me recroquevillai dans mon siège.

A Matignon, il se rendit chez Georges Pompidou, tandis que j'allais chez le chef de cabinet.

Trois quarts d'heure passèrent... puis une heure...

Enfin, il ressortit, en compagnie du premier ministre.

Tous deux paraissaient mécontents.

Ils se séparèrent froidement.

Je rejoignis Georges Gorse et, pendant que nous descendions l'escalier, il me confia :

« Vous aviez raison, c'est bien le portefeuille de l'Information qu'il m'a proposé. J'ai refusé. »

Nous allions atteindre le rez-de-chaussée quand Georges Pompidou se pencha par-dessus la rampe et lança :

« Gorse, le Général veut vous voir ! Allez-y tout de suite, il vous attend. »

Direction l'Élysée...

« Non, grommela la future excellence, je ne veux pas de ce portefeuille, je ne le sens pas.

— Je vous ferai observer que si le Général vous convoque, c'est qu'il le sent, lui.

— Eh bien, tant pis, je ferai preuve de désobéissance, pour une fois, je ne céderai pas, même s'il insiste. »

Arrivée dans la cour d'honneur de l'Élysée, toujours dans la 4 L.

Georges Gorse entra chez le Général tandis que j'attendais chez les aides de camp.

Au bout d'une vingtaine de minutes, il ressortit, à la fois furieux et amusé.

« Que voulez-vous, me dit-il, j'ai dû accepter : quand je suis entré dans son bureau, " il " m'a lancé : " Alors, Gorse, il paraît qu'on fait des chichis ? " »

C'est ainsi que Georges Gorse devint ministre de l'Information... et que je devins son conseiller technique.

A peine la nouvelle fut-elle connue que l'atmosphère changea autour de moi, comme par un coup de baguette magique.

A l'O.R.T.F., où j'avais encore un bureau, je vis apparaître, surgis de je ne sais quelle cachette, cette voiture et ce chauffeur si longtemps promis...

Le téléphone, jusqu'alors assez discret, se mit à carillonner sans interruption. Des hommes qui me manifestaient un mépris hautain ou une complète indifférence, d'autres qui avaient ouvertement réclamé ma tête se découvrirent une amitié très vive à mon égard.

On m'avait appelé « Hutin », voilà que je devenais « Jean-Pierre » comme si nous avions arpenté les terrains de golf ensemble...

On m'avait battu froid, on m'avait regardé de travers, et soudain, on désirait me rencontrer sans délai, on m'invitait à dîner, on se proposait même de venir me rendre visite dans mon propre bureau...

Conseiller au cabinet du ministre, je devenais un personnage à ménager, à cultiver.

Je vivais cela dans un continuel étonnement : comment ces gens pouvaient-ils se déjuger aussi ouvertement, croire que je serais dupe, que je n'aurais aucune mémoire ?

En juin 1968, après les « événements », au cours desquels j'avais assisté — avant et pendant que le Général effectuait son fameux voyage à Baden-Baden — à la trahison de certains de ceux qui lui devaient tout (trahison dont je parlerai ailleurs et plus tard), le gouvernement fut remanié et Georges Gorse perdit très injustement son portefeuille [1].

Le matin de la passation des pouvoirs à son successeur, je vécus ce moment rare, étonnant, où soudain l'on n'est plus *rien*.

---

1. Quand Georges Pompidou fut président de la République et Pierre Messmer premier ministre, Georges Gorse devint ministre du Travail, où son talent de diplomate fit merveille.

J'étais assis à ma table de travail au ministère et je regardais le mur en face de moi. Les trois téléphones qui d'habitude me sollicitaient en permanence restaient obstinément silencieux, comme si on avait soudain coupé les fils avec des ciseaux.

Machinalement, comme un prof quittant sa classe, j'ai ramassé mes stylos et mon bloc, vierge désormais de tout rendez-vous.

Dans un coin de la pièce étaient empilés des cartons contenant mes dossiers, mes archives personnelles. Ils m'avaient suivi de *France-Soir* à l'O.R.T.F., puis au ministère. Maintenant, où allais-je les entreposer ? Aucun nouveau bureau ne m'attendait.

A qui avait cru détenir une parcelle de pouvoir, penser être « quelqu'un », la réalité venait tirer l'oreille et murmurer : « Tu n'es qu'un petit homme, un petit homme tout seul. »

Je suis sorti dans les couloirs vides du ministère vide. Quelques huissiers dans la cour transportaient les affaires des « nouveaux ».

Revenu chez moi, le déphasage a empiré. Ce n'était pas l'heure habituelle, je n'aurais pas dû, *normalement,* être là. Je ne savais quoi faire...

Depuis quelques années, j'avais laissé mon secrétariat se charger des détails pratiques de la vie courante. Il fallait désormais que je me prenne en charge, que je m'organise, tout seul...

Vers midi, le téléphone a sonné.

Je me suis rué sur l'appareil.

Au bout du fil, un homme que je connaissais de longue date, sans qu'il fût vraiment un intime. Il m'invitait à déjeuner, ayant sans doute deviné dans quelle détresse je me trouvais car il était sensible et plein d'expérience. Ce geste, je ne l'ai jamais oublié.

Depuis, à mon tour, je m'efforce de réconforter,

quand l'occasion se présente, ceux de mes amis à qui il arrive ainsi de passer de la lumière à l'ombre.

A la fin de cette année 1968, alors qu'habituellement je recevais cadeaux, champagne, etc., je n'eus droit à aucunes étrennes de cette sorte. Un grand patron d'une radio périphérique, qui auparavant me gorgeait de truffes, ne jugea pas utile de m'en expédier une seule — il est vrai que c'eût été de l'argent gâché.

Je sais depuis que bien des hommes politiques, si haut placés soient-ils, de Georges Pompidou à Pierre Mauroy, ont vécu aussi douloureusement que le petit responsable que j'étais, ce brusque changement de vie.

En ces jours incertains, je parvenais — sans le savoir — au terme de mon cheminement menant à Toby — le petit caniche mort huit jours après son arrivée —, à Jimmy, Tommy, Mabrouk et Junior.

Il fallait absolument, impérieusement que j'introduise dans mon existence une certitude au milieu de tous ces doutes, une loyauté parmi ces petitesses, ces hypocrisies, ces trahisons, une simplicité et une innocence dans ces relations complexes et ambiguës qui nous lient ou nous opposent à nos semblables. J'ai encore attendu près de deux ans avant de franchir la *ligne magique.*

4.

La ligne magique

La *ligne magique*...

Ma main a machinalement griffonné ces mots dans la marge d'un feuillet.

Magique, le fait d'acquérir un chien, cet acte apparemment si simple ?

Oui, sans nul doute, pour qui se donne la peine d'y réfléchir de plus près.

Voici qu'un quadrupède poilu, un être sans aucune analogie apparente avec nous, va partager notre existence, se conformer à notre rythme de vie journalier, nous aimer sans retenue, sentir nos états d'âme, nos moindres humeurs au point de *lire* en nous...

Ce chacal, ce loup, surgi de l'épaisseur de la nuit il y a des millénaires, pour s'approcher des feux allumés par nos lointains ancêtres, est encore à nos côtés dans cette existence trépidante et folle que nous nous sommes fabriquée, parce qu'un jour, l'un de ces hommes vêtus de peaux de bêtes a tendu la main vers lui.

Et le miracle s'est accompli.

Siècle après siècle, l'aventure s'est poursuivie, toujours renouvelée, mais toujours mystérieuse. Jamais cette alliance entre l'homme et le chien ne pourra paraître banale.

Une question me hante : pourquoi cette harmonie, cette marche à deux à travers le temps, pourquoi cet amour ? Quelle force puissante a poussé cet être vers nous, comme elle a poussé le chiot Junior, le soir de son arrivée, à mordre, à déchirer le grillage qui nous séparait pour courir vers le bipède que j'étais, rencontré seulement une heure auparavant ?

Certains esprits prosaïques diront : « Mais dans cet accord, chacun y trouve son compte. Le chien sa pitance, l'homme la garde de son logis, les plaisirs de la chasse, etc. »

Je n'en crois rien.

De nos jours, ce que l'être humain tire de plus fondamental de la présence de son compagnon, c'est sa présence, un regard, le plaisir de caresser sa fourrure, une tendresse et un équilibre dans un monde qui se déshumanise de plus en plus.

Quant au chien, qui pourrait prétendre que seule sa nourriture le motive ?

Si tel était le cas, on ne verrait plus chez lui ces refus de s'alimenter en l'absence de son maître, ces chagrins quand celui-ci n'est pas là, ces joies à son retour, alors que la pâtée reste toujours assurée !

D'autres, non moins prosaïques, croient tout résoudre par un mot clé : l'instinct. Le chien, affirment-ils, est programmé !

Programmé pour aimer ?

Comme cela serait rare et extraordinaire...

Parfois, certains aspects de son comportement peuvent nous conduire à le penser, comme cette jolie histoire — vraie —, qui s'est déroulée au Japon.

Dans la banlieue de Tokyo vivait un professeur d'université et son chien. Tous les matins, le maître allait prendre le train pour Tokyo. Son chien l'accompagnait jusqu'à la gare et revenait seul à la maison. Le soir, il repartait attendre son maître, sachant parfaitement l'heure à laquelle celui-ci arrivait.

Un jour, le professeur mourut à Tokyo d'une crise cardiaque. Son corps ne fut pas ramené à son domicile mais enterré dans la capitale.

Le soir du décès, le chien était à la gare, attendant le retour du maître. Ne le voyant pas revenir, il rentra seul. Le lendemain matin, il était là, de nouveau en faction. Les employés du chemin de fer, qui le connaissaient, tentèrent de le faire partir, mais en vain.

L'animal resta sur ces lieux, où il avait tant quitté et retrouvé l'homme qu'il aimait. Une année passa, puis une seconde, puis cinq... puis dix. Nourri par les habitants de cette banlieue et les employés de la gare, émus par sa détresse.

Cette constance « inhumaine » les toucha au point qu'à sa mort, ils firent ériger près de la gare une statue le représentant, et qui symbolisait la fidélité canine... et la fidélité tout court.

Notre compagnon n'est pas qu'instinct, et s'il est programmé pour aimer, il ne l'est pas pour être bête. Car si tout le monde a entendu raconter les aventures de chiens égarés parcourant des dizaines, des centaines de kilomètres pour rejoindre leur maître, on sait aussi que dans les cas d'abandon volontaire, l'animal, ayant parfaitement compris qu'il n'est plus aimé, qu'il ne l'a peut-être jamais été, ne cherche pas à retrouver ceux qui furent ses maîtres : il erre sans but, avant d'être recueilli par une âme charitable dans le meilleur des cas, dans une fourrière dans le pire.

Non, il n'y a rien d' « automatique » dans l'amour que nous porte ce compagnon.

Il va choisir cet être humain à qui il va se donner,

cœur et âme, et s'employer à le comprendre totalement, qu'il soit président de la République ou concierge, douce adolescente ou vieux grognon lunatique.

J'affirme que Junior me *connaît* mieux que certains de mes proches.

Avant que j'aie esquissé un geste ou une parole, il sait si je suis inquiet, content, anxieux ou irrité et, naturellement, en tient compte dans sa façon d'être : en quelques secondes, parfois en un quart de seconde, le chien exubérant devient attentif et silencieux comme une ombre.

Quel être au monde serait capable d'une telle sollicitude ? Qui, comme lui, pourrait à ce point modifier son attitude et surtout, subissant ma mauvaise volonté, ne faire que très rarement montre de la sienne ?

Les plus grandes amours, dit-on, résistent mal à l'usure du temps, et le quotidien tue la passion à petite dose. Mais le chien, après des années passées à votre côté, vous fait fête chaque matin et vous dit : « Je t'aime » avec une ardeur intacte. Son amour est inaltérable.

Toutes ses pensées vont vers vous.

Vous êtes, il est vrai, sa préoccupation constante. Il ne se demande pas si le compte en banque est suffisamment approvisionné, qui remportera les élections, si le chômage ne guette pas à la fin du mois ou si le dernier rejeton sera reçu à son baccalauréat.

Sa seule obsession est : « *Qu'est-ce qu'il pense ? De quelle humeur est-il ? Sera-t-il disponible pour jouer avec moi, pour me caresser, s'occuper de moi ?* »

Pour beaucoup, aussi, il a une autre qualité : celle d'être présent.

Les enfants partent un jour, quittent la maison, vont vivre leur vie. Le chien comble ce vide que provoque ce départ naturel de ceux qui animaient de leurs pas, de leurs rires, le foyer à présent silencieux. Le chien, lui, reste. Et s'il vous quitte, c'est parce que la mort vous l'a enlevé.

En outre, cette extraordinaire faculté de nous lire suppose un long, un très long voyage à travers le temps, car il y a loin du feu de camp où a été scellée l'alliance à cet espace de fer et de béton où nous l'avons entraîné à notre suite. Comme nous, il a été soumis à de fameux coups d'accélérateur de l'évolution...

Il y a une ou deux générations seulement, le soir, près de la cheminée, l'homme lisait le journal, la femme tricotait et le chien dormait dans le silence.

Tous trois vivent à présent dans un univers bombardé de bruits, qu'il s'agisse de la télévision ou du téléphone, quand ce n'est pas la machine à laver le linge ou la vaisselle, l'électrophone, le magnétophone, l'interphone..., tous ces *phones* dont la principale fonction semble être parfois de nous rendre sourds, de nous isoler des autres.

Ballotté dans la voiture, l'ascenseur, le train, la soute d'avion, notre chien doit, au sein de cette cacophonie, identifier les sons et les voix, réels ou artificiels.

Quand Junior tourne sur un plateau et que je suis à la régie, c'est-à-dire hors de sa vue, il reçoit mes ordres par haut-parleur. Cette voix, un peu déformée par l'énergie électrique, il sait que c'est pourtant bien la mienne et il lui obéit.

Peut-être est-il plus à son aise que moi dans ce monde technologique où nous vivons, qui nous stresse, nous angoisse parfois.

Le fait que les chiens s'en remettent de moins en moins à leurs instincts ancestraux (à l'exception des chiens de travail) a pu conduire certains spécialistes a penser qu'ils avaient régressé. N'est-ce pas l'inverse qui s'est produit ?

Comme l'homme, ils ont sans doute perdu certaines

facultés primaires de survie — ou tout au moins se sont-elles engourdies — qui bloquaient la progression de leur intelligence, et de ce fait ils ont gagné en capacités d'abstraction.

A la manière de l'homme des cavernes, le chien des cavernes, tout entier obsédé par le besoin de survie, ne devait pas être capable des mêmes raisonnements que son descendant contemporain.

Car c'est bien de raisonnement qu'il s'agit.

Il est admis que beaucoup de chiens comprennent un vocabulaire de base d'une centaine de mots, qui peut aller jusqu'à deux cent soixante-dix si l'éducation qu'ils reçoivent est particulièrement « pointue » et intensive.

Ajoutons-y les associations de mots, et on arrive à la compréhension d'un véritable langage, au moins identique à celui de certains individus jugés peu scolarisés.

Pour Junior, par exemple, le terme « par terre » peut être interprété de façons tout à fait différentes.

Quand je dis : « Pose le ballon par terre », il sait qu'il s'agit d'un jeu, qu'il peut s'amuser à le remordre. Par contre, si je lance, sur le même ton : « Par terre ! » lorsque je vois qu'il va manger quelque chose qu'il ne faut pas, il comprend aussitôt qu'il doit le lâcher et il ne lui viendrait pas à l'esprit de regimber, de même que je l'empêche, si je m'en aperçois à temps, de prendre quelque chose au sol en disant : « *Pas* par terre[1] ! »

Encore un exemple de la connaissance du sens des mots par les chiens : les hérissons du jardin, tous surnommés par moi-même des « Arsène ».

Mabrouk donnait de la voix dès qu'il trouvait un hérisson dans le jardin. « Viens voir ce que j'ai trouvé », me disait-il.

---

1. Avec Mabrouk, je criais : « Beurk ! » L'un ou l'autre peuvent se dire.

Junior, lui, vient me chercher, m'entraîne voir sa trouvaille, « une vie bourrée de pointes ».

La première fois, je lui ai dit :

« Ah, tu as trouvé un hérisson, c'est sans doute Arsène. (Car, comme vous avez pu le constater tout au long de ce livre, je parle beaucoup à mon chien.) Oui, c'est Arsène qui a grandi. »

J'avais, il y a quelques années, peint une croix sur un bébé hérisson afin de le reconnaître.

Depuis, le soir, il suffit que je dise soit : « Hérisson », soit même : « Arsène », pour que Junior se mette à le chercher, le trouve et vienne me le dire. Il sait donc parfaitement faire l'association d'idée entre le mot que je prononce et l'objet ou l'être que je désigne.

A commencer par lui-même...

Très souvent, le soir, au moment de nous dire au revoir, je lui apprends à se connaître.

Avant de l'embrasser, je lui dis : « Les oreilles » en les touchant, « le nez », « les yeux », « les lèvres », « les dents », etc.

Quand je lui dis : « Donne-moi un bisou », je l'embrasse et lui me lèche.

Pour les oreilles aussi il sait faire une parfaite association. Je les lui nettoie toutes les semaines. Lorsque je lui dis : « Je vais te nettoyer les oreilles », il se couche et m'en tend une. J'introduis ses gouttes. Il m'offre alors, de lui-même, la seconde, pour qu'elle subisse le même traitement.

Ensuite, je dis : « Maintenant, les Kleenex », car il faut enlever le trop-plein du liquide nettoyant. Il se lève et me présente sa tête car j'ai un geste précis à effectuer : je prends ces serviettes de papier dans mes deux mains et nettoie simultanément les deux oreilles.

La façon dont il identifie le monde extérieur — lieux,

objets ou êtres vivants — est aussi d'une rapidité extrême.

Ainsi, il a su immédiatement qui était Jules, le chiot récemment arrivé chez les voisins. A son tour, il lui apprend à faire la course le long du grillage commun.

Il a suffi de le lui présenter, qu'il joue quelques minutes avec lui, pour que le lendemain, en lui disant : « Va voir Jules », il fonce à la place bien particulière, sous les lauriers, d'où il peut observer tranquillement les mouvements des voisins et de leur chien.

Il a d'ailleurs un comportement de « concierge » étonnant.

Lorsqu'il s'installe à son poste d'observation, seules ses fesses dépassent des arbustes. Les poules picorent à côté de lui, le jet rotatif arrose son arrière-train, balivernes !

Absorbé par je ne sais quel spectacle, il ne sent rien. Curieux comme il n'est pas possible, il peut passer, montre en main, plus de quarante minutes, plusieurs fois dans la journée, à contempler « le gazon des autres » et attendre qu'on le découvre.

Parfois il sort à reculons, furtivement, regarde si tout va bien dans *son* jardin, et il se replonge dans les délices d'un voyeurisme d'autant plus délectable qu'il est dissimulé et qu'il peut se livrer en toute quiétude, protégé par les arbustes, à sa coupable activité.

... Pourquoi cette curiosité, cette patience ?

Que mes lecteurs prennent le temps de recenser les mots et les diverses intonations qu'ils utilisent pour parler à leur chien, et je gage qu'ils seront étonnés du résultat, qui sans nul doute dépassera leurs prévisions.

Je ne compte évidemment pas les gestes, les signes symboliques et autres sifflements qui balisent la vie quotidienne du chien.

A ma connaissance, aucune étude faisant appel à la

rigueur de la science n'a vraiment été entreprise pour essayer de mesurer la mémorisation, la possibilité de déduction et d'abstraction du chien.

L'éthologie, science du comportement animal, semble bien peu curieuse à cet égard.

J'y vois pour ma part deux raisons principales.

L'homme, qu'il l'admette ou non, est obsédé par la recherche de ses propres origines, en même temps qu'il est persuadé d'être, sur cette terre, l'être le plus important.

A ce titre, le singe, qui lui ressemble physiquement, se tient en position verticale et possède la même préhension des mains, le fascine. Il en vient à tenter d'utiliser, souvent sans succès, un langage qui leur serait commun, comme celui du sourd-muet.

Ce besoin de retrouver l'humain partout, on peut aussi le déceler dans l'intérêt passionné, mais plus ancien, pour les animaux organisés en sociétés très rigides comme les abeilles, les fourmis, les termites, où certains ont cru voir les prémices (et, hélas ! parfois les idéaux) des organisations humaines.

Mais le chien, et en général les animaux qui ne nous ressemblent pas physiquement ou ne vivent pas en société organisée sont jugés trop « ordinaires » pour susciter l'intérêt des hommes de science. Ceux-ci laissent alors le champ libre à des vulgarisateurs souvent pleins de bonne volonté, mais qui se baptisent un peu hâtivement « spécialistes du comportement animal ».

Ainsi voit-on paraître toutes sortes de traités aux affirmations aussi péremptoires que sujettes à caution. On y dit par exemple que le ronronnement du chat est un signe de contentement (et sur ce félin, que de contre-vérités !), que le cheval est bête parce qu'il possède une cervelle de petite dimension (ce qui fait l'affaire de certains cavaliers qui s'en trouvent valorisés)... ou que regarder un chien dans les yeux le met en colère.

Ce que nous savons, nous autres modestes maîtres de chiens, de chats, c'est que nos compagnons sont d'une rare finesse d'esprit. Qui d'entre nous n'a pas dans sa mémoire l'exploit d'un animal familier, qu'il l'ait vécu ou qu'on le lui ait raconté ?

Le producteur de « 30 Millions d'amis » que je suis en possède, on s'en doute, un florilège. J'en extrairai trois qui me paraissent illustrer particulièrement mon propos.

Le premier me fut raconté par l'écrivain Maurice Druon, qui lui-même le tenait de l'un de ses vieux amis. Il remonte à l'époque déjà fort lointaine où les croissants valaient un sou.

Dans un petit village de Bourgogne, un couple avait dressé son chien à aller chercher tous les matins deux croissants chez le boulanger, comme d'autres le font pour le journal.

Ils glissaient deux sous dans une pochette attachée au collier. Le boulanger se payait, tendait le sac au chien, qui le saisissait entre ses dents et revenait consciencieusement à la maison.

Un jour, il se présenta à ses maîtres porteur d'un seul croissant. Ceux-ci pensèrent qu'il avait perdu le second en route, d'autant qu'il ne ramenait pas un sou. Le lendemain, même anomalie.

Il se passait quelque chose. Le doublement du prix du croissant n'était pas envisageable, en ces périodes bénies où l'inflation était un mal inconnu.

Interrogé, le boulanger affirma que tout se déroulait comme à l'accoutumée.

Intrigué, le maître décida d'épier son chien.

Il le vit sortir de la boutique avec le paquet, se diriger vers sa maison... puis soudain, changer de direction. L'animal paraissait savoir exactement où il allait.

Dans une ferme, il rejoignit une chienne en train

d'allaiter une portée de six petits chiots. Alors se déroula un étonnant spectacle : le chien posa le paquet à terre, parvint à en sortir un croissant qu'il laissa à la mère (sans doute était-il le père des petits) et repartit en trottinant, sans oublier le paquet contenant le croissant restant.

Touchés, ses maîtres décidèrent que cette chienne continuerait de bénéficier de son croissant quotidien. Après avoir averti le boulanger, ils glissèrent trois sous dans le collier. Le chien reçut trois croissants et put procéder à sa distribution sans priver quiconque.

Quelques semaines plus tard, il revint au logis avec trois croissants.

Après enquête, il s'avéra que la chienne de la ferme avait sevré ses petits.

Son compagnon avait dû se dire : « *Plus d'allaitement, plus de croissant.* »

C'était frappé du coin du bon sens...

Autre histoire, où s'illustre le savoir-vivre de nos amis à quatre pattes, et qui me fut racontée par un ami possédant une maison à la campagne.

Le fermier avait deux chiens qui passaient une bonne partie de leur temps dans un enclos. L'un était de bonne compagnie mais l'autre, assez violent, était enchaîné.

Plusieurs fois, cet ami constata une scène étrange.

Tous les jours, à midi, on déposait à l'entrée de l'enclos une unique gamelle, hors de portée de l'animal attaché.

Le chien en liberté, lui, y avait accès.

Or, il se contentait de manger scrupuleusement *la moitié* de la nourriture.

Puis, avec ses pattes, rapprochait la gamelle de son compagnon, lequel se nourrissait à son tour.

La dernière histoire émane cette fois de mon ami Jacques A., grand journaliste et cavalier émérite.

Il possédait un « trotteur » avec lequel il entretenait une grande amitié.

Une fin d'après-midi, au cours d'une promenade en forêt, le cheval, trouvant soudain une grande mare devant lui, fit un brusque écart. Mon ami, surpris, perdit l'équilibre et tomba dans l'eau.

Il se releva, mais à chaque pas qu'il faisait pour regagner la terre ferme, il enfonçait dans l'épais liquide boueux. Aucune branche basse à laquelle s'accrocher.

Peu à peu, l'angoisse le gagna.

Il était loin de tout, inutile de songer à appeler au secours. Le cheval, lui, avait pris peur et s'était éloigné. Il se tenait à présent à une dizaine de mètres, immobile, observant son cavalier.

Celui-ci essaya une autre direction, mais le sol cédait toujours sous ses pas. S'obligeant au calme, il poursuivit ses tentatives pour sortir de ce magma, qui montait maintenant jusqu'à la taille.

La nuit n'allait pas tarder à tomber. S'il restait prisonnier de cette mare de boue, la fatigue le gagnerait peu à peu et alors, que se passerait-il ? Ce serait sans doute la noyade, l'étouffement... Les fameuses images de « sables mouvants » commençaient à envahir son esprit.

Alors qu'il commençait à vaciller, il découvrit soudain que son cheval s'était approché de la mare.

L'animal avait un comportement tout à fait surprenant : il reculait, lui offrait sa croupe.

Bientôt, Jacques put lui empoigner fermement la queue. Il n'eut pas besoin de lancer un ordre pour que le cheval reparte de lui-même, le tirant hors du piège liquide.

Ce n'est pas par hasard, sans raison valable, que cet

animal avait reculé. Incontestablement, il avait perçu la situation périlleuse dans laquelle se trouvait son maître et trouvé instinctivement la meilleure façon de lui venir en aide.

***

L'étonnement, la stupéfaction qui vous prennent parfois devant certains comportements de nos amis, pourtant réputés si frustes, nous font parfois regretter qu'ils ne puissent s'exprimer autrement que par leur propre langage.

Ne dit-on pas : « Ah, si seulement ils pouvaient parler... » Certes, cela nous permettrait de résoudre bien des mystères du monde animal, mais les maîtres y gagneraient-ils au change ?

Rien n'est moins sûr. On risquerait plutôt d'entendre chiens, chats et chevaux se plaindre amèrement de leurs conditions de vie, de la brutalité, du manque de discernement, voire de l'esprit étroit de leur maître...

La nature, à bien y réfléchir, n'a donc pas si mal fait les choses...

Une interrogation vient parfois à l'esprit : ces compagnons de vie si proches de nous, si égaux à nous-mêmes, ont-ils une âme ?

Descartes le niait, les assimilant à des « machines », ce qui lui attirait cette réplique indignée de Mme de Sévigné : « Des machines qui aiment, qui ont une élection pour quelqu'un, des machines qui sont jalouses... Allons, jamais Descartes n'a prétendu nous le faire croire ! »

La femme, on le sait, a longtemps été considérée par le pouvoir ecclésiastique comme privée d'âme, au point qu'il a fallu un concile pour admettre, après force discussions, qu'elle en était dotée.

On peut donc espérer que nos amis animaux, à leur tour, bénéficieront de cette âme si peu généreusement dispensée.

Après tout, ne connaissent-ils pas comme nous la joie, la peur, l'espoir ? Ne sont-ils pas capables de penser et de s'exprimer aussi bien que les êtres les plus primaires — voire les idiots de village à qui l'on attribue cette flamme divine.

Plusieurs ecclésiastiques, au micro de « 30 Millions d'amis », ont admis, pressés par mes questions, qu'il était inconcevable qu'une créature de Dieu soit privée du souffle divin.

Jean Gaillard, dans son livre *Les Animaux, nos humbles frères* (publié chez Fayard et réalisé sous le patronage de l'Association catholique pour le respect de la création animale) abonde dans ce sens. Voici ce qu'il écrit :

« Contrairement à ce que croient dur comme fer nos contemporains, la théologie catholique a admis l'existence de l'âme animale jusqu'à l'époque moderne (...). Depuis le renouveau des études théologiques à l'instigation du pape Léon XIII à la fin du siècle dernier, la plupart des théologiens ont renoué avec la tradition médiévale et reconnaissent dans leurs traités l'existence de l'âme animale. Mais, chose curieuse, l'enseignement religieux courant continue à réserver à l'homme seul le privilège d'avoir une âme. »

« Nos frères, les bêtes », disait pourtant saint François d'Assise le « Poverello ».

Intervenant en leur faveur lors d'un récent colloque intitulé : « Animaux et pensées chrétiennes », Jean Guitton, philosophe catholique, académicien français, regrettant l'absence d'une théologie de l'animal, déclarait en substance :

« Leur souffrance n'est pas comparable à celle de l'homme, qui a la notion de la durée, de la fin et de la mort. Mais elle pose à notre conscience une interrogation car la souffrance des animaux est la souffrance des innocents (comme le Christ innocent souffre pour les autres). »

Qui peut affirmer que les animaux n'ont pas la notion de la durée, de la fin et donc de la mort ?

Certes les animaux n'ont pas de montre, mais quiconque observe leur comportement constate qu'ils ont une horloge biologique qui les rend — comme nous — sensibles à la chronobiologie et autres biorythmes.

La fin, la mort ?

Qu'ils aillent chez le vétérinaire, qu'ils fassent la queue à l'abattoir, qu'ils fuient devant un prédateur, qu'ils attendent l'horrible piqûre de la fourrière, tout démontre que les animaux souffrent et surtout qu'ils ont peur, nous les voyons même physiquement *trembler de peur*.

Ils ont non seulement le sens de la mort, mais mieux encore, une prescience de la fin..., de la leur ou de la nôtre !

Elle n'est peut-être pas liée — je le concède — à une angoisse métaphysique !

En sommes-nous restés à « en dehors de nous, point de salut » ? On sait que les religions bouddhiste, hindouiste et taoïste, se démarquant nettement de l'équivoque qui subsiste chez les chrétiens, les juifs et les musulmans, considèrent l'homme et l'animal sur un pied d'égalité, et Gandhi affirmait : « Donner sa protection à une vache est l'acte le plus admirable dans l'évolution des hommes. »

On sait aussi aujourd'hui que les plus grands savants, notamment physiciens et astrophysiciens, dont les travaux portent sur les « conditions initiales » de la création, estiment que les mêmes complexes, les mêmes éléments ont présidé à la naissance de la fourmi, de l'homme ou même d'une molécule de sucre[1].

La fourmi et la molécule de sucre pourraient donc revendiquer, comme l'homme le fait, que tout ce qui a conduit à la présence de la vie, était réalisé pour elles aussi.

Il y a quatre millions d'années, nous en étions tous au même point. Cessez donc de nous croire uniques et plus respectables que les autres créatures de Dieu.

Albert Cohen, de son côté, se disait persuadé, lui, qu'un abîme séparait, dans l'ordre métaphysique, l'homme de la nature et des animaux qui la peuplent.

Lors d'un entretien télévisé, le grand écrivain faisait part de sa foi et de la certitude qui l'animait que le Dieu qu'il vénérait possédait la supériorité d'avoir dicté les Dix Commandements.

Ainsi élevait-il l'homme au-dessus « d'une nature qui était terre d'élection de l'assassinat ».

Il me semble pourtant que le « Tu ne tueras point » tentait d'empêcher l'homme de commettre un meurtre qui n'avait aucune commune mesure avec celui qui était perpétré dans la nature.

L'homme tue son semblable par passion, quand ce n'est pas par plaisir ou par calcul.

Au sein de la nature au contraire, la seule règle est le besoin de se nourrir, la nécessité de la survie — celle-là même qui nous conduit à assassiner le bœuf ou le porc dans l'espace clos et caché des abattoirs.

Il apparaît que les Dix Commandements s'arrêtent à la porte de ces abattoirs, ce qui peut-être devrait nous incliner à plus d'humilité sur notre prétendue supériorité.

1. Hubert Reeves.

Jamais les membres d'une même espèce animale ne se massacrent entre eux, jamais non plus on a vu une race animale vouloir en dominer une autre ou la faire disparaître.

Si l'on observe d'un œil froid les sociétés « avancées » dans lesquelles nous vivons, où la recherche de l'utilitaire est érigée en valeur absolue, la présence d'animaux de compagnie représente un anachronisme. A l'aune de cette civilisation, ils ne *servent* à rien.

On pourrait donc parfaitement imaginer leur extinction ou, du moins, leur raréfaction, comme cela s'est produit à certaines époques pour le cheval.

Enfant, j'ai vu dans les villes ceux-ci tirer la voiture du laitier, du charbonnier, du livreur de pains de glace, spectacle qui peut paraître incroyable et digne d'un décor du siècle dernier à un jeune lecteur.

A Paris, maintenant, tout a disparu, sauf les petits ânes que montent les enfants, l'été, aux Champs-Élysées ou à la Muette, quartier suranné où la nostalgie est encore présente, bien que l'ancien combattant gardien de square ait été remplacé par une plantureuse Martiniquaise...

Les étés étaient de vrais étés, les printemps, de vrais printemps, *pour nos aînés*... et pour moi maintenant.

Certains films en noir et blanc cultivent cette mode « rétro » du cœur qui pour beaucoup est vécue comme un paradis perdu...

Même à la campagne, on constate que les animaux de basse-cour sont en nombre de plus en plus réduit.

On les parque hors de notre vue dans des usines à œufs ou à viande où ils deviennent de véritables tubes digestifs parmi des milliers d'autres.

Chèvres, moutons, vaches sont également en voie d'extinction. Parfois, nous payons cher leur absence.

Ainsi pense-t-on aujourd'hui à réintroduire dans les massifs montagneux, notamment ceux de la Côte d'Azur, des moutons ou des chèvres destinés à débroussailler à moindre prix ces forêts qui brûlent tous les étés malgré les immenses moyens matériels mis en œuvre.

De même un certain nombre de skieurs paient-ils de leur vie la disparition des vaches dans les alpages : souvent, les avalanches sont provoquées par des plaques de glace qui glissent sur une herbe non tondue, alors que cette même herbe, régulièrement mangée par les troupeaux, serait drue et retiendrait la glace comme une sorte de brosse métallique.

Curieusement pour les uns, et tout naturellement pour les autres, les animaux de compagnie, loin de subir un tel sort, occupent à présent une place de plus en plus primordiale dans nos cités.

On voit le cheval y faire lui aussi de timides réapparitions.

Les différentes phases des relations homme-cheval sont révélatrices des évolutions de nos sociétés.

Jusqu'au début du xxe siècle, le cheval était à la fois animal de guerre et de labeur, et à ce titre fort considéré, bien qu'on en fît une grande consommation lors des conflits armés.

Après la Première Guerre mondiale, au cours de laquelle ils subirent de véritables hécatombes, les chevaux furent relégués aux travaux des champs, en même temps qu'une élite sociale faisait d'eux des animaux de luxe et des signes extérieurs de richesse.

Au lendemain de la Seconde Guerre mondiale, on pouvait craindre leur disparition. Et voilà qu'ils reviennent en force...

Les cavaliers qui autrefois se contentaient souvent de venir au club poser leurs fesses sur le dos de leur monture déjà sellée, de faire trois petits tours et de repartir, ont laissé la place à des hommes et des femmes de cheval véritables, chez qui l'on discerne un désir de relations profondes avec leur monture.

Ils ne considèrent plus celle-ci comme un robot à qui il faut inculquer des ordres qui seront aveuglément répétés, mais comme un être vivant, doué de sensibilité et d'intelligence. Ils désirent vivre à son contact, le panser, le connaître, s'y attacher.

J'en veux pour preuve les nombreuses lettres que nous recevons au courrier de « 30 Millions d'amis » où de jeunes hommes et de jeunes filles expriment leur anxiété de voir un pensionnaire de leur club, atteint par la limite d'âge, être promis à l'abattoir.

Ils refusent cette perspective. Cette réaction était impensable il y a seulement vingt ans.

Je suis persuadé que les années qui viennent verront un « boom » du cheval de compagnie (relativement) comparable à celui qui s'est produit pour le chien ou le chat.

laisse la place à des hommes et des femmes de cheval véritables, chez qui l'on discerne un désir de relations profondes avec leur monture.

Ils ne considèrent plus celle-ci comme un robot à qui il faut inculquer des ordres qui seront aveuglément répétés, mais comme un être vivant, doué de sensibilité et d'intelligence. Ils désirent vivre à son contact, le panser, le connaître, s'y attacher.

J'en veux pour preuve les nombreuses lettres que nous recevons au courrier de « 30 Millions d'amis » où de jeunes hommes et de jeunes filles expriment leur anxiété de voir un pensionnaire de leur club, atteint par la limite d'âge, être promus à l'abattoir.

Ils refusent cette perspective. Cette réaction était impensable il y a seulement vingt ans.

Je suis persuadé que les années qui viennent verront un « boom » du cheval de compagnie (relativement) comparable à celui qui s'est produit pour le chien ou le chat.

5.

Un grand communicateur

Comment expliquer le nombre croissant de nos amis ?

Il ne s'agit pas d'une mode, mais d'un besoin profond. Ce besoin, nous le constations à « 30 Millions d'amis » depuis dix ans. Je l'ai affirmé dans mon premier livre, et un congrès mondial réuni récemment à Boston a entériné [1] ces constatations.

Nous nous sentons seuls, dans un monde déshumanisé où la nature a été proscrite, seuls au sein d'une multitude où la standardisation a été érigée en dogme, seuls même dans nos familles promises à l'éclatement.

Les animaux de compagnie remplissent désormais une fonction indispensable : celle de communicateurs.

Ils sont le lien avec la nature, dont ils sont les symboles vivants : le lien avec la spécificité, car aucun d'eux n'est vraiment comparable à un autre, le lien à la

1. Ce congrès de Boston a un peu enfoncé des portes ouvertes, découvrant des faits qui existaient depuis plus d'une décennie ; mettant en exergue des expériences qui se déroulent aux États-Unis... mais que l'on pratique depuis plus longtemps en Europe (relations animal-enfant, chats dans les prisons, chiens attribués aux personnes âgées, etc.) et que nous avons fait découvrir aux téléspectateurs depuis... 1976 !

vie enfin pour les vieilles personnes abandonnées par leur famille.

A partir du moment où elles ont à s'occuper d'un chien ou d'un chat, ces laissées-pour-compte de l'existence se sentent responsables de lui, obligées de le promener, de lui faire à manger, donc de bouger : elles *existent* pour quelqu'un.

Elles ont été souvent de splendides jeunes femmes, mais le temps, une solitude inexprimable les ont ravagées prématurément. Fil ténu, plus fin et plus doux que de la soie, un petit chien leur conserve un souffle de vie. Souvent, elles disparaissent le lendemain de sa mort. C'est aussi en pensant à elles, à leurs vieux chiens, à toutes celles et à tous ceux qui sont emmurés par l'incompréhension des autres que j'ai voulu écrire ces lignes de tendresse.

Il est hélas trop vrai que la déshumanisation guette notre société. Nous pouvons de moins en moins parler aux autres.

Les concierges sont remplacées par des « codes », les poinçonneurs, par des tourniquets (vous vous souvenez, il y a quelques années, il y avait au moins 5 personnes sur un quai : les 4 poinçonneurs et le chef de « station » !) Et que dire à la caissière après que nous nous sommes servis nous-mêmes dans les grandes surfaces ? Que dire à un distributeur automatique ?

Le rôle de communicateur, combien de fois ne l'ai-je vu jouer par Junior, parfois dans les circonstances les plus quotidiennes.

Souvent, lorsque je suis pressé et que je n'ai pas de déjeuner d'affaires, je descends au pied de la tour prendre un sandwich dans un lieu hybride comme sait en concevoir la vie moderne. On y consomme debout, devant une sorte d'étroit comptoir le long d'un mur.

La plupart des clients mangent face à ce mur, à toute vitesse, en donnant l'impression de vouloir se soustraire au regard de leurs voisins. La vue de cette rangée de pénitents me procure toujours une impression étrange.

Quand Junior m'accompagne, il suscite un phénomène digne de passionner les psychologues.

Assis à mes pieds, il ne bouge pas, sage comme une image, mais ses yeux me fixent avec intensité. J'y lis une ardente supplication :

« *Comme cela doit être savoureux, ce que tu manges... Comme je t'envie... Ne pourrais-tu pas m'en donner un peu, juste une miette ? Je serai le plus heureux des chiens... Allons, ne sois pas dur avec moi, aie un bon mouvement...* »

Sous un tel regard, malgré mes bonnes résolutions, je ne tarde pas à fondre et à lui tendre un petit bout de sandwich, qu'il avale comme s'il s'agissait du plus succulent des caviars.

Autour de moi, les consommateurs détournent leurs regards du mur, observent à la dérobée ce chien si cocasse, avec son air concentré, ses yeux emplis d'envie.

Immanquablement, l'un d'eux se retourne franchement et fait un commentaire, un autre renchérit, et bientôt quelque chose naît, qu'on pourrait appeler un cercle de vie. On me pose des questions, on évoque ses propres expériences, ses souvenirs...

Cette faculté qu'a Junior de « briser la glace », je la constate dans la plupart des lieux publics — ascenseur, train, hall, etc. — où les hommes côtoient leurs semblables sans même paraître s'apercevoir de leur présence.

Parce qu'il est la mascotte de « 30 Millions d'amis », il m'a aussi permis de faire parfois des rencontres pleines d'enseignements sur le pouvoir médiatique de l'animal.

Je me souviens en particulier de cette halte que je fis un soir en remontant en voiture de la Côte d'Azur vers Paris — je me refuse, on le sait, à ce que Junior prenne l'avion et soit enfermé dans la soute.

Je m'étais arrêté chez le grand cuisinier Alain Chapel qui, comme presque tous les grands chefs, possède un chien. En l'occurrence, c'est un labrador, et il partage cette passion pour cette race avec Bocuse, dont le compagnon... est un cousin de celui des frères Trois-Gros.

Alain Chapel, grand ami des animaux, m'avait souvent prié de lui faire une visite. Autant dire que Junior et moi avons été royalement accueillis ! Tous les serveurs, toute la « brigade » de la cuisine étaient accourus... pour mon chien (moi, je me suis effacé, comme d'habitude, je sais tenir ma place en société). Je voyais le grand Chapel perdre ses étoiles, qui brillaient à présent au-dessus de la tête de Junior, devenu la grande vedette de la soirée !

Après le repas, au moment où nous allions regagner nos chambres, de nouveau le ban et l'arrière-ban de l'établissement étaient là. On caressait Junior, les questions fusaient à son propos.

J'ai regardé mon compagnon et lui ai demandé :

« Alors, Junior, tu es content ? »

Et, pour la première fois de sa vie, peut-être parce qu'il se savait dans un temple de la gastronomie et connaissait les rites de la bienséance (orientale), mon chien, dans un silence complet, les a regardés... et a émis un rot énorme, impérial, parfaitement adapté aux circonstances ! Nous sommes partis suivis d'éclats de rire admiratifs...

L'été dernier, j'ai pu mesurer à quel point était grande sa popularité. Nous étions à Saint-Tropez, pour les besoins d'un tournage, et nous vivions dans des bungalows autour d'une piscine. L'un de ceux-ci était occupé par le chanteur Michel Sardou, sa femme, ses deux enfants et leur cocker « Mundial ».

Lorsque Romain et Davy Sardou et leurs compagnons de jeu ont appris que ce gentil gros toutou qui se promenait parmi eux n'était autre que Junior, cela a été la grande fête !

Pendant plusieurs jours, il a accaparé toute leur attention, ils ne cessaient de s'amuser avec lui, au point que j'ai dit au chanteur : « Lui, vous voyez, il a de vrais fans... » Celui-ci a acquiescé en souriant, amusé comme moi par le fait que Junior lui avait véritablement ravi la vedette...

Plusieurs fois, les enfants ont voulu que Junior plonge avec eux. Il n'y mettait pas un très grand empressement, ayant constaté que, contrairement à ses piscines habituelles, celle-là ne comportait pas d'escalier lui permettant de remonter.

Mais les enfants l'attiraient tellement, il avait à ce point envie de partager leurs ébats aquatiques qu'il a tout de même sauté dans l'eau deux ou trois fois, à charge pour moi de le tirer par les pattes avant pour le hisser sur le bord, tandis que l'un des baigneurs le poussait par-derrière.

Le plus jeune des petits Sardou, Davy, alors que Junior était en train de nager, s'est approché un peu trop près pour le caresser et, le chien agitant beaucoup ses pattes pour se mouvoir, a légèrement griffé la poitrine de l'enfant. Celui-ci s'est aussitôt mis à pleurer et a couru rejoindre ses parents.

Et j'ai alors entendu le chanteur lui dire, de cette belle voix que nous lui connaissons :

« De quoi te plains-tu ? Tu as la marque des héros, et c'est Junior qui te l'a faite ! »

L'enfant s'est aussitôt arrêté de pleurer, s'est précipité vers l'auteur de la blessure et l'a fougueusement embrassé, comme s'il le remerciait de l'avoir ainsi distingué...

Il y a aussi ce soir de septembre où nous revenions de chez le vétérinaire. Pendant l'été, Junior avait perdu du poids et les analyses de sang semblaient montrer qu'il était atteint d'une petite infection.

Après une cure d'antibiotiques, on venait de lui faire une perfusion et tout allait mieux. Mais la séance l'avait un peu fatigué et il dormait à l'arrière de la voiture, entre les deux banquettes.

Perdu dans mes pensées, je vis soudain clignoter un voyant sur le tableau de bord, m'avertissant que je n'allais pas tarder à tomber en panne d'essence.

Il était plus de 23 heures.

N'étant pas sûr de trouver une station ouverte sur l'autoroute, je pris la première sortie qui se présentait, celle de Franconville.

J'errai longtemps en suivant d'interminables voies désertes ornées de files de lampadaires.

Pas la moindre trace d'un poste à essence.

Je commençais à m'inquiéter, retrouvant mes affres habituelles : « Junior va avoir l'estomac vide alors qu'il aurait besoin de se remonter... »

Apercevant les lumières d'un poste de police, je m'arrêtai à sa hauteur.

L'agent en faction m'indiqua obligeamment que la voiture de ronde, qui n'allait pas tarder à partir, me guiderait jusqu'à une station.

Et c'est ainsi que je me retrouvai derrière une patrouille de police, tous gyrophares allumés.

Enfin apparut, sauveur, le néon d'un poste d'essence qui, en même temps, faisait office de bar.

Les policiers stoppèrent et quand je fis de même, Junior pointa son museau à la portière. L'un des agents, qui était descendu, remarqua :

« Il ressemble à Junior, votre berger allemand, Junior, le chien de la télé.

— C'est lui. »

La nouvelle fut aussitôt communiquée à ses collègues, qui s'empressèrent de descendre à leur tour. Je fis sortir Junior, pas mécontent de se dégourdir un peu les pattes, qui fut aussitôt entouré, fêté. Comme toujours, il tint parfaitement son rôle, se prêtant aux caresses, tendant la patte...

Les policiers partis, j'entrepris de faire le plein (c'était un libre-service) puis me dirigeai vers le bar pour payer.

Là, un billet de cinq cents francs à la main, je dus me frayer un passage parmi un groupe de « loubards » venant d'arriver et dont les lueurs blafardes des néons rendaient la mine encore plus patibulaire. Ils semblaient s'ennuyer ferme, commandant des bières et des pièces pour le juke-box qui hurlait.

Je me sentais observé, dévisagé.

« Vous vous êtes trompé, me dit le caissier.

— Pardon ?

— Vous n'en avez mis que pour 3,30 francs, vous n'irez pas bien loin avec ça, il fallait bien appuyer sur l'appareil : là, il n'a pas débité.

— Ah... »

Je ressortis, toujours suivi par les yeux des loubards, qui semblaient s'intéresser de plus en plus à ma personne.

Je maniai de nouveau l'appareil en prenant soin de le faire fonctionner convenablement, mis quarante litres et retournai à la caisse.

Celui qui paraissait le plus âgé de la petite bande s'approcha de moi.

Il désigna la voiture d'un signe de tête.

« Ce n'est pas le fils de Mabrouk, dans la bagnole ? »

J'acquiesçai.

« Alors, c'est bien vous, vous êtes pas Jean-Pierre Hutin ? Je vous ai vu à la télé.

— Ah bon ? Pourtant, je n'y passe pas très souvent.

— C'était à " Apostrophes ". »

Voilà qui démentait de façon éclatante la réputation d' « intellectuel parisien » que l'on prêtait au téléspectateur type de cette émission littéraire.

La suite était prévisible.

J'ai de nouveau fait sortir Junior, et ces garçons qui ressemblaient à de petits durs se sont mis à le caresser, à lui parler avec attendrissement, à me poser des questions à son sujet.

Ainsi donc, en l'espace de quelques minutes, policiers et loubards, ces deux branches extrêmes de la société, s'étaient trouvé un centre d'intérêt commun.

Je n'en conclurai pas pour autant, et un peu hâtivement, que les chiens œuvrent pour la paix civile, mais peut-être y aurait-il quelque chose à creuser dans ce sens ?

Ne leur arrive-t-il pas déjà de jouer ce rôle de « rassembleurs » dans le monde militaire, où déjà, nous le savons, ils assurent des tâches capitales de chiens de travail ?

Et ici, j'ai une pensée pour le « caporal Max », mascotte de l'école des sous-officiers d'Agen, que nous avons filmé alors qu'il avait atteint sa dixième année.

Il n'était pas le premier animal à pénétrer dans une caserne : certaines armes, autrefois, notamment dans les régiments coloniaux, possédaient des mascottes que l'on

A un an, Junior découvre
les joies de la neige.
Jeux, roulades, sauts de cabris,
mais, aussi, son premier entraînement
comme chien d'avalanche
et la première occasion de prouver
qu'il est le digne successeur
de Mabrouk.
(Cl. Gy's-Mick.)

Junior, vedette de télévision, jouit d'une immense popularité auprès du public. Il se comporte en véritable professionnel tant devant les caméras qu'auprès de ses admirateurs. Ici, il effectue un saut synchronisé avec deux jeunes nageuses.

CIERS

(Cl. Christian Allardet.)

Junior, chez lui, dans son jardin.
Le bonheur parfait : entouré de son maître,
mais, aussi, des « copains ».

Tous les tournages sont entrecoupés de longs moments de repos et de détente où Junior s'adonne aux plaisirs nautiques, avec une prédilection pour la planche avec ou sans voile.

Junior, présentateur de choc de la 500e émission de « 30 millions d'amis » où plus de 150 races et quelque 50 chiens d'utilité furent réunis sur l'hippodrome de Longchamp.
(Cl. Jean-Claude Roca.)

Junior à l'entraînement avec l'équipe de secours en mer des pompiers de Nice. Il s'élance du bateau pour « sauver » une personne en difficulté, qu'il ramènera vers le rivage en la tirant par le poignet.

Junior est la vedette française choisie par Walt Disney Productions pour accueillir la star en herbe, Meredith Salenger, l'inoubliable interprète de Natty Gan.
Le chien le plus célèbre de France a su se comporter en parfait gentleman pour escorter la belle à la « première ».
(Cl. Malanca/Sipa Press.)

Junior, qui ne quitte jamais son maître, l'accompagne même sur les plateaux de « l'avenir du futur », l'émission scientifique de Jean-Pierre Hutin. Une occasion pour la mascotte de « 30 millions d'amis » de faire la connaissance de l'astronaute français, Jean-Loup Chrétien et du docteur Yuri Atkov qui a passé deux cent trente-sept jours dans l'espace, un record mondial.
(Cl. André Florent/Télé-Poche.)

Junior participe aux côtés de son maître à toutes les bonnes causes. Ici, lors de l'émission de Noël de « 30 millions d'amis », où des centaines de chiens et chats abandonnés ont retrouvé des maîtres.
(Cl. Marc Séguin.)

Jacques Balutin, qui était jadis la voix de Mabrouk, fait aujourd'hui parler Junior à la télévision.
Les voici tous deux lors d'une séance d'enregistrement où Junior est un parfait conseiller technique.
(Cl. TF1.)

faisait défiler pour le folklore, mais uniquement dans le but d'assurer le spectacle.

Max, lui, était intégré à la vie de ces jeunes gens qui l'avaient délibérément choisi et se transmettaient la mission, promotion après promotion, de veiller sur lui.

Quand nous avons diffusé ce reportage, un mois et demi plus tard, le brave Max avait rendu l'âme, ce que nous n'avons pas manqué d'annoncer lors du passage de l'émission à l'antenne. Un très abondant courrier nous a fait part de l'émotion des téléspectateurs.

Max a des frères.

L'un d'entre eux, Vodka, jeune berger allemand, navigue à bord du dragueur de mines *Le Phénix,* basé à Cherbourg. Ami et compagnon de l'équipage, Vodka participe avec enthousiasme à toutes les activités du bord.

Du pont aux soutes (en passant par les cuisines, bien sûr) il est partout chez lui. Une mesure exceptionnelle a été prise à l'unanimité pour dispenser de corvée ce matelot au statut particulier.

Max, Vodka sont porteurs d'un nouveau message.

Aurait-on imaginé, il y a vingt ou trente ans seulement, qu'un groupe de jeunes gens ayant choisi la carrière des armes, soucieux de leur image virile, puissent admettre dans leur cercle un animal de compagnie, se dévouer pour lui, payer sa pâtée de leur écot et montrer *ouvertement* leur tendresse à son égard ? On en aurait ri, on les aurait au besoin traités de « femmelettes ».

Serions-nous devenus plus tendres... ou plus angoissés par la solitude, au sein même de l'univers clos d'une caserne ou d'un bateau ?

Jadis, quand venait le coup de cafard, dans la chambrée ou le poste d'équipage, l'alcool était le grand remède. Il combattait le mal du pays. Le chien, lui, combat un autre mal : l'absence de tendresse[1].

Plus nous avançons dans le siècle, plus le monde devient rigide, étrange, étranger.

⁂

C'est sans nul doute avec les enfants que le chien joue pleinement son rôle de communicateur.

Chiens et enfants !... Existe-t-il des sensibilités plus proches ? Je ne sais rien de plus émouvant que certaines rencontres, où ils se « donnent » totalement l'un l'autre, où leur connivence s'exprime, éclate avec une telle intensité qu'on ne peut qu'être bouleversé, parfois jusqu'aux larmes.

La belle histoire de Junior et d'Anne en est une illustration.

Ils se sont connus sur le plateau de « L'Avenir du futur ». La petite fille était venue avec sa mère nous voir alors que nous mettions la dernière main à la préparation du « direct ».

Tout le monde allait et venait, dans cet état de fébrilité qui prend les équipes avant le « top » du passage à l'antenne. Après la présentation des parcitipants, le lancement du film, la tension est retombée. J'ai présenté Anne à Junior. Ils se sont un peu « parlés ».

Puis le moment du débat est arrivé. A nouveau, le ballet a recommencé dans l'espace réduit de la régie. Face à la batterie d'écrans, je me démenais en compagnie du réalisateur, de l'assistant, de la script, du truquiste, de

1. Il est symptomatique que l'un des plus grands succès du cinéma français de ces dernières années soit *Trois Hommes et un couffin :* la tendresse sous-tend le film du début jusqu'à la fin !

la synthétiseuse, de l'ingénieur du son, de l'équipe de production, etc.

En pleine action, je me suis retourné pour répondre à une question et mon regard a découvert un spectacle qui m'a fait oublier, pendant un quart de seconde, tous les soucis du moment : Junior, couché, offrait son flanc en guise d'oreiller à la petite Anne, et tous deux, au milieu de cette tempête, dormaient tranquillement, profondément, comme seuls savent le faire les innocents et les purs.

Dans les mois qui ont suivi, Junior et Anne se sont revus une ou deux fois et chaque retrouvaille marquait une plus grande complicité.

L'émission que nous avons tournée sur la Côte d'Azur en apporte le témoignage. On y voit Anne et Junior goûter ensemble aux plaisirs de la piscine, courir dans un sous-bois. Leur joie d'être ensemble crève l'écran.

Au printemps, Anne est venue avec sa mère passer un dimanche à la campagne.

A sa vue, Junior a lancé des jappements de plaisir, de petits hurlements de loup. Elle s'est précipitée vers lui et a trouvé d'instinct les mots simples et tendres pour lui dire son bonheur.

Après ces câlineries dans le jardin, la fillette a voulu venir rejoindre le cercle des adultes, dans le salon, mais « Ju » ne l'entendait pas de cette oreille ! Fermement, il lui a pris le poignet dans sa mâchoire pour l'attirer vers le jardin. C'est vite devenu un jeu : elle venait s'asseoir sur le canapé, il la suivait et recommençait son manège, en disant : « *On doit s'amuser ensemble, ne t'occupe donc pas de ces grandes personnes si graves, il n'est pas question que tu restes avec elles. Tu es venue pour me voir, moi !* »

Ils ont passé l'après-midi à s'amuser comme des fous, courant, se roulant dans l'herbe, se battant espièglement, tout entiers pris par le jeu. Ils avaient oublié le monde des adultes, celui du sérieux et du soucieux...

L'après-midi a touché à sa fin.

Le moment de la séparation est venu.

Ils se sont embrassés, et puis Anne a traversé la route pour rejoindre la voiture où l'attendait sa mère. Lui était assis sur le terre-plein bordant la maison et ne la quittait pas des yeux, fou d'envie de la rejoindre mais sachant qu'il n'avait pas le droit de traverser.

Anne s'est assise à l'arrière de la voiture.

Junior continuait de la fixer. L'expression de sa physionomie avait rarement été aussi intense. Ses yeux, ses narines, sa bouche et tout son corps disaient le désarroi, la désolation, mais aussi l'étonnement devant une telle injustice.

Il était « choqué » de devoir subir cette séparation.

« *Comment, nous étions en plein bonheur, et voilà que, brusquement, elle part ?* »

J'ai observé la petite passagère.

Elle pleurait à chaudes larmes.

Elle aussi trouvait cette séparation injuste, insupportable. Oh ! sa mère tentait bien de la raisonner, de lui dire qu'elle reverrait bientôt Junior... Rien de tout cela ne la consolait.

La voiture a démarré, a disparu dans le tournant.

J'ai refermé le portail et parlé à mon chien, un peu comme la mère d'Anne l'avait fait à sa fille.

« Ne t'en fais pas, elle reviendra, ta petite copine, peut-être dimanche prochain, et au bureau, aussi... »

Nous avons marché sur la pelouse.

Je me suis entendu lui expliquer que la petite fille deviendrait grande, qu'elle aurait un chien, des amis... J'ai été même jusqu'à lui dire qu'il ne fallait pas s'attacher...

Je prononçais ces mots très sincèrement, mais était-ce bien sérieux de parler ainsi à un chien ? Qui sait ?

L'animal de compagnie peut jouer auprès des enfants un rôle psycho-affectif déterminant dans la bonne évolution de leur personnalité.

On a constaté qu'entre deux ans et demi et cinq ans, l'enfant est dans la plupart des cas attiré par le chien de la famille. Il lui parle, le suit, le caresse, joue avec lui, lui offre même de la nourriture. Il entretient avec cet être poilu, si doux au toucher, une communication tactile, olfactive, gestuelle qui facilite son rapport au monde extérieur.

Ces relations de l'enfant avec ce « super-Nounours » constituent un socle solide sur lequel les premières relations verbales, plus complexes, pourront s'implanter dans des conditions favorables.

Selon les psychologues, lors des phases du jeu, l'enfant exprime des pulsions, dont il prend la mesure car, comme l'animal n'est pas inerte et possède ses propres défenses, il se rebiffe s'il est soumis à de mauvais traitements. L'enfant comprend alors qu'il ne faut pas aller trop loin.

La découverte de limites imposées à ses pulsions lui apprend que les *autres* existent, ce qui le socialise, en même temps que cela le sécurise : l'existence de barrières délimite une route.

Entre six et douze ans, nous dit-on encore, l'enfant, plus directement confronté à la dureté du monde extérieur (dans lequel il place ses parents), se construit une sorte de carapace pour se protéger, d'où des attitudes de refus systématique, de mutisme, etc.

Il est très important que, durant cette période difficile, il trouve des « alliances », faute de quoi il sortira difficilement de son armure, devenue trop rigide, trop épaisse, lors de l'adolescence.

Il y a une quarantaine d'années encore, l'enfant vivait au sein d'une famille élargie, c'est-à-dire où grands-parents, voire oncles ou tantes, étaient présents au foyer ou très proches de celui-ci.

Ces collatéraux servaient à la fois de « tampons » et de « filtres » entre l'enfant et ses parents. Ils permettaient donc d'assouplir cette carapace. En même temps, ils filtraient la réalité du monde extérieur en l'éclairant d'une lumière tamisée.

Aujourd'hui où pour des raisons diverses, y compris l'exiguïté des logements, la famille se trouve réduite à son noyau parents-enfants (d'où son nom de famille nucléaire !), il semble bien que ce soit le chien qui tienne la place laissée vacante par les mémés et autres tontons...

Imaginons l'un de ces enfants qui rentre de l'école. L'appartement est vide, triste, car ses parents sont tous deux au travail. Il met la télévision et la violence de notre monde, sous sa forme la plus spectaculaire sinon la plus authentique, se déverse sur lui. Comment accepterait-il de faire partie de cet univers des adultes ? La tentation est grande de se réfugier, de se replier à l'intérieur de soi.

Mais voilà qu'un chien accueille notre écolier, et quel accueil ! Bonds de joie, jappements, coups de langue..., les retrouvailles sont plus que chaleureuses !

L'enfant trouve *quelqu'un* avec qui dialoguer, à qui il va dire ce qu'il a sur le cœur, les mauvaises notes, les copains lâcheurs, les petites peurs, autant de choses que l'on n'avoue pas facilement à ses parents... ni même aux autres.

Quant à la télévision, je ne prétends pas qu'il la dédaignera, mais il la regardera avec, à ses côtés, la présence d'une existence bien plus réelle (bien plus palpable que les images et les sons) et irradiante de tendresse.

Dès lors, le monde extérieur ne sera pas refusé mais équilibré, compensé.

Quand les parents feront leur apparition, pressés, soucieux, certaines rugosités se seront aplanies. Et le soir, c'est encore en compagnie de son ami à quatre pattes que notre petit(e) écolier(e) pourra, dans le noir, descendre la poubelle ou s'endormir dans sa chambre sans craindre de voir les ténèbres se peupler d'ombres menaçantes...

Vers douze ou quinze ans, la relation chien-enfant se distend, ce dernier ne trouvant plus chez l'animal les réponses aux nouvelles questions qu'il se pose. L'entente initiatique a cessé de fonctionner, le petit de l'homme est devenu un petit homme, et cherche à expérimenter son pouvoir, à s'affirmer en dominant son ancien égal. En même temps, il le repousse, s'en éloigne.

C'est la cassure.

Ce n'est qu'après l'adolescence — en général, mais il y a de nombreux cas particuliers — qu'il reviendra vers le chien et passera à son tour la « ligne magique ».

Cet amour pour les animaux, je l'ai dit, touche tous les hommes au travers des clivages sociaux ou politiques.

L'attachement fou que Jean-Paul Belmondo porte à son minuscule yorkshire le rapproche de Coluche qui se préoccupait de nourrir les chats errants de son quartier.

L'homme que nous avions filmé se livrant à cette occupation, quelques mois avant sa mort cachait sous ses allures de provocateur une sensibilité à fleur de peau.

La même que celle du regretté Thierry Le Luron. Thierry était un grand ami de l'émission. En décembre 1976, il avait participé à notre première variété : « Le Noël des cabots ». Pour une fois, j'avais dû jouer les

Sabatier. Pressenti pour présenter le spectacle, Daniel Gélin s'était décommandé à la dernière minute. Les comédiens faisaient grève. Dans l'affolement, j'ai vu arriver un Le Luron calme, trop calme.

« Que se passe-t-il ? » lui ai-je demandé.

— Rien, rien, Jean-Pierre, mais je dois faire un sketch avec Pierre Douglas et je n'ai pas eu le temps d'écrire quoi que ce soit. »

Catastrophe ! Cela revenait à dire adieu au numéro sur lequel je comptais le plus ! J'ai dû verdir tellement que l'imitateur, m'empoignant par le bras, m'a dit :

« Une demi-heure, vous me laissez une demi-heure, et tout ira bien. »

Je les ai vus, lui et Pierre Douglas, s'isoler dans un coin du studio et mettre au point une improvisation qui faisait déjà rire les techniciens du plateau. Trente minutes plus tard, le numéro était prêt et tout s'est bien déroulé.

A chaque fois qu'il était question d'aider les animaux, nous lui téléphonions, sûrs d'obtenir sa participation. Il est passé plusieurs fois dans l'émission.

En 1983, les choses étaient plus délicates. Si, un an plus tard, en 1984, il allait chanter *L'Em... c'est la rose* chez Drucker, à la fin de l'année 1983 il n'était pas en odeur de sainteté dans les télévisions qui ne l'invitaient plus. Je lui ai demandé de présenter « 30 Millions de Noël », il m'en a toujours été reconnaissant. Je lui avais précisé :

« Vous faites et dites ce que vous voulez, Thierry, je peux vous assurer qu'on ne vous coupera pas. Mais n'oubliez pas qu'il s'agit de la période des fêtes et d'une émission de tendresse. »

Il m'a fait un clin d'œil et a répondu en souriant :

« Vous avez déjà assez pris de risques comme ça... Et puis, entouré d'animaux, je ne peux pas être trop vache. »

Nous avons tourné deux après-midi de suite aux Buttes-Chaumont. Grand professionnel, il était le premier sur le plateau, veillant au moindre détail. Le second jour du tournage, il arriva la mine réjouie :

« Jean-Pierre, je vous ai réservé une surprise. Je suis sûr que vous serez content. C'est une chanson en hommage à Mabrouk, je l'ai écrite à quatre heures du matin, sur l'air de *C'était un ami* de Serge Lama. »

Ému, je l'ai entendu répéter avec ses musiciens cette chanson dédiée à mon copain. En voici les paroles :

J'ai essayé à cent reprises de vous parler de mon ami
Lui le père de cette église qui compte 30 millions d'amis
C'est lui qui eut la bonne idée de m' faire passer à la télé
Ma cote de popularité ne cessa jamais d'augmenter
Grâce à mon ami et à mon maître Jean-Pierre Hutin
Je vous le dis, ma gueule continue d'apparaître même si je ne suis plus ici
Je suis au paradis peut-être toujours au générique aussi
Dans toute la France il faut se taire
Seuls les « cons » tournent le bouton
Quand on n'aime pas les animaux
On n'aime pas les humains
Moi, j'aime bien Brigitte Bardot
C'est vrai qu'elle a un beau p'tit... nez
Me disait Jean-Pierre Hutin
Lui mon maître qui a 30 millions d'amis
En ce jour de fête il fallait bien que ce fût dit
Merci d'avoir fait mieux connaître le plus fidèle de vos amis...

Nous nous sommes revus plusieurs fois. D'abord à la première « Fête des animaux » de Genève, où nous avons dîné en compagnie de Charles Aznavour. Ensuite, pour préparer l'interview qu'il nous accordait. Nous ne l'avons pas diffusée immédiatement, car Thierry souhaitait faire un raccord :

« Je n'ai pas assez insisté sur l'importance, dans ma vie, de la présence d'un chien. »

J'ai passé cette séquence inachevée, deux semaines après sa disparition, en hommage à l'homme qui, aux derniers jours de sa fin dramatique, ne voulait avoir d'autre visiteur que son fidèle labrador Teddy devenu, intime des intimes, son dernier véritable confident.

N'est-il pas révélateur qu'un jeune homme de trente-quatre ans se tourne, au moment où il est déjà face au néant, vers cet absolu que représente son chien, et n'est-il pas réconfortant de savoir que pour ce prince de la dérision, le regard de son chien a été l'ultime consolation ?

Les grands de ce monde sont souvent de grands amoureux des animaux — sans doute parce que, plus que les autres, ils connaissent la nature humaine.

Je me souviens d'un geste, un tout petit geste, mais fort symbolique, de la reine Elisabeth d'Angleterre.

C'était à la télévision. On voyait le prince Charles participer à un match de polo puis recevoir la coupe de la victoire des mains de sa mère, qui arborait pour la circonstance cet air guindé qu'on lui connaît.

Soudain, alors que la petite cérémonie se terminait, la reine glissa discrètement un morceau de sucre à son fils qui, aussitôt, alla l'offrir à son cheval.

Ainsi cette souveraine, tout en accomplissant sa tâche officielle, n'avait pas oublié que le cheval, parce qu'il avait montré ardeur et courage pendant le jeu, devait lui aussi être récompensé et elle avait prévu de mettre du sucre dans sa poche. Il me semble d'ailleurs que son visage s'était éclairé, adouci, lorsqu'elle accomplit ce geste...

A cause de cette scène, j'ai pris la décision de ne plus jamais me moquer de ces jardins suspendus qui servent de chapeau à la reine d'Angleterre...

Le général de Gaulle non plus n'était pas insensible à nos compagnons de vie. Beaucoup de faits rapportés par ses proches le prouvent. Pour ma part, en lisant ses carnets et notes, publiés par son fils, l'amiral Philippe de Gaulle, aux éditions Plon, j'avais été intrigué par le post-scriptum d'une lettre du 20 février 1959, adressée à sa fille Élisabeth de Boissieu, qui se trouvait à Alger où son mari était affecté.

« Je suis curieux de connaître Hélice », indiquait-il en fin de lettre. Un renvoi précisait : « *Hélice : chien teckel.* »

Désireux d'en savoir plus, j'ai écrit au général de Boissieu pour lui demander des précisions, qu'il m'a aimablement communiquées.

Hélice était une petite chienne que le général Crespin avait offerte à Mme de Boissieu. Celle-ci dans une lettre à son père en avait annoncé l'arrivée dans sa maison.

Ainsi donc, le général de Gaulle, nouvellement installé au pouvoir et plongé dans le drame algérien, accordait une pensée à ce petit animal inconnu de lui.

Il exprimait sa curiosité en même temps qu'une reconnaissance de sa personnalité car il écrivait non pas : « Je suis curieux de connaître votre chienne », mais « de connaître " Hélice ". »

Ce trait, s'il me touche, ne me surprend guère puisqu'on le sait, à la Boisserie, chats, chiens, poules et même moutons prospéraient pour le plus grand plaisir de tous.

Autre précision donnée par le général de Boissieu : lors d'un voyage en Algérie, le Général fit donc la connaissance d'Hélice, qui avait un caractère assez fantasque. N'eut-elle pas l'idée sacrilège de s'emparer du célèbre képi à deux étoiles et de se sauver en gambadant !

Quand on récupéra le couvre-chef, il n'avait subi aucun dommage, fort heureusement car... c'était le seul qu'avait emporté dans ses bagages le chef de l'État...

L'homme étant la meilleure et la pire des créatures, il traite les animaux de la plus généreuse ou de la plus ignoble façon.

Je connais d'admirables dévouements de maîtres pour leur chien ou leur chat : le courrier de « 30 Millions d'amis » regorge de témoignages qui l'attestent.

Mais le plus émouvant est sans doute celui qui concerne Ulysse et ses maîtres.

Pendant des années, Ulysse, brave berger allemand, a vécu heureux et choyé, tenant compagnie à son maître, chauffeur de taxi de son état.

Et puis, à l'âge de quatorze ans, il a été atteint d'une paralysie de l'arrière-train, provoquée par la dysplasie classique des grands chiens. Comme bien d'autres, ses maîtres auraient pu le faire disparaître : n'importe quel vétérinaire se serait chargé de le piquer. Que pèse en effet la vie d'un animal dans nos sociétés ?

Aux yeux de la loi, il n'a pas plus de valeur qu'un meuble et pratiquement n'importe qui peut l'assassiner sans risquer le moindre ennui, au pire, si vraiment il se conduit en tortionnaire éhonté, il écopera d'une amende.

Les maîtres d'Ulysse, eux, ont choisi la vie.

Ils ont imaginé et fait confectionner pour lui une sorte de prothèse munie de harnais et montée sur roues.

Chaque jour, avec un rare dévouement, ils descendent le chien du premier étage au rez-de-chaussée — et un berger allemand, c'est lourd pour des personnes qui ne sont plus très jeunes.

Il faut voir d'ailleurs comme Ulysse, qui comprend tout, reste calme et tente de se faire léger, léger... Sur le trottoir, on lui passe les pattes arrière dans l'appareil et le voilà qui part pour la promenade avec ses maîtres, avançant crânement dans cet étrange équipage.

Comme ses pattes arrière dépassent un peu et que la peau des coussinets risque de s'écorcher, sa maîtresse lui a confectionné des bottes de cuir.

Souvent, suprême bonheur, il accompagne son maître dans sa tournée. Ulysse s'assoit fièrement à ses côtés, à l'avant, comme il le faisait auparavant.

Parfois, entre deux clients, le conducteur sort le harnachement du coffre, le fixe sur l'animal, et tous deux s'offrent un peu d'exercice... Sur leur passage, les gens sourient mais ne se moquent jamais, émus comme nous l'avons été nous-mêmes lors du tournage de cette séquence. Ce chien handicapé mais malgré tout heureux de vivre offre un spectacle pathétique et réconfortant.

Une affection forte et tranquille lie le couple à Ulysse, et elle a fait des miracles.

Au nom de quoi se débarrasseraient-ils de leur compagnon ? D'un peu plus de confort ? Un tel choix leur paraîtrait monstrueux. Tant que ce chien sera bien dans sa peau — et il l'est, ils le savent —, tant qu'il ne souffrira pas, ils se plieront de tout cœur à toutes les contraintes qu'entraîne son état physique.

Certes, si celui-ci s'aggravait, ils seraient prêts à accepter qu'on mette fin à ses jours, mais pour l'instant, Ulysse ne demande qu'à vivre, et tous profitent de chaque minute d'affection et d'amour qui passe...

Le problème de l'euthanasie n'épargne aucun maître de chien ou de chat, et chacun doit décider en conscience, surtout si le vétérinaire estime que la souffrance devient intolérable, et si manifestement l'animal ne mange plus, n'a plus le goût de vivre.

Mais ce que je ne souhaite pas, c'est que nos compagnons soient « expédiés » à la mort parce qu'ils ne sont que des bêtes. Non, ce ne sont pas « que des bêtes » mais des êtres vivants partageant notre univers.

Je ne tolère l'appellation « frères inférieurs » que parce qu'elle contient le mot « frères »... et en mettant parfois un petit point d'interrogation derrière l'adjectif « inférieurs »...

Autre dévouement admirable : celui de ces femmes qu'on surnomme un peu péjorativement les « mémères à chats ».

Dans les villes, la nuit tombée, des femmes de tous âges se glissent comme des ombres furtives dans les parcs, les terrains vagues, les caves d'immeubles, pour nourrir des chats errants. Avec une force d'âme et une obstination rare, elles se jouent de tous les obstacles naturels — que de grilles, de palissades, de murs à escalader ou à contourner !

Rien ne les arrête quand elles savent que de l'autre côté, à quelques mètres seulement, des animaux malheureux et abandonnés vivent dans le froid, la faim et l'absence d'affection. Non, elles ne peuvent accepter une telle injustice, un tel scandale. Jamais.

Ces femmes ont souvent « mauvaise presse ». L'opinion publique, non contente de les accuser de causer des nuisances à cause de leur « douce manie », refuse de les considérer comme des personnes désintéressées et généreuses : si elles consacrent leur temps et leur argent à venir en aide aux animaux délaissés, c'est qu'elles sont solitaires, qu'elles s'ennuient et puis sans doute qu'elles sont un peu « dérangées »...

Ces héroïnes du quotidien n'ont pas les honneurs des médias (sauf de « 30 Millions d'amis »...). Il faut dire que les chats abandonnés de nos cités n'ont pas la « cote » des baleines et des bébés phoques.

Je ne veux pas dire que la cause de ces animaux marins ne soit pas digne d'intérêt — toute cause animale est digne d'intérêt, comme tout animal lui-même — mais j'aimerais simplement que, en même temps que l'on se passionne pour le lointain Arctique, on daigne jeter un regard sur le terrain vague qui ne se trouve qu'à quelques mètres...

Souvent, ces femmes se plaignent auprès de nous de recevoir des lettres de menaces, de faire l'objet de tracasseries innombrables (on leur interdit l'accès vers le lieu où se réfugient leurs protégés, on détruit les fragiles abris qu'elles ont édifiés, parfois même on va jusqu'à empoisonner les chats...).

A « 30 Millions d'amis », nous consacrons régulièrement — et volontairement — des reportages à ces personnes dévouées, en mettant en évidence l'aspect positif de leur action et les difficultés dans lesquelles elles se débattent souvent.

Les téléspectateurs, sans que nous leur lancions le moindre appel, n'hésitent pas à leur adresser des dons. Souvent, il s'agit de petites sommes, envoyées par des personnes aux revenus modestes.

Quelquefois, les ennuis des « mémères à chats » sont plus graves : des lettres de la mairie ou des gérants de H.L.M. leur enjoignent de cesser leurs pratiques, qui ont suscité des plaintes dans le voisinage.

L'A.D.A.C. intervient alors, se livre à une rapide enquête et, en général, parvient à aplanir les difficultés en faisant prévaloir un argument simple, mais qu'on a parfois tendance à oublier : les chats débarrassent les caves des immeubles, ainsi que les jardins publics et les terrains vagues, des rats qui sinon y pulluleraient.

Autres « fous des animaux » à qui je voudrais rendre hommage, les hommes et les femmes qui, chaque jour, s'occupent d'un refuge.

Eux aussi travaillent dans l'anonymat le plus complet, quand ils ne sont pas l'objet du mépris de leurs concitoyens, les mêmes concitoyens qui pourtant n'hésitent pas à se décharger sur eux d'un animal encombrant, comme on le ferait pour un objet usagé.

Ah ! quand on est un bienfaiteur du genre humain, que son action est connue, suivie, approuvée, quand on sait qu'on est bien considéré, voire admiré, on ne peut qu'être très satisfait de soi.

Mais ceux qui se consacrent aux animaux savent qu'ils n'auront pas droit, eux, à la moindre considération, quand on ne les cataloguera pas comme de « doux originaux ».

« Vous devriez plutôt vous occuper de l'enfance inadaptée ou de la misère en Afrique », leur lancent comme argument suprême ceux qui ne lèvent le petit doigt ni pour l'une ni pour l'autre alors que, je le sais, bien des amis des animaux agissent pour ces autres causes. Jean Gaillard, déjà cité, relève d'ailleurs une phrase de saint Thomas d'Aquin qui remarquait : « *Celui qui est habitué à la pitié envers les animaux est d'autant plus habitué à la pitié envers les hommes.* »

Et peu importe après tout aux défenseurs des animaux, ils ont le cuir solide et un moral d'acier ! Ce sont là des protections indispensables car ils n'ont pas la vie facile.

Dès qu'on a recueilli deux ou trois animaux, les autres affluent, il faut y consacrer tout son temps, et cela ne suffit pas : l'argent, lui, ne suit pas, et on se trouve rapidement dépassé par la situation.

Ainsi, l'« affaire » Boyer-Manet.

Mlle Boyer-Manet, parce qu'elle aimait les chiens et ne pouvait accepter de les voir maltraiter ou abandonner (et donc à court terme promis à la mort), décida de faire quelque chose pour eux et acheta un petit terrain près du Puy, dans la Haute-Loire. Elle y fit édifier quelques baraques en préfabriqué.

Très vite, tous ceux qui voulaient se débarrasser de leur chien surent à quelle porte frapper, et bientôt Mlle Boyer-Manet se retrouva à la tête d'une centaine, puis de deux cents, de trois cents chiens, arrivés souvent dans un état physique déplorable. Elle leur consacra tout son temps et s'installa au milieu d'eux.

Les conditions climatiques, sur ce plateau ouvert aux quatre vents, sont très dures : chaque hiver, la neige et la boue rendent impraticable le chemin conduisant au refuge, si bien qu'elle devait faire des provisions de nourriture pour plusieurs mois et équiper de petits manteaux les plus fragiles de ses pensionnaires.

A soixante ans, elle vivait au milieu de quatre cents ou cinq cents chiens. La petite fortune dont elle avait hérité était épuisée. Elle avait vendu ses immeubles et une seule préoccupation l'habitait : comment faire manger ses pensionnaires ?

Étant une « marginale », elle ne recevait d'aide ni des pouvoirs publics ni des associations officielles de protection des animaux. Apparemment, on la considérait d'un mauvais œil... Bien entendu, les rumeurs se propageaient : les chiens étaient sales, mal soignés, victimes d'épidémie, le refuge était un mouroir.

Comme il se doit aussi, les bonnes âmes qui s'indignaient prenaient bien soin de ne rien faire pour aider cette Samaritaine.

« 30 Millions d'amis » lui consacra un reportage qui, tout en rendant hommage à la bonne volonté et à la générosité de Mlle Boyer-Manet, soulignait cependant les dangers de ce genre d'entreprises, dont les initiateurs perdaient rapidement la maîtrise.

Après le passage à l'antenne de cette séquence, la directrice du refuge reçut un certain nombre de dons des téléspectateurs émus par sa détresse, ce qui aussitôt suscita la colère de ceux qui se considéraient comme les défenseurs exclusifs de la cause animale dans la région. Ils considéraient qu'ils auraient employé ces sommes de bien meilleure façon, que cette histoire était intolérable et qu'il était temps d'intervenir.

Quelques mois plus tard, sur leur demande, des gendarmes débarquèrent dans le refuge et firent constater par des agents des services vétérinaires la présence de cadavres de chiens et le mauvais état physique de beaucoup de pensionnaires.

C'est vrai que le refuge était dans un état déplorable, la vieille demoiselle n'ayant plus de forces pour enterrer les animaux qui mouraient de leur belle mort, plus d'argent pour réparer les locaux, pour soigner les bêtes malades.

Mais était-ce une raison pour la traiter de la sorte ? Son domaine était investi, on la traitait comme une délinquante, certains de ses pensionnaires jugés irrécupérables étaient « euthanasiés » sur-le-champ, les plus valides embarqués — paraît-il — à destination d'autres refuges.

Il était normal qu'elle proteste avec force, résiste. On ne trouva alors rien de mieux que de la conduire de force, sur ordre de la préfecture, dans un hôpital psychiatrique.

Pour ma part, j'ignorais ces derniers événements quand, recevant *30 Millions d'amis — La vie des bêtes* où je signais des éditoriaux — mais n'exerçais aucune responsabilité —, j'eus la mauvaise surprise de découvrir une relation des faits très proche de celle qu'avaient fournie les adversaires de Mlle Boyer-Manet, sans que soit mentionné le point de vue opposé.

Cela choquait l'idée que je me faisais de l'objectivité et du journalisme.

Je le fis savoir.

Quelque temps plus tard, libérée, Mlle Boyer-Manet décida d'attaquer en justice ceux qui l'avaient calomniée. Elle me téléphona en pleurant :

« Dans “ votre ” journal, on a prétendu que j'étais folle, que je maltraitais mes chiens ! Je suis obligée de porter plainte contre ceux qui ont terni ma réputation, mais je ne voudrais pas m'en prendre à vous...

— J'ai demandé un rectificatif. Il faut absolument que le journal fasse amende honorable. Je vous soutiendrai, comptez sur moi. »

Mais les avocats et les « dirigeants » du journal ne crurent pas devoir donner suite à ma requête et préférèrent risquer un procès.

Cette attitude ainsi que l'absence de réelles responsabilités que j'exigeais du coup, et d'autres manigances devaient me conduire par la suite à prendre mes distances avec des gens dont l'éthique était si éloignée de la mienne.

En première instance, Mlle Boyer-Manet fut déboutée, ce qui m'attrista beaucoup. Mais elle fit appel et ceux qui lui avaient causé tant de tort, ainsi que le journal furent condamnés [1].

C'était justice.

Cette douloureuse histoire met à jour les rivalités des

1. Grâce notamment à une lettre que je lui avais adressée après sa condamnation en première instance.

hommes et des femmes dans un monde qui ne devrait avoir pour seul souci que l'intérêt des animaux, mais qui, comme tout milieu humain, voit des conflits de personnes, de pouvoir et d'intérêts le ternir. Elles sont surtout le fait de « professionnels de la défense ».

Ce n'est pas mon propos ici de les dénoncer, mais je ne peux que regretter ces rivalités qui compromettent l'efficacité de nos luttes.

Toutes les forces des amis des animaux ne sont pas de trop pour vaincre les idées reçues, les inerties, l'indifférence ou le mépris de tous ceux qui, sans toujours en avoir conscience, causent tant de tort à nos compagnons.

Il faut savoir en effet qu'en France, chaque jour, des chiens et des chats sont volés, soumis à des expérimentations, abandonnés, parfois battus à mort, et ceci dans l'indifférence des pouvoirs publics, alors qu'il suffirait de modifier ou d'élargir certains règlements afin de faire cesser ce scandale.

Pour lutter contre les vols, il faut d'abord rendre le tatouage obligatoire. Ainsi, tout vétérinaire soignant un animal pourra vérifier aussitôt sur un listing (à l'heure de l'informatique, c'est une démarche simple) s'il ne s'agit pas d'une bête volée.

Les laboratoires, dont j'ai déjà évoqué le problème dans *Mabrouk, chien d'une vie,* et dont beaucoup achètent des animaux sans se soucier de leur provenance, devraient être astreints à n'acheter des chiens (qui naturellement seraient tatoués) qu'avec l'accord écrit de leur propriétaire (hélas ! il y en a qui le donneront, cet accord...).

Il est bien entendu, de surcroît, que les organisations de défense des animaux auraient un droit de regard sur les expérimentations.

L'A.D.A.C., quant à elle, demande la suppression totale des expérimentations sur les chats et les chiens.

Le tatouage sera également fort dissuasif à l'égard de ceux qui seraient tentés de se débarrasser un peu trop facilement de leur compagnon. L'incognito, on le sait, est l'arme des lâches.

Pour ce qui est des fourrières, dont le délai de garde devrait être prolongé (il est actuellement de huit jours pour les sujets tatoués), l'A.D.A.C. demande qu'il soit doublé.

Il apparaît également indispensable à tous les amis des animaux que ces fourrières ne soient plus situées dans les mêmes locaux et sous la même responsabilité que les refuges de la S.P.A., sous peine d'entretenir dans l'esprit des gens une certaine ambiguïté.

Evidemment cela pourrait entraîner la disparition des subventions allouées par l'État ou les communes à ces organisations, mais le problème ne me paraît pas insoluble.

J'en veux pour preuve la bonne marche des refuges qui, eux, n'acceptent pas ce rôle de fourrière et que l'A.D.A.C. aide prioritairement.

Certaines S.P.A. avancent comme argument qu'elles sont sûres, au moins, que l'euthanasie sera pratiquée dans les conditions les meilleures. C'est une considération qui n'est pas négligeable.

En tant que président de la commission « protection du cheval » de la Fédération équestre française, j'ai pu constater que cet animal faisait également l'objet de nombreux vols — quand il n'était pas ignoblement abattu et découpé en plein champ ! Les bêtes enlevées sont généralement conduites dans un abattoir, clandestin ou public.

Dans ce dernier cas, on peut s'étonner que les voleurs ne soient pas repérés. C'est mal connaître les mœurs archaïques de ce secteur de l'administration.

Voici comme les choses se déroulent. Le voleur se

présente avec l'animal, produit une fausse identité et touche le prix de son larcin.

Le cheval entre dans les locaux. Désormais, il est perdu. Tatoué ou non, même si dans les trois minutes qui suivent, on apprend qu'il a été volé, il est condamné à mort car une loi ancienne stipule que, pour éviter toute contamination, l'animal ayant pénétré en ces lieux ne peut en sortir vivant.

Le simple bon sens voudrait qu'avant de commettre l'irréparable, on effectue des vérifications plus poussées sur la provenance du cheval, à partir de son éventuel tatouage ou d'une liste d'animaux volés ou disparus (là encore, avec les techniques modernes, ce serait tout à fait réalisable).

Lorsque j'ai fait des propositions dans ce sens aux responsables de ces établissements, il m'a été répondu que, faute de moyens financiers (refrain connu) permettant de faire séjourner les bêtes dans des locaux appropriés, extérieurs aux abattoirs, on ne pouvait rien changer à la situation.

A la rigueur, des enquêtes pouvaient être entreprises sur la provenance de certaines bêtes... mais seulement après leur mort.

C'est le dialogue de sourds dans toute sa splendeur, tel qu'il se pratique encore dans bien des domaines de l'administration.

Lorsque nous rencontrons la mauvaise volonté évidente des individus, qui s'appuient sur une loi, fût-elle la plus rétrograde et la plus dépassée, nous nous rendons compte que rien ne sera vraiment résolu tant que l'existence juridique de l'animal de compagnie ne sera pas reconnue, car aux lois il faut opposer les lois.

C'est l'un des objets de la lutte que nous menons pour la défense et la protection de nos compagnons.

Le combat pour les animaux...

Il doit s'appuyer, à mes yeux, sur l'élan de tendresse généreuse qui existe chez beaucoup d'entre nous, que ce sentiment soit profondément enfoui sous une gangue de scepticisme ou qu'il se manifeste à fleur de peau.

Notre émission « 30 Millions d'amis », dont je mesure la responsabilité sociologique, s'est fixé l'ambition d'entretenir ou de révéler cette part de nous-mêmes.

Au milieu de centaines d'heures où, sur le petit écran, fleurissent la violence imaginée ou réelle, la dureté, la haine, la guerre, nous offrons une demi-heure par semaine de tendresse et d'humour pour célébrer le bonheur de vivre avec un animal de compagnie. Nous montrons à tous, jeunes et moins jeunes, que cet être dit « inférieur » est beau, noble, que nous lui devons protection et respect.

Rien de pédagogique dans notre démarche, ni discours ni prises de position, ni scandales, seulement des images célébrant la générosité et l'amour tels que nous les rencontrons dans la réalité de la vie [1].

C'est bien ainsi que l'a compris l'écrivain Gonzague Saint-Bris qui nous déclarait :

« Participer à " 30 Millions d'amis ", outre le plaisir que cela me procure, me permet de dire à tous ceux qui vivent avec les animaux que je comprends ce qu'ils ressentent, que je l'éprouve, et que je suis curieux de savoir comment eux le vivent. C'est pourquoi je regarde souvent cette émission où, par le biais de l'animal, les gens se révèlent et disent ce qu'ils sont, eux. Et de plus, il y a une certaine dignité à parler d'une autre espèce, c'est

1. Bien sûr, on tente d'imiter l'émission ici ou là, mais « 30 Millions d'amis » n'est pas un bout à bout de séquences, c'est un état d'esprit... plus difficile à plagier !

quelque chose de très délicat. Déjà, quand les gens parlent de l'amour entre un homme et une femme, ils font attention à ce qu'ils disent. Maintenant, de parler de l'amour avec une autre espèce — car c'est de l'amour que nous avons pour ces animaux —, c'est quelque chose de raffiné, de beau, c'est quelque chose qui va contre la sauvagerie. »

Longtemps, je me suis interrogé.

Qu'est-ce qui m'avait fait m'engager dans ce combat ? A partir de quel moment, de quel événement était venu le déclic ?

Je ne l'ai su qu'assez tard.

Dans *Mabrouk, chien d'une vie,* j'avais longuement parlé de Jimmy, ce brave bâtard de braque et de pointer que l'un de mes fils avait ramené un jour à la maison, ce chien trouvé dans une forêt, attaché à un piquet, seul au monde avec sa souffrance.

J'ai évoqué sa personnalité touchante, cet amour infini qu'il me portait, nos rites... mais aussi son traumatisme quand il nous voyait préparer nos valises avant de partir en voyage, enfin... sa mort, qui ne fut rien d'autre qu'un assassinat.

La mort de Jimmy...

La peur de l'abandon l'avait tué, quelque part sur une route de la Guadeloupe.

Mais il avait été surtout victime de la cruauté des hommes : un automobiliste, par jeu, par inconscience criminelle, l'avait « cartonné » comme cela se faisait là-bas, parfois.

Un chien sur une route, c'est si peu de chose...

Après la parution du livre, je me suis rendu compte que cette disparition tragique m'avait impressionné beaucoup plus profondément que je ne l'avais cru. Elle me restait au travers de la gorge, je ne l'acceptais pas.

Et c'est elle, sans doute, sans que j'en prenne conscience, qui a été à l'origine de la création de « 30 Millions d'amis ».

Je répondais à un besoin inconscient de « venger » Jimmy et, à travers lui, les pauvres chiens battus, les corniauds et bâtards anonymes que l'on abandonne comme des objets quand on ne les considère pas comme de la chair à pare-chocs, qu'on pique dans les fourrières...

La vision d'un chien abandonné sur une route m'émeut au-delà du possible.

La seule détresse comparable est celle que je peux lire dans les yeux d'un autre innocent : un petit enfant blessé ou malade.

Mais tout sera mis en œuvre pour que celui-ci soit sauvé, alors que le malheureux sur la route court lui, sans le savoir, vers la piqûre mortelle. C'est cela qui me révolte.

Quels que soient les efforts de l'émission et la pugnacité des associations, je crois que notre grand combat ne sera vraiment remporté que lorsque les possesseurs de chiens, de chats ou de chevaux, qui sont des millions et peuvent donc constituer un *lobby* puissant, auront pris conscience de leur force.

Mais dans la vie quotidienne, à tout moment, ils peuvent aussi agir, tout simplement en offrant une bonne image d'eux-mêmes et de leurs compagnons.

Cela implique qu'ils ne prêtent pas le flanc à la critique.

C'est là l'une des raisons qui me font considérer l'éducation comme le devoir capital.

DEUXIÈME PARTIE

LE CHIEN ET SON MAÎTRE

Comportement et éducation

Avant-propos — Où adopter un chien — Quel compagnon choisir ? — La visite chez l'éleveur — Les tests de Campbell — Mâle ou femelle ? — Il est à vous... — Les premiers actes d'autorité — Les repas et l'alimentation — La propreté, le trottoir — Séparation et aboiement — Maîtrise de l'agressivité — Hiérarchie, jalousie, famille — La marche à la laisse — La traversée de la rue — Obstination, patience, douceur, autorité — Les ordres de base (assis, couché, pas bouger, descente de la voiture, le rappel) — *« Debout » et « recule » — Le refus d'appât — La bouderie — Le changement de personnalité — Le sifflet d'angoisse — Défense et attaque.*

Avant-Propos

Si les chiens qui ont accompagné successivement ma vie (et l'accompagnent encore) m'ont donné de grandes joies, en même temps qu'ils étaient heureux eux-mêmes, c'est sans nul doute grâce à l'éducation que je leur ai inculquée.

Elle seule permet à un chien de vivre en bonne harmonie, non seulement avec son maître, mais aussi avec le monde qui l'entoure. C'est par son entremise également qu'il peut vraiment exprimer sa personnalité et ses dons.

Mabrouk et Junior en sont l'illustration : sans une bonne discipline de base, ils n'auraient jamais pu tenir leur rôle de vedettes.

Pourtant, apprendre à obéir à un animal est souvent mal perçu. Ainsi, dans la rue, lorsqu'il m'arrive de vérifier par un exercice la bonne éducation de Junior, je lis dans le regard de certains passants la désapprobation et d'aucuns ne sont pas éloignés de me prendre, j'en suis sûr, pour un déséquilibré ou un sadique : « Pourquoi cet homme s'acharne-t-il ainsi à " embêter " ce brave toutou, qui a l'air si gentil ? Aucun doute, ce personnage doit occuper dans la société un rang subalterne et se venge sur son chien des humiliations que lui inflige son chef de bureau, à moins que ce ne soit sa femme qui le domine... »

J'exagère à peine.

Que ces personnes si bien intentionnées se rassurent, je crois ne pas avoir plus de complexes que la moyenne nationale et je suis mon propre « chef de bureau ».

Si je me donne la peine d'entraîner mon Junior à respecter un certain nombre de règles, d'obéir à certains commandements, c'est à la fois parce que je l'aime et que je respecte les hommes.

Peut-être s'en souvient-on, il fut une époque, aux États-Unis (et bien sûr, la mode a suivi en France), où le fin du fin, en matière d'éducation des enfants, était de satisfaire leurs moindres désirs afin de leur éviter tout traumastisme ou d'éventuelles frustrations. L'intention était louable mais le résultat ne fut pas fameux : on vit apparaître une génération d'adolescents capricieux et agressifs.

L'absence de limites, c'est-à-dire à la fois de jalons et de garde-fous, les avait rendus psychologiquement errants. Ils n'avaient ni points de repère ni guides pour se définir eux-mêmes. Leur seule possibilité pour tenter d'y parvenir était la confrontation avec autrui, autrement dit la provocation. A ce moment seulement, ils *existaient*.

Laisser son chien suivre toutes ses pulsions, toutes ses humeurs, sous prétexte qu'il doit « vivre librement », ce qui d'ailleurs implique une curieuse définition de la liberté, c'est tomber dans la même erreur. Très vite, l'animal devient capricieux, tyrannique.

Il n'est pas rare de voir, par exemple, un petit teckel envahir la vie de sa maîtresse ou de son maître au point de le dominer complètement, de le faire passer par un trou de souris... La situation peut devenir invivable et ne se dénouer que par une séparation ou pire un abandon.

Mais qui est le véritable responsable ?

L'éducation, elle, permet de « stabiliser » l'animal, lui donne les moyens de se définir psychologiquement, de se sentir inclus dans un système logique.

Il vit alors sa vraie vie de chien. Loin d'être frustré d'amour, il en est au contraire comblé, car lui donner des ordres, voire le gronder, c'est s'intéresser à lui, et que souhaite-t-il de plus ?

Rien n'est pire pour lui que l'indifférence et, paradoxalement, c'est ainsi qu'il interpréterait le « laisser-faire » des tenants de la liberté totale[1].

Car c'est là aussi que se pose le problème.

L'animal vit dans la société des hommes.

Qu'elle soit rurale ou citadine, celle-ci impose des codes de conduite, faute de quoi l'animal causera des dommages, en même temps qu'il fournira des armes aux ennemis des bêtes, prompts à manifester leur hostilité et

---

1. A l'appui de ma thèse, je ne peux résister à l'envie de vous faire prendre connaissance de la dépêche Associated Press suivante, intitulée : « Chiens au chômage ».

Birmingham, Michigan (U.S.A.) — La plupart des chiens américains s'ennuient : il faudrait leur apprendre de nouveaux jeux pour donner un sens à leur vie, affirme une vétérinaire qui s'est spécialisée dans les soins pour toutous en détresse. En Amérique, 95 % des chiens manquent de quelque chose pour combler leur existence, explique la dirigeante du « Centre d'entraînement à l'obéissance ». Tous les chiens vivant en Amérique se sont fait enlever leur ouvrage. Ils ne tirent plus de traîneaux, bref ils sont en chômage. Ils n'ont strictement rien à faire de la sainte journée. En vingt-quatre heures, les grands événements se limitent pour eux au retour de leur maître, à l'heure de la pitance et, s'ils sont chanceux, au moment de la promenade. Conséquence : les chiens se défoulent souvent en aboyant, en rongeant des objets, en faisant des trous ou en mettant la maison sens dessus dessous. Mme Bocci, qui travaille avec une équipe de 25 personnes, voit environ 400 chiens par semaine ; elle s'est spécialisée dans l'examen des chiens ayant des problèmes comportementaux graves. Elle conseille surtout aux propriétaires d'apprendre à leur chien à s'asseoir, à aller chercher des objets et à faire toutes sortes de choses. Selon elle « l'obéissance donne un but au chien. Ça le remet au travail ». (A. P.)

à réclamer les interdits les plus divers. Les panneaux DÉFENSE DE... fleurissent déjà suffisamment dans notre pays, inutile d'en rajouter !

Il faut que les amis des animaux, si du moins ils veulent œuvrer pour le bien de tous leurs compagnons de vie, adoptent un comportement irréprochable sur le plan individuel.

C'est seulement après avoir prêché l'exemple qu'ils pourront — et devront — se battre pour que nos amis accèdent à de nouveaux espaces de liberté [1].

« Mais, diront certains, les petits chiens, eux, ne sont-ils pas comme des chats ? A ce titre, ils n'ont pas à être éduqués, car ils ne peuvent causer aucun dommage. »

Erreur.

Un yorkshire peut provoquer un accident en traversant la rue de façon intempestive, rendre fous les voisins par ses aboiements ou ses pleurs interminables. Et ses déjections, bien que de « taille » très réduite, sont tout de même susceptibles de faire glisser un passant... !

Non, soyons nets : tous nos chiens doivent être équilibrés, sociables et polis.

Je ne suis pas sûr, d'ailleurs, que certains propriétaires de chiens trop permissifs ne se comportent pas ainsi par simple paresse, pour ne pas se compliquer l'existence..., quitte à empoisonner celle des autres.

Tous les chiens (à moins de troubles caractériels graves) sont aptes à recevoir une éducation et à se comporter en compagnons obéissants et faciles à vivre.

Il suffit d'un peu d'amour et de savoir-faire. Quelle que soit leur race et même leur âge, ils seront de bons élèves.

---

1. D'autant qu'il faut savoir que si un citoyen sur sept vivait à la ville au début du siècle, aujourd'hui, c'est un Français sur deux qui habite la cité.

Tous les êtres humains, quant à eux, peuvent-ils être de bons maîtres ?

Certains ouvrages très savants consacrés au dressage, et auxquels je n'oserais prétendre me substituer (je ne fais ici que livrer un certain nombre de réflexions et de conseils qui me sont venus au fil des ans), brossent un portrait très élaboré du maître tel qu'il doit être.

Ses qualités ? D'abord, une patience infinie, qui lui permet de faire exécuter inlassablement un exercice à son élève, sans jamais manifester aucun agacement, même si celui-ci est le pire des obtus.

Ensuite, une fabuleuse douceur : ne sait-il pas qu'au moindre geste brutal, l'animal sera traumatisé à vie ? Enfin, une connaissance psychologique parfaite de l'animal.

Bref, un mélange de Jésus et de Freud...

Il y a du vrai, mais il faut avant tout aimer son chien, et comme celui-ci le sentira, il aura envie de vous satisfaire, sans comprendre forcément la finalité de tel ou tel exercice :

« *Tiens, il veut que je fasse ça ? Quelle drôle d'idée, mais enfin, si ça lui fait plaisir, exécutons-nous...* »

Qui aime bien châtie bien, cependant, et il faut que les futurs maîtres se pénètrent de ce dicton. Mabrouk comme Junior, et avant eux Jimmy (un braque-labrador) et Tommy (un épagneul breton) ont parfois reçu des calottes, quand les simples réprimandes verbales ne suffisaient pas, et ils ne s'en sont pas plus mal portés.

Des dresseurs affirment : « Il ne faut pas que la main qui frappe soit la même que celle qui caresse. » Ils préconisent donc l'utilisation d'une badine ou d'un journal roulé pour administrer une correction.

C'est professer un sacré mépris pour nos compagnons !

Si vous donnez à votre enfant une gifle et le lendemain une caresse, ne sera-t-il pas capable de faire la différence ?

Il en est de même pour les chiens, qui comprennent que la même main puisse leur donner une claque parce qu'ils ont fait les imbéciles et plus tard une caresse dans un moment de tendresse.

En fait, ces dresseurs aux affirmations péremptoires sont imprégnés de cette vieille croyance selon laquelle les animaux seraient démunis d'intelligence. Cette thèse a d'ailleurs la vie dure : actuellement, des « professionnels » soutiennent que leurs élèves ne possèdent aucune intelligence et ne font qu'obéir à des réflexes conditionnés. J'aimerais pour ma part connaître leur quotient intellectuel !

Toute personne équilibrée peut être un bon éducateur, pourvu qu'elle adopte un certain nombre de principes fondamentaux et puisse consacrer un minimum de temps à sa tâche, et de façon régulière.

De même que les musiciens, virtuoses ou débutants, font des gammes, de même qu'un enfant va à l'école tous les jours, vous devrez faire accomplir à votre chien des exercices d'obéissance quotidiens, trois minutes un jour, un quart d'heure le lendemain, que ce soit chez vous ou à l'extérieur, le matin ou le soir, l'important étant de lui faire répéter ses leçons de façon à ce qu'il les connaisse par cœur.

Sachez aussi vous assurer du concours de votre entourage.

Je connais une jeune fille, Stéphanie, qui, très consciencieusement, éduque son caniche, mais est contrecarrée dans sa tâche par les membres de sa famille qui, de leur côté, laissent le chien n'en faire qu'à sa tête.

Voilà qui risque de perturber l'animal et en tout cas d'en faire un être plus difficile à élever.

Il ressort de cette entrée en matière que le comportement de tout maître doit être dicté par le désir de rendre le chien heureux... et par le simple bon sens. Si celui-ci est bien, comme le prétend Descartes, la chose au monde la mieux partagée, alors l'avenir s'annonce radieux pour nos amis à quatre pattes...

Où adopter un chien ?...

Comment se procurer ce compagnon qui va prendre tant d'importance dans votre vie ?

Surtout pas sur les marchés de campagne, encore moins dans les magasins spécialisés et autres chenils !

Certes, il vous faudra beaucoup de courage pour résister à l'appel pathétique de ces chiots si mignons, jouant ou dormant dans la paille, et dont le regard, à travers la vitrine, semble vous implorer...

Sur les marchés, vous n'avez aucune garantie quant aux antécédents des animaux proposés et pas l'ombre d'une possibilité de recours si vous vous apercevez, après un certain temps, qu'ils présentent des tares. Du reste, retrouver les vendeurs ne sera pas une mince affaire.

Quant aux magasins spécialisés, qui continuent de prospérer malgré la multitude de plaintes dont ils sont l'objet, ils semblent à première vue offrir plus de garanties, ne serait-ce que parce qu'ils ont pignon sur rue. Mais ce n'est qu'une apparence.

Sachez que la « production » française étant insuffisante, certains de ces chenils importent de Belgique, des Pays-Bas ou de Grande-Bretagne des animaux aux pedigrees incertains. Les attestations remises aux acheteurs sont parfois des faux et, les sujets, pour la plupart, de santé déficiente.

Mieux vaut, si vous ne désirez pas un animal de race, demander à votre voisin de vous garder un chien de sa chienne !...

Vous pouvez également choisir de faire le bonheur d'un animal abandonné en allant le chercher dans un refuge.

Bien sûr, vous vous priverez du contact attendrissant avec cette boule de poils qu'est un bébé chien. Mais vous serez accueilli comme un sauveur par cet être que vous aurez tiré de sa solitude au sein d'un univers carcéral. Il tiendra sans cesse, désormais, à vous faire plaisir, à vous montrer son amour et sa reconnaissance.

Il est possible que dans les premiers temps de cette adoption apparaissent quelques difficultés d'adaptation (par exemple, le chien n'aura pas été habitué à une hygiène rigoureuse), mais très vite, avec un peu de patience, il se montrera discipliné.

J'en parle en connaissance de cause, pour avoir éduqué aussi bien Jimmy, un brave bâtard abandonné vers l'âge de huit ou neuf mois que Mabrouk, un berger de quinze mois, « laissé pour compte » chez un éleveur.

Si vous avez en tête un type de chien bien précis, la meilleure démarche consiste à prendre contact avec le club de cette race.

Pour ce faire, adressez-vous à « 30 Millions d'amis » ou à la Société centrale canine, qui vous indiqueront les « coordonnées » du club le plus proche de votre domicile[1].

1. Vous pouvez, vingt-quatre heures sur vingt-quatre, faire appel au Minitel pour vous procurer toutes les adresses des clubs. Après avoir composé le 36-15, tapez TF 1 puis AMIS.

Les clubs canins sont des associations sans but lucratif, animés par des personnes qui consacrent une partie de leur temps à promouvoir la race qu'ils apprécient. Ils organisent des concours, sélectionnent des éleveurs compétents susceptibles de donner de bons « produits ». Ceux-ci sont ensuite présentés à des juges, qui confirment leur pedigree.

Alors, seulement, le chien pourra prétendre à une union avec une chienne également confirmée. C'est ainsi que, génération après génération, on élimine les sujets caractériels ou souffrant de défauts physiques, pour obtenir des animaux équilibrés et physiologiquement sains.

On dit alors qu'ils sont « fixés ».

Vous allez connaître des passionnés, qui savent *tout* sur la race du chien qui vous intéresse. Non seulement ils vous fourniront les adresses des éleveurs les plus sérieux, mais ils pourront vous conseiller, et même vous dissuader d'acquérir un animal.

Car ce chien sur lequel vous avez jeté votre dévolu pour ses qualités esthétiques, ce braque de Weimar ou ce Husky ne convient peut-être pas à votre personnalité ou à votre mode de vie.

Comme disait Alvin Toffler, le grand futurologue : « L'angoisse naît du choix. »

Avec les chiens c'est l'hyper-angoisse car s'il y a 25 à 27 races de chats, il existe près de 250 races de chiens dans le monde et si l'on inclut dans ce chiffre les différentes variétés qui composent parfois certaines races, le chiffre peut monter jusqu'à 500.

Les fox peuvent être, comme les teckels, à poil dur ou à poil ras, le bichon peut être frisé ou maltais, l'appellation « berger belge » recouvre à la fois le malinois, le groendal et le tervueren.

La Société centrale canine les a classés en dix

groupes : du chien de berger au lévrier en passant par les chiens de garde, de grandes et petites véneries, etc.

Quel compagnon choisir ?

Comment alors déterminer son choix ?

Il y a, bien entendu, les caractères dominants que l'on reconnaît généralement à chaque race : le boxer est un tendre, le setter irlandais un cabochard, le fox-terrier est nerveux, le berger obéissant, le lévrier très indépendant, le labrador affectueux avec les enfants, le doberman ou le beauceron parfois imprévisibles, etc.

Mais ces assertions sont à accueillir avec réserve, pour la simple raison que chaque animal est unique, qu'il ne peut être vraiment comparé à aucun autre de sa race ni même de sa portée — et c'est tant mieux, car ce n'est pas un objet garanti sur facture que vous « achetez », mais un être vivant.

J'ai connu des dobermans d'une soumission extraordinaire, des bergers désobéissants, des fox-terriers d'un calme olympien.

A l'inné de chacun, qui peut correspondre au caractère spécifique de la race, s'ajoute l'acquis, où interviennent l'influence de la mère, de l'éleveur, du maître, et enfin les impondérables de la vie...

Les réputations de robustesse ou de fragilité physique sont, elles aussi, à considérer avec réserve. Le barzoï, le chihuahua, le lévrier afghan ou le whippet passent pour fragiles...

J'entends déjà certains lecteurs protester avec véhémence en affirmant que leur animal est solide comme un roc, ce dont je ne doute pas une seconde.

On affirme volontiers, également, que l'épagneul breton, le fox-terrier ou le briard sont des costauds — et là encore, je suis persuadé qu'il y a des exceptions.

Simplement, peut-être peut-on dire que, statistiquement, un fox a plus de chances de résister à des conditions de vie difficiles ou aux attaques de la maladie qu'un chihuahua..., et encore !

Mais je crois que le critère de choix le plus déterminant est, sans conteste, le rôle que vous voulez faire tenir à votre futur compagnon.

Si vous désirez un chien de défense, choisissez plutôt un beauceron, un berger allemand, un malinois, un doberman, un bouvier ou un dogue... qu'un basset artésien. Mais attention, ces « grands formats », à l'instar de la plupart des chiens de travail, c'est-à-dire à qui l'homme confie des tâches précises, ont besoin d'être disciplinés, de recevoir des ordres très stricts, d'être dominés par une réelle autorité.

Si vous n'avez ni le temps ni l'envie d'imposer votre volonté à ces animaux, renoncez à eux car ils pourraient se montrer dangereux de par leur masse même (un yorkshire hargneux, c'est gênant mais relativement inoffensif, tandis qu'un mâtin de Naples...).

Je ferai une exception pour le boxer qui, malgré son aspect redoutable, est la crème des chiens et peut pratiquement être confié aux maîtres les plus divers, que ce soit une personne âgée ou un enfant [1].

Si vous êtes sédentaire et détestez vous promener, ne prenez pas un chien « de chasse », qui aura besoin

---

1. Attention aux chiens dits nerveux. Le cocker a le coup de dents facile, le malinois demande un maître ferme mais très à l'écoute des problèmes psychologiques qui peuvent se poser ; le caniche est une balle de ping-pong, c'est dire qu'il ne convient pas aux gens qui aiment le calme. Il a par contre un avantage apprécié par ceux qui sont allergiques aux poils : il ne perd presque pas les siens. Pour les allergiques à ceux des félins, on peut choisir... le chat nu !

d'espace pour s'exprimer. Ne confondez pas cependant espace et exercice : le teckel, chien de chasse, aime se dépenser ; simplement, grâce à sa taille, il n'a pas besoin de parcourir de grandes superficies pour être heureux.

S'il est vrai que les chiens de chasse aiment assouvir leur instinct, certains, comme l'épagneul breton, sont des chiens de compagnie formidables : ils se contentent de leur promenade quotidienne et sont heureux comme des rois auprès de leurs maîtres !

N'oublions pas que ces êtres qui vivent à notre contact depuis la nuit des temps ont appris à s'adapter à nos divers modes de vie. Ils ont évolué au même rythme que nous.

A bien y réfléchir, je me demande si ce n'est pas faire preuve envers eux d'un certain mépris que de dire : « Les chiens de chasse doivent chasser, les chiens de garde garder, les chiens de salon fréquenter les salons... », car c'est faire injure à leurs capacités et à leur faculté d'aimer.

J'ai des voisins dont les huskies, pourtant destinés à tirer des traîneaux par grands froids, se comportent en parfaits chiens de compagnie et se prélassent avec bonheur sur les moquettes !

Que dire du labrador, le chien des présidents, « programmé » pour aller chasser sur les étangs, et que l'on voit si souvent gambader joyeusement dans les allées du pouvoir ?

Après tout, un chien de chasse est un animal dont les ancêtres étaient réduits à tuer du gibier pour se nourrir, ce que nous faisions nous-mêmes au temps des cavernes.

Maintenant que nous fréquentons plus volontiers les supermarchés, sans nous en sentir pour autant diminués, ils bénéficient eux dans leur gamelle des dernières trouvailles de la diététique animale, ce qui semble la moindre des choses !

Au même titre que la chasse, la campagne, tenue pour le lieu de séjour idéal du chien, a une réputation un peu surfaite.

J'ai bien observé les promenades de mes chiens.

A la ville, une nouvelle odeur propose à chaque pas son mystère ; les rencontres avec les autres chiens sont nombreuses, excitantes, pleines d'imprévus.

A la campagne, en revanche, ce sont les effluves d'insecticides, d'engrais chimiques qu'ils ont le plus de chances de trouver sur leur chemin, quand ce ne sont pas malheureusement les graines empoisonnées, aux couleurs si attirantes, ou les mâchoires d'acier des pièges, si habilement dissimulées et souvent non détendues dans la journée.

Les rencontres avec des congénères sont beaucoup plus rares. Le tableau est un peu exagéré, mais non inexact.

La campagne serait-elle alors plus bénéfique pour la santé de nos amis ? Comme les hommes, les animaux citadins n'ont pas une vie plus courte que leurs amis des champs !

En réalité, le véritable ennemi du chien n'est pas le manque d'exercice ou d'air pur, mais l'excès de nourriture, qui conduit à l'obésité — et là encore, la comparaison avec les humains, ceux des pays nantis s'entend, s'impose.

Il est capital de savoir adapter le régime alimentaire de son compagnon à son mode de vie.

Junior, qui est un véritable goinfre, s'entraîne comme un athlète de compétition, pour rester physiquement au *top* niveau. Sinon, il est certain que je diminuerais sa ration.

Dans le choix d'un futur ami à quatre pattes, on peut aussi se laisser influencer par la mode.

Car il existe une mode — aussi bien pour les chats que pour les chiens —, changeant avec les années et les pays.

Certaines revues publient des *hit-parades*, désignant chaque année les races les plus prisées. Bien que tous les résultats ne soient pas concordants, on observe des évolutions significatives.

En 1976, le berger allemand venait en tête. Suivaient le cocker, l'épagneul breton, le setter anglais, le boxer, le braque, le caniche. Le doberman était dixième, le teckel à poil long onzième...

En 1984, si le berger allemand occupait toujours la tête, il était suivi du briard, qui avait sauté de la vingtième à la seconde place, du colley, de l'épagneul breton, du yorkshire (lequel avait fait, malgré sa petite taille, un beau saut, puisqu'il venait de la quatorzième place) du caniche, du setter anglais, du beauceron, etc.

Le labrador, qui en 1976 n'avait pas eu l'honneur de figurer parmi les vingt premiers, arrivait en dixième place, chassant le doberman qui se retrouvait en quinzième position. Surgissait aussi, en quatorzième place, le bobtail, qui allait devenir le *must* des années suivantes...

Je serais bien en peine de fournir les raisons de telle désaffection ou de tel succès. Sans doute sont-elles très complexes, et font-elles intervenir à la fois le travail opiniâtre des clubs et les caprices de l'actualité.

On peut penser par exemple que la photo, largement reproduite, d'une vedette du show-business en compagnie de son chien peut susciter chez ses *fans* l'envie de posséder l'animal...

L'effet bénéfique de certains engouements subits est

de promouvoir des races mal connues. Mais leurs effets pervers se manifestent quand la demande du public est trop forte : pour y répondre, certains éleveurs sont amenés à intensifier leur production, ce qui entraîne une sélection moins rigoureuse et la mise sur le marché de sujets plus fragiles.

La dysplasie de la hanche dont souffrait Mabrouk, comme beaucoup trop de bergers allemands, relevait d'une telle cause. Cette maladie semble maintenant affecter les labradors.

La visite chez l'éleveur

Votre décision est prise, vous voilà à présent chez l'éleveur.

L'éleveur idéal, à mes yeux, possède un petit établissement artisanal, et non une caserne de deux cents animaux.

Avant toute décision, discutez avec lui, observez les conditions de vie de ses pensionnaires et comment il se comporte avec eux.

Si les chiots partagent la vie de la famille, c'est là un atout positif, surtout s'il y a des enfants, car cela évitera plus tard bien des problèmes.

Attention aux coups de cœur !

Ne vous montrez pas impatient : n'exigez pas de repartir sur-le-champ avec un chiot. Il se peut très bien que l'éleveur n'en ait pas de « disponible ». C'est ce qui arrive souvent chez les artisans sérieux, qui ne font faire des portées à leurs lices femelles qu'à intervalles raisonnables.

Méfiez-vous au contraire de ces établissements où vous n'avez que l'embarras du choix : cela peut signifier que les mères travaillent à la chaîne et que leurs

« produits[1] », s'ils ont toutes les caractéristiques de la race recherchée, sont très fragiles.

Il peut s'agir aussi de chiots d'importation, qui présenteront les mêmes tares que ceux des chenils.

Autre situation : la lice a mis bas récemment, les petits sont là..., mais l'éleveur refuse de les céder immédiatement.

N'en doutez pas, c'est un bon signe : cet homme fait consciencieusement son métier. Il sait que si le chiot est pris trop jeune, son changement d'univers risque de le perturber.

Quel est l'âge idéal ?

Les avis sur ce sujet divergent.

Je ne suis pas partisan de prendre un chiot avant qu'il ait franchi un certain nombre d'étapes.

Il faut d'abord qu'il vive au contact de sa mère — le père étant un étalon reproducteur, il ne le verra pratiquement jamais et c'est la mère, contrairement à ce qui se passe dans la horde, qui se chargera de le remplacer dans tous les domaines de l'éducation[2].

Qu'apprendra-t-elle à son rejeton ?

A être un chien, c'est-à-dire à assumer son identité.

Au cours de cette initiation, il pourra calquer son comportement sur celui de sa mère dans toutes les circonstances de la vie : crainte, désir, agressivité, soumission, etc. Il apprendra les mimiques et les postures

1. Voilà plusieurs fois que j'utilise ce mot « produit » pour désigner le bébé chien. Le terme n'est pas très beau, j'en conviens..., mais c'est celui qui est utilisé dans le jargon des milieux animaliers !

2. Cette absence de « père » serait responsable du caractère parfois peureux ou agressif des chiens d'aujourd'hui. Personne ne leur apprend en effet à se défendre, à respecter la hiérarchie, etc.

convenant à chaque situation et se constituera peu à peu, au fil de ses observations, un stock gestuel et sonore.

Le contact avec les autres chiots de la portée, mâles et femelles, sera également bénéfique.

Enfin, si comme je vous le conseille, vous avez choisi un éleveur « familial », votre futur compagnon aura le temps de se sociabiliser au contact des humains. Il saura la place qu'il doit tenir à l'intérieur du groupe. Il connaîtra les rapports adulte-chien, enfant-chien, etc. Ce sera là un acquis précieux.

Si vous le prenez avant qu'il soit arrivé au terme de cet apprentissage — c'est-à-dire avant qu'il ait atteint l'âge de sept semaines — et s'il est destiné à être l'unique chien de la maison, on peut craindre qu'il ne vive pas dans les meilleures conditions ses rencontres avec ses congénères. Il éprouvera en effet certaines difficultés à communiquer avec eux, faute de pouvoir puiser dans ce stock gestuel et sonore auquel j'ai fait allusion.

Il risque, en voyant un autre chien, de se poser la question : « *Qu'est-ce que c'est que cette chose qui s'avance vers moi ? Ça me ressemble, ça sent comme moi, mais je ne connais pas.* » Ne se voyant pas forcément chien lui-même, il aura à affronter le problème de sa propre identité.

L'autre raison pour retarder le moment de la séparation avec la mère est que le sevrage doit être mené à son terme en présence de celle-ci. Ainsi évitera-t-on que cet éloignement naturel ne se transforme en déchirement.

Pour autant, si vous vous trouvez dans l'obligation d'accueillir un chiot très jeune, ne vous imaginez pas que les choses se passeront de façon dramatique !

Une fois prévenu que le problème de l'identité et du contact risque de se poser, efforcez-vous de lui faire rencontrer ses congénères dans de bonnes conditions.

En tout état de cause, son ignorance des rites de

contact ne le mettra pas en danger, car les chiens adultes, nous le savons, respectent instinctivement les chiots.

Lui-même, privé d'une partie de son acquis, pourra assez rapidement le reconstituer et, jusqu'à l'âge de cinq ou six mois, faire appel à l'inné dont il a hérité. Faites-lui confiance, il saura retrouver au moment opportun les bons gestes !

Ainsi le verrez-vous pratiquer parfaitement l'attitude de soumission (ventre offert) qui lui évitera d'éventuels combats inégaux.

La plupart des spécialistes s'accordent à penser qu'entre huit et douze semaines, le chiot traverse une période délicate, au cours de laquelle il se montre très émotif, et donc très fragile.

Je vous déconseille de procéder à une séparation à ce moment.

C'est vers trois mois, trois mois et demi, qu'on peut — enfin — le prendre avec soi...

Mais comment le choisir *lui*, au milieu de ses frères et ses sœurs ?

Les méthodes « infaillibles » ne manquent pas pour reconnaître le bon chiot — celui qui sera intelligent, obéissant, équilibré, de bon caractère, etc.

Hélas ! la plupart sont entachées d'un anthropomorphisme qui limite considérablement leur valeur scientifique.

Par exemple, on prétend que le chien qui vous regarde dans les yeux est franc, celui qui évite votre regard sournois, celui qui s'enfuit couard, celui qui jappe cabochard, sans oublier le fameux « celui qui vient vers vous » désignant sans coup férir le futur élu..., autant de « recettes » sur lesquelles je me montre très réservé.

Les tests de Campbell me paraissent plus sérieux.

Les tests de Campbell

Cet éthologiste américain a mis au point un certain nombre d'exercices permettant d'évaluer les grandes lignes de la personnalité du chiot.

Ne nous y trompons pas : ces tests ne présentent aucun caractère véritablement scientifique, dans la mesure où l'expérimentation peut être menée par chacun de nous, sans aucun contrôle ni protocole, et où les conclusions sont très subjectives (qu'est-ce qu'un chien *soumis* ou *peureux* ?). Néanmoins, cette approche donne des résultats non négligeables.

Le chiot que l'on se propose de tester doit être âgé de sept semaines. Une semaine plus tard, il entrera dans la période de grande émotivité citée plus haut.

A cet âge précis de sept semaines, il est toujours dominé par ses instincts et son caractère, n'a pas encore subi l'influence de l'environnement humain.

Vous devez être seul pour procéder à ces tests, en vous efforçant de rester le plus neutre possible. Caressez le chiot mais ne lui parlez pas.

S'il s'agite ou fait une bêtise, ne manifestez aucun agacement et, bien sûr, ne le corrigez pas. En un mot, votre propre caractère ne doit pas apparaître, puisque vous êtes l'expérimentateur.

Emmenez le chiot dans un endroit isolé, tranquille, qu'il ne connaît pas. Vérifiez bien que rien ne détournera son attention (mouvements ou bruits).

Si vous réalisez ces exercices avec plusieurs sujets successifs, nettoyez soigneusement, entre les séances, la place occupée par chaque animal, notamment s'il s'était produit des « accidents ».

1er Test dit d'attraction sociale

Placez le bébé chien au milieu de la zone choisie et éloignez-vous de plusieurs mètres, dans la direction opposée à celle de votre arrivée.

Puis accroupissez-vous et claquez dans vos mains, mais doucement.

Observez alors la réaction du chiot — que vous pourrez noter sur la table de lecture[1].

Il ne bouge pas (E) : il a une petite tendance à vouloir être indépendant ou est très inactif.

Il vient en hésitant (D) : cette tendance à l'indépendance est moins profonde.

Il se dirige vers vous la queue basse (C) : il n'est pas particulièrement indépendant, mais n'a guère confiance, et a même un peu peur.

Il vient sans hésitation, queue haute, en se dirigeant vers vos mains (B) : il a un sens social assez développé, a confiance et envie de vous suivre.

Enfin, si en plus du comportement B, il sautille et même mordille vos mains (A) : il vous adopte sans problème.

2e Test dit d'aptitude à la suite

Vous restez debout à côté de lui, puis vous vous éloignez d'une démarche tout à fait normale, en observant s'il vous suit, et de quelle manière.

Il ne bouge pas, ou même s'éloigne de vous (E) : le moins qu'on puisse dire est qu'il marque son indépendance, ce qui peut rendre son « dressage » difficile, encore que certains maîtres recherchent ce genre de

1. Voir page 232 le modèle édité notamment par Fido-Conseil.

caractère, qui rend l'éducation plus attrayante à leurs yeux.

Il vient en hésitant, la queue basse (D) ou d'un mouvement plus spontané, mais encore sans enthousiasme (C) : il éprouve encore certaines réticences à s'engager.

Il vous suit facilement et même vous rejoint (B) ou, mieux encore, essaie de mordiller vos pieds (A) : vous lui plaisez beaucoup, il vous adopterait facilement comme maître.

Attention, cependant, il peut ne pas vous suivre simplement parce qu'il n'a pas fait attention à votre départ (n'oubliez pas que vous n'avez pas marqué votre action par un bruit, comme lors du premier test). Cela signifie que l'animal est distrait.

Recommencez le test en l'observant attentivement. Si, là encore, il ne semble pas remarquer votre départ, vous pouvez en conclure que c'est un *grand distrait*, ce qui peut poser des problèmes lors de son éducation.

Entre le grand indépendant et le grand distrait, je choisirais pour ma part le premier : celui-là aura une volonté à opposer à la vôtre, tandis que le second, je le crains, ne vous opposera... que le vide.

3e Test dit de contrainte

Placer le chiot sur le dos, pattes en l'air, en le maintenant doucement d'une main posée sur la poitrine, pendant trente secondes.

Il se laisse faire ou même vous lèche les mains (D) : il est de caractère tranquille et acceptera votre éducation sans se rebeller, car on sait que chez les chiens, se mettre sur le dos et montrer son ventre est une grande preuve de soumission (ou de confiance envers le maître). C'est cette posture que les chiens adoptent, lors d'un combat, pour signifier qu'ils reconnaissent la supériorité de leur adversaire et s'avouent vaincus.

Il se débat, puis se soumet (C) : sa soumission ne sera pas automatique, il faudra le tenir un peu.

Il se tortille, cherche à vous échapper, grogne, se débat (B) : il devra être confié à quelqu'un de ferme, sachant imposer sa discipline.

Il va jusqu'à mordre (A) : ce dominant posera de fameux problèmes à son éducateur...

4e Test dit de dominance sociale

Lui aussi ne devra durer que trente secondes.

Couchez le chiot sur le ventre et, avec le doigt tendu, caressez sa colonne vertébrale en passant du sommet du crâne jusqu'à la queue, sans appuyer trop fort. Vous allez ainsi déterminer s'il accepte facilement ou non d'être dominé.

Il ne bronche pas (E) : il accepte cette domination.

Il se retourne pour vous lécher les mains (D) : il accepte un certain degré de soumission, pas totale cependant.

Il frétille, mais sans se retourner (C) : il fait déjà preuve d'un caractère plus autonome.

Il refuse l'exercice (B) ou manifeste sa colère (A) : il risque, plus tard, de se rebeller ou même de fuguer, et ses rapports avec ses congénères ne seront pas de tout repos.

5e Test dit de dignité

Vous soulevez le chiot, les deux mains entrelacées sous son ventre. C'est la première fois qu'il se trouve ainsi les pattes dans le vide, à cette hauteur. Il risque de peu apprécier un tel exercice.

Il ne manifeste aucune hostilité (D) : il est d'heureux caractère et prêt à vous faire confiance (il remet son sort entre vos mains).

Il renâcle, mais sans agressivité (C) ou gesticule violemment (B) ou se révolte franchement (A) : vous vous en doutez, des problèmes de confiance se poseront lors de son éducation...

Ces exercices terminés, vous le caressez, le félicitez et le rendez à sa mère, afin qu'il ne conserve pas un mauvais souvenir de cette petite aventure.

Reste à interpréter les résultats

D'une manière générale, on peut considérer que :

— Beaucoup de A indiquent que le chiot sera sans doute un sujet difficile à manipuler, à tendance dominante et agressive, bagarreur, mordeur à l'occasion. Il devra être tenu en main par un maître autoritaire (surtout s'il s'agit d'un gros chien). A déconseiller dans les familles comprenant de jeunes enfants ou des personnes âgées.

— Deux A (ou plus) avec des B par ailleurs : ces chiens aussi sont à déconseiller s'il y a des enfants en bas âge ou des personnes âgées. Mais à la différence des premiers, une fois bien éduqués, ils ont plus de chances de devenir de bons chiens de défense.

— Trois B (ou plus) : animaux impétueux, dominants ou ayant tendance à la dominance, aimant manifester leur personnalité. Pourront s'avérer très aptes au dressage, et même devenir des champions de certaines disciplines.

Éviter cependant qu'ils soient en contact avec de jeunes enfants.

TABLE DE LECTURE DES TESTS DE CAMPBELL

(Entourer d'un cercle le numéro du chiot et, pour chacun, le type de réponse obtenu au test)

Notes (A B C D E) Numéro du chiot dans la portée	I	II	III	IV	V
1. Test d'attraction sociale					
A) vient facilement, queue haute, en sautillant et en mordillant les mains	A	A	A	A	A
B) vient aisément, queue haute, en donnant des coups de patte vers les mains	B	B	B	B	B
C) vient aisément, mais queue basse	C	C	C	C	C
D) vient en hésitant	D	D	D	D	D
E) ne vient pas du tout	E	E	E	E	E
2. Test d'aptitude à la suite					
A) suit facilement, queuc haute, en essayant de mordiller les pieds	A	A	A	A	A
B) suit facilement, queue haute, vient au pied	B	B	B	B	B
C) suit facilement, queue basse	C	C	C	C	C
D) vient en hésitant, queue basse	D	D	D	D	D
E) ne suit pas, ou s'éloigne	E	E	E	E	E
3. Test de contrainte (30 s)					
A) lutte vigoureusement, se débat et mord	A	A	A	A	A
B) lutte vigoureusement	B	B	B	B	B
C) se débat puis se laisse faire	C	C	C	C	C
D) ne bouge pas, lèche les mains	D	D	D	D	D
4. Test de dominance sociale (30 s)					
A) bondit, donne des coups de patte, mord, gronde	A	A	A	A	A
B) bondit, donne des coups de patte	B	B	B	B	B
C) se tortille, lèche les mains	C	C	C	C	C
D) se retourne sur le dos, lèche les mains	D	D	D	D	D
E) ne bronche pas	E	E	E	E	E
5. Test de dignité (dominance en élévation, 30 s)					
A) se débat farouchement, mord, grogne	A	A	A	A	A
B) se débat farouchement	B	B	B	B	B
C) se débat, se calme, lèche les mains	C	C	C	C	C
D) ne se débat pas, lèche les mains	D	D	D	D	D

— Trois C (ou plus) : ces chiens conviennent à toutes les familles, aux enfants, aux vieillards, car ils sont très adaptables et ne réservent en général aucune mauvaise surprise.

— Deux D (ou plus) avec un ou plusieurs E : ce sont de futurs dominés, très soumis.

On pourrait penser qu'ils représentent le chien à éduquer idéal. En fait, la réalité est plus complexe : l'animal dominé n'est pas obligatoirement un sujet exceptionnel ; il peut s'agir parfois d'un distrait ou d'un apathique, voire d'un indifférent total. De plus, il est à craindre qu'il manifeste une grande soif de compliments, de marques d'attention et de tendresse avant de se livrer, par manque de confiance en lui.

Ce chien aura besoin d'être soutenu. Parfait avec les enfants, il sera idéal avec une personne seule qui passera son temps à s'occuper de lui, le gâtera, sans pour autant exercer d'ailleurs une grande autorité.

— Deux D (ou plus) avec E en rubrique « dominance sociale » : leur socialisation posera des problèmes et nécessitera l'utilisation de « dressages » assez durs.

S'ils comportent de plus des A ou des B, on peut redouter qu'ils manifestent de l'agressivité au moindre incident.

S'ils comportent en plus des C ou des D, l'agressivité deviendra une peur extrême.

A déconseiller aux enfants.

Notons enfin que si vous obtenez un mélange de A et de E, il est préférable de recommencer le test, si possible dans un autre environnement.

S'il donne les mêmes résultats, cela signifie que le chiot échappe à toute classification !

En conclusion, nous dirons que ce test, qui, je le rappelle, n'indique que des tendances, pourrait utilement être pratiqué par les éleveurs afin de mieux conseiller les futurs maîtres.

Mâle ou femelle ?

Autre choix à opérer : prendra-t-on un mâle ou une femelle ?

A la différence des partisans inconditionnels de l'un ou de l'autre sexe, qui professent des avis très tranchés sur la question, je me garderai bien de donner un avis péremptoire — ne serait-ce qu'en souvenir de ce jour où, m'étant rendu chez un éleveur de la région parisienne avec l'intention d'acquérir une chienne, j'en suis revenu... avec Mabrouk.

On accorde généralement aux chiennes un certain nombre de qualités : elles sont en principe plus calmes, plus douces et plus fidèles. On sait que lorsqu'elles se promènent avec leur maître, elles s'éloignent moins de lui que les mâles.

Morphologiquement, quelle que soit la race, la femelle est plus petite. Un détail qui a son importance : elle urine « à plat », ce qui épargnera le pied des arbustes de votre jardin... mais pas le gazon !

Autre avantage des chiennes : elles ont droit à un traitement de faveur de la part des mâles, qui font preuve à leur adresse d'une très grande indulgence, au point de supporter sans broncher leurs caprices, agaceries, voire coups de dents.

Konrad Lorenz, le « père » de l'éthologie — l'étude du comportement animal —, prétend que chez les espèces descendant du loup (comme les chiens du Groenland), seules les « dames » de la meute bénéficient d'un tel traitement de faveur, alors que dans les races issues du chacal, toute femelle, qu'elle fasse ou non partie du groupe, est respectée.

Est-ce parce que les bergers allemands, descendants du loup selon Lorenz[1], ne vivent pas en meute que le comportement de Junior (comme celui de Mabrouk) est moins schématique ? Je l'ignore. Simplement, j'ai pu observer que sa patience envers les chiennes n'est pas sans limites. S'il accepte très volontiers la présence de femelles sur son territoire, il ne les laisse jamais « exagérer »...

Avec Taïka, une ravissante huskie de ses amies (dont le frère apparaît, un géranium à la bouche, dans le générique de « 30 Millions d'amis »), il se montre très attentionné.

Souvent, ils font penser à Roméo et Juliette : elle prend place à une fenêtre, au premier étage de la maison qui domine notre jardin, ses deux pattes avant pendant dans le vide, la mine alanguie, tandis qu'il fait le fou, en bas, sur la pelouse, très conscient qu'elle l'observe tout en faisant mine de l'ignorer.

Quand la belle vient jouer avec lui, il ne subit ses caprices que jusqu'à un certain point. Elle pourra, comme les autres chiennes ou les chiots en visite, aller et venir à son gré, manger dans sa gamelle, boire son eau sans qu'il s'en formalise.

Si une « invitée » monte sur les fauteuils, les canapés, autant d'endroits qui lui sont interdits, il ne manifestera aucune mauvaise humeur, aucune jalousie, se contentera de l'observer d'un œil étonné en se disant : « *Tiens, moi je n'ai pas le droit d'aller ici et toi si, c'est curieux.* »

---

1. Aujourd'hui, on émet de sérieuses réserves sur cette théorie des deux souches d'origine distinctes.

La demoiselle pourra même occuper sa place privilégiée dans le salon. Mais là, au bout d'un moment, lentement, insidieusement, il combinera une stratégie pour reprendre le terrain perdu en déambulant mine de rien, en attirant la visiteuse vers le centre de la pièce, pour se précipiter aussitôt et reprendre possession des lieux...

En revanche si, en jouant, Taïka, selon la mauvaise habitude prise avec son frère, lui mordille la queue, alors il se rebiffera, montrera les dents et lui fera clairement comprendre qu'il veut bien être son soupirant, son hôte, mais pas son souffre-douleur !

Avoir une chienne n'est pas de tout repos. La plupart ont leurs chaleurs deux fois par an, souvent au printemps ou en automne.

Conséquence immédiate, surtout à la campagne : la concentration autour de votre lieu de vie de tous les chiens de la contrée et, lors des promenades, la formation d'une escorte aussi obstinée que concupiscente.

Je me souviendrai longtemps de ce « monsieur très bien » croisé dans une allée du bois de Boulogne et qui, hurlant, des lueurs de meurtre dans les yeux, se précipitait vers sa chienne de race qu'un horrible corniaud honorait sans vergogne. Il y avait dans l'attitude de cet homme quelque chose du cocu surprenant son épouse dans les bras du plombier ! Visiblement, sa chienne l'avait trahi...

Les responsables des chiens de travail (gendarmerie, avalanche, catastrophe, anti-bombe, anti-drogue, etc.) ne font pas appel aux chiennes : celles-ci ne se comporteraient pas moins bien que leurs compagnons, mais en période de chaleurs, elles les perturberaient, les rendraient incontrôlables et souvent vindicatifs.

Autre problème avec les femelles : elles sont parfois sujettes au cancer des mamelles qui se déclare généralement vers l'âge de huit ou neuf ans.

La médecine vétérinaire d'outre-Atlantique préconise qu'après la mise bas de sa première portée, la chienne subisse une ovario-hystérectomie qui la rendra inapte à la reproduction.

En France, où cette intervention commence à se pratiquer, les éleveurs *sérieux* ont résolu depuis longtemps le problème en mettant à la retraite les lices ayant atteint un certain âge — ce qui (comme d'ailleurs dans le cas de l'ovario-hystérectomie) peut entraîner des perturbations psychiques.

Tel est le cas par exemple de la grand-mère de Junior, encore que chez elle, ces perturbations se manifestent de façon plus amusante que tragique...

Madame, qui a treize ans, se comporte comme une reine. Nul ne songe d'ailleurs à lui contester ce titre et le mâle le plus agressif s'éclipse à son premier grognement. L'une de ses filles a pris sa succession comme nouvelle lice de l'élevage.

Pendant une courte période, les deux chiennes ont mis bas en même temps. La première fois, la Mamma a accouché la première de six chiots. Sa fille a suivi vingt-quatre heures plus tard avec six rejetons elle aussi.

Le lendemain de cette dernière mise bas, l'éleveur est allé rendre visite à la jeune mère... et l'a trouvée seule, en train de gémir.

Les chiots avaient disparu !

Un peu affolé, il les a cherchés aux alentours proches, puis a eu l'idée d'aller voir la grand-mère... qu'il a découverte trônant au milieu de douze petits se chamaillant pour la téter !

Vite, il a rendu les chiots kidnappés à leur mère légitime...

Deux heures plus tard, nouvel enlèvement !

Estimant sans doute que sa fille n'était pas encore capable d'élever les nombreux chiots de sa portée, la mémé abusive était allée les récupérer.

La jeune lice, très respectueuse (les chiennes sont plus soumises à l'autorité de leur mère que les mâles, et entretiennent avec elle des rapports plus profonds et plus prolongés, un peu comme la mère et la fille chez les humains), gémissait, mais ne s'était pas rebellée.

Ce fait est d'ailleurs assez extraordinaire, quand on sait à quel point il est périlleux d'enlever sa progéniture à une chienne qui vient de mettre bas.

La Mamma a continué son manège lors des deux ou trois portées suivantes.

Aujourd'hui, bien qu'elle soit à la retraite, sa jalousie (ou sa frustration) se manifeste toujours, mais avec un peu moins de conviction.

Quand sa fille ou les autres chiennes de l'élevage mettent bas, elle est là et attend. Elle prend dans sa gueule un ou deux chiots, va les déposer dans sa niche, s'étend à leurs côtés et profite au maximum de leur présence avant qu'on vienne les lui reprendre...

Si la sexualité des femelles pose donc un certain nombre de problèmes à leur maître, celle des mâles n'est pas toujours paisible non plus.

Dès qu'ils ont atteint l'âge de procréer, certains tiennent à marquer leur territoire, d'où ces incessants ballets de pattes levées, chacun s'employant à recouvrir la trace de l'autre.

Souvent, la présence d'une chienne en chaleur dans les parages rend nerveux, agressifs des sujets habituellement très calmes.

C'est ce qui s'est produit avec Viking, le petit labrador du club hippique voisin. Il connaissait Junior depuis sa naissance et tous deux étaient bons copains.

Récemment, une chienne du club a eu ses chaleurs et Viking a décidé de veiller jalousement sur elle.

Un samedi, Junior est arrivé, ignorant la situation.

A peine s'était-il approché de la chienne que Viking, qui pourtant lui rend bien vingt kilos, n'a pas hésité, égaré par la passion, à foncer rageusement sur lui, cherchant la bagarre. Il ne reconnaissait plus son ami...

Par bonheur, les maîtres respectifs ont pu intervenir pour éviter que les choses ne se gâtent.

Tous les individus mâles de la race canine n'étant pas des « obsédés », vous pouvez donc préférer le chien à la chienne et vice versa.

Et même avoir un couple.

Des problèmes de cohabitation peuvent alors se poser, encore que, dans ce cas précis, le couple mâle-femelle, en dehors des questions d'intendance, offre plus d'avantages que d'inconvénients.

Côté avantages (et cela est valable dès qu'on a deux chiens, quel que soit leur sexe), ils supporteront mieux la solitude.

Dans le domaine de l'éducation, l'un peut servir de modèle à l'autre et susciter une saine émulation.

Enfin, les problèmes sexuels seront instantanément résolus.

Restera cependant — et là nous abordons les inconvénients — à trouver des amateurs pour les nombreuses portées à venir, afin de ne pas se trouver un jour à la tête d'un véritable élevage !

Il faudra donc assez vite faire appel à la contraception.

Garder un petit du couple est une tentation à laquelle il sera bon de résister, car si on y cède, les trois compagnons ne tarderont pas à constituer une meute. Il vous faudra alors une sacrée connaissance de la psychologie animale, jointe à une grande autorité, pour dominer cette meute, c'est-à-dire devenir son chef.

Du reste, si le chiot que vous avez décidé de conserver est un mâle, sachez qu'il ne tardera pas à s'opposer à l'autre mâle qu'est son père pour la possession de l'unique femelle, et parce qu'il faut toujours un dominant et un dominé.

Voilà bien des problèmes en perspective et un certain nombre de dégâts à craindre, *surtout si les chiens sont de grande taille*, ce qui multiplie les difficultés par dix.

Vouloir posséder trois bergers ou trois bas-rouges, c'est vraiment vouloir se compliquer une vie qui ne serait pas organisée pour !

Autre inconvénient du couple : s'il est vrai que l'un peut servir de modèle à l'autre, il peut aussi lui servir de... mauvais exemple.

Ainsi les verra-t-on se relayer pour donner de la voix dans l'appartement déserté par les maîtres, ou s'en prendre à tout promeneur passant dans les parages en rivalisant d'agressivité. Enfin le chien visant obstinément à être l'unique objet de votre amour et de votre attention, la jalousie peut se glisser entre eux, avec d'incalculables conséquences.

Si l'on veut deux chiens d'un même sexe, mieux vaut éviter que ce soient deux mâles. Même s'ils se comportent au départ comme les meilleurs amis du monde, ils entreront en lutte tôt ou tard, chacun voulant prendre l'ascendant sur l'autre.

La promiscuité d'une chienne en chaleur exacerbera cette rivalité.

Les femelles, en revanche, font souvent bon ménage. Je pense en particulier à ces deux teckels, la mère et la fille, qui vivaient chez mon ami Georges Gorse, député-maire de Boulogne-Billancourt. Une entente extraordinaire régnait entre elles.

Tous les soirs, à heure fixe, elles faisaient ensemble une toilette très complète, où la fille s'employait à aider sa mère un peu fatiguée à atteindre les endroits difficilement accessibles, en particulier les oreilles.

Il est à vous...

Vient enfin le jour « J ».

Vous allez prendre possession du chiot — de *votre* chiot.

L'idéal serait qu'il vous connaisse déjà un peu. Hélas ! c'est rarement le cas, et le premier contact se fait souvent le jour du départ.

Avant d'entreprendre le voyage, faites-lui découvrir la voiture, afin qu'il se familiarise avec elle [1]. En même temps, parlez-lui.

Il importe qu'il aborde cette petite épreuve dans de bonnes conditions, mais n'allez pas penser que si les choses ne se déroulent pas bien il en sera fortement traumatisé : en général, les chiens (plus que les chats) apprécient l'automobile, cet univers clos, bas de plafond, qui ressemble assez à une niche. Certains, par leur attitude, ne donnent-ils pas l'impression d'être les « maîtres à bord » du véhicule, sur lequel ils veillent jalousement ?

Vous vous serez assuré que l'éleveur n'a pas fait manger le chiot durant les cinq heures précédant votre

1. Des éleveurs préconisent de mettre un peu de nourriture sur le plancher pour rendre le véhicule agréable dès le premier abord, et d'éviter de se rendre directement chez le vétérinaire pour ne pas créer l'association « voiture-véto », chez qui la visite est souvent pénible.

départ, non seulement pour éviter qu'il ne vomisse en cours de route, mais pour qu'il ait faim en arrivant chez vous.

C'est alors avec plaisir qu'il mangera la ration que vous lui aurez préparée, ce qui contribuera à rendre plus agréable le contact avec la nouvelle maison.

Le mieux est de venir chercher le chiot le matin, afin qu'il puisse bénéficier d'une journée entière d'adaptation au nouveau logis avant la nuit, et mieux encore au début d'un week-end ou d'une période de vacances : vous serez plus disponible pour vivre avec lui ces moments cruciaux que sont la découverte de la maison ou de l'appartement, la recherche de sa place d'élection, la séparation de la nuit et les retrouvailles du matin.

Vous installerez le chiot à l'arrière de la voiture, sur le tapis de sol recouvert de journaux. Ceux-ci seront doublement utiles : non seulement pour absorber les fuites possibles, mais aussi — paraît-il — pour diminuer les effets du mal de la route car ils auraient des propriétés antistatiques !

Un objet qu'il connaît bien (chiffon, morceau de bois, jouet, etc.), *imprégné de son odeur* ou de celle de sa mère, sera utilement placé à ses côtés. Il ne se sentira pas seul et cela le rassurera.

Vous pouvez aussi demander à une personne amie de prendre place à ses côtés, ce qui aplanira bien des difficultés.

A présent, démarrez...

Vous voilà donc sur la route, le chiot à l'arrière [1], roulant vers cette maison, ou cet appartement, qui deviendra son foyer pour de nombreuses années...

1. A l'arrière et — je le répète — sur le sol si possible. Plus tard il ne salira pas la banquette et sera en meilleure sécurité, dans le cas d'un accident ou même d'un coup de frein brutal.

A des degrés divers, vous êtes tendus, tous les deux.

Vous, le maître, parce que vous ne savez pas quel sera le caractère de ce petit étranger, comment il réagira dès son arrivée...

... Et lui, le chien, parce qu'il vient de quitter sa mère, son éleveur, son environnement, et qu'il vit ce départ comme un déchirement. Il se trouve dans un lieu qu'il ne connaît pas — et qui bouge sans arrêt, ce qui l'oblige à faire des efforts pour conserver son équilibre —, en compagnie d'un être qu'il ne connaît pas.

Il se peut qu'assez vite, il soit tenté de pousser une reconnaissance.

Veillez à ce qu'il reste bien à sa place, qu'il n'essaie pas de venir s'installer à côté de vous. Même si vous êtes ému par ce désir de vous rejoindre, ne cédez pas, non seulement parce qu'il pourrait perturber votre conduite, mais aussi parce que si vous lui accordez ce privilège maintenant, il ne comprendra pas que vous le lui refusiez plus tard.

N'oubliez pas qu'un chien est très « carré » dans ses raisonnements, très logique..., surtout quand il s'agit d'obtenir quelque chose.

Si au cours du trajet il se laisse aller à quelques incontinences, ne le grondez pas, il ne doit pas associer ces quelques kilomètres en voiture à une punition.

Bien entendu, vous conduirez le moins abruptement possible, pour ménager son petit estomac fragile et ne pas le soumettre à un roulis trop désagréable.

Je me remémore un voyage que j'avais fait avec un ami, alors que Junior était encore très jeune. Une discussion passionnée me faisait conduire de plus en plus nerveusement. Je prenais les virages à la corde, freinais sans souplesse... Junior, sagement assis à l'arrière, ballotté, se tenait coi..., jusqu'au moment où, ne pouvant plus se retenir, il a vomi.

J'ai eu honte de mon manque de maîtrise, qui avait fait souffrir mon gentil et innocent toutou.

Je m'efforce depuis de conduire en souplesse, pour le plus grand confort de tous mes passagers...

Vous entrez ensemble dans l'appartement ou la maison...

A proscrire l'accueil en fanfare de la famille, qui s'exclame, s'extasie, fait passer le nouveau venu de main en main.

Sachez qu'être ainsi ballotté par des inconnus comme un ballon de rugby dans une mêlée ouverte a de quoi l'énerver, voire le terroriser. Le souvenir qu'il gardera de cette épreuve peut lui inspirer, plus tard, des coups de dents mauvais s'il voit quelqu'un se précipiter trop brusquement vers lui pour le caresser.

Cela pose d'ailleurs d'une façon générale le problème du respect envers l'animal : vous viendrait-il à l'idée, comme le remarquait l'écrivain Jacques Brenner, d'aborder dans la rue quelqu'un que vous ne connaissez pas en lui passant la main dans les cheveux parce qu'il vous semble sympathique ?

Quand on rencontre un chien inconnu, il faut éviter de le « prendre d'assaut », même si l'on est, comme l'enfer, pavé de bonnes intentions.

Non seulement on risque de se faire mordre, mais on témoigne aussi, de façon inconsciente, du peu de cas que l'on fait de sa personnalité.

Moi qui crois être un grand ami des animaux, des chiens, des chats et des chevaux en particulier, je ne caresse l'un d'eux que lorsqu'il vient vers moi en frétillant, c'est-à-dire me *salue* de son côté, à moins que son maître ne m'explique qu'il est gentil, qu'il ne demande que ça, même s'il ne le manifeste pas, étant de nature peu expansive.

De toute façon, j'évite, lors du premier contact, de le caresser sur le front, les oreilles, le haut de la tête, car il s'agit là d'un geste de protection, de domination, réservé au maître.

Je préfère donc le cou et le poitrail. Dans le geste que j'esquisse vers lui, je prends soin de lui présenter le dos de ma main, paume à l'intérieur, en signe de non-agression.

Donc, pas de comité d'accueil, mais une « ambiance » normale, habituelle. C'est dans une vie ordinaire — et ordonnée — que le chien va trouver sa place.

Guidé par sa propre curiosité, il découvrira, inventoriera les coins et les recoins.

S'il est calme, si la maison est paisible, son inspection terminée, il ne tardera pas à trouver son coin refuge.

Comme il se sent un peu perdu dans ces nouveaux espaces, vulnérable dans ces pièces à hauts plafonds (les chiens, comme les Gaulois, ont peur que le ciel ne leur tombe sur la tête), il élira souvent domicile dans un endroit confiné au volume restreint, pourvu d'un toit, sous un fauteuil, une table, un buffet par exemple.

C'est ce qu'a fait Junior en s'installant sous un coffre, sa « place de bébé », comme je l'appelle toujours, et qu'il continue d'affectionner.

Il faut que cet endroit privilégié devienne aux yeux du chiot un asile inviolable. Jamais on ne devra le corriger quand il s'y trouvera.

Plus tard, il fera sans doute le choix d'une seconde place, dont les critères seront stratégiques : elle lui permettra d'observer à loisir les allées et venues dans la maison, et d'assumer son rôle de gardien.

Il se peut qu'il prenne au chiot la fantaisie de

s'installer au beau milieu d'une pièce (ce qui est rare) ou sur un lieu de passage (les chiens ont une prédilection pour ce genre d'endroit). Ne le brusquez pas en lui interdisant cet espace.

Contentez-vous de déposer près de lui un objet, un jouet qu'il imprégnera de son odeur et, pendant son sommeil, transportez cet objet dans un coin que vous aurez choisi à proximité, plus favorable à son installation.

Quand il se réveillera, il ira retrouver l'objet et, tout naturellement, prendra ses quartiers là où vous l'aurez décidé. L'adaptation se fera plus facilement encore si vous y déposez une écuelle d'eau.

On peut aussi résoudre la difficulté en disposant à la place *ad hoc*, avant son arrivée, une corbeille garnie d'un coussin où il se sentira bien car elle évoquera le ventre doux et chaud de sa mère.

Si vous décidez d'effectuer cet achat, je vous recommande de voir grand. C'est fou ce que les chiots grandissent vite... J'avais acheté à Junior un panier de ce type. Au bout d'un mois, ses pattes sortaient de partout et j'ai dû le lui enlever, à son grand déplaisir.

A la manière des enfants qui élisent un jouet parmi tous les autres, le chargent d'affectivité et ne veulent plus s'en séparer, Junior s'était pris d'amour pour son « couffin »...

Si très vite, après ses premières investigations, votre chiot s'offre un petit somme, soyez satisfait : cela signifie qu'il se sent en confiance. Vous avez brillamment réussi cette étape de son acclimatation.

Mais il se peut aussi que la curiosité, peut-être teintée d'inquiétude, soit la plus forte et qu'il continue ses allées et venues, puis s'enhardisse et se comporte en pays conquis.

Les premiers actes d'autorité

Voilà déjà le moment de montrer votre autorité.

Il escalade un fauteuil ou un divan ?

Prenez-le gentiment et reposez-le à terre en lui disant fermement : « Non ! »

Il récidive ? Même manœuvre.

Une fois, dix fois, vingt fois... Soyez plus obstiné que lui, battez-le à son propre jeu.

Cette petite boule de poils si chaude et si émouvante possède une arme redoutable : le pouvoir de vous rendre gâteux, de vous faire bêtifier..., de vous faire faire à ses quatre volontés.

Ne cherchez pas d'excuses à vos faiblesses, du genre : « Il est trop petit, il ne comprend pas. »

Si, il comprend parfaitement, il est déjà très intelligent.

Ou bien : « Plus tard, je le prendrai en main. »

Non, c'est lui qui vous dominera, justement parce que vous ne l'aurez pas tenu en main dès les premiers temps.

Sachez que son petit cerveau, dès cet âge tendre, enregistre tout : « *Ah, il me laisse aller où je veux, donc tout m'appartient, la maison n'est qu'un immense terrain de jeux où je peux faire tout ce qui me passe par la tête.* » Et selon la loi bien connue du « toujours plus », il deviendra bientôt un insatiable tyran.

Lorsque, fatigué de céder à ses caprices, vous tenterez de lui inculquer des interdits, il ne comprendra pas, il résistera, parfois rageusement, raisonnera en syndicaliste pur et dur pour qui il est impossible de revenir sur les « avantages acquis ».

Aussi, je ne saurai jamais assez vous le recommander, montrez-vous tout de suite strict, intraitable. Pensez aussi au chien adulte qu'il deviendrait si vous n'y preniez garde : renversant tout sur son passage, défonçant les divans, aboyant toute la journée, vous faisant honte, lorsque vous êtes en visite, par son sans-gêne et son exubérance. Le charmant petit voyou sera devenu... un voyou tout court.

Il mordille les rideaux, les pantoufles, les pieds de fauteuil ? Interdiction, réprimande, tapes et, corollaire indispensable, dès qu'il cesse, que ce soit dû ou non à votre intervention, félicitations, exclamations de joie, caresses.

Ce qu'il doit bien comprendre, c'est : « *Si je fais cela, il sera mécontent et me punira, donc je ne le fais pas.* » Cette prudence raisonnée deviendra plus tard :

« *C'est interdit par mon maître, donc je ne le fais pas.* »

De la peur, on sera passé à la sagesse.

Les repas et l'alimentation

Au moment de vos repas, sachez aussi vous montrer intransigeant, faites en sorte qu'il n'y assiste pas, ce qui est relativement aisé étant donné qu'à trois mois, un chiot dort les deux tiers du temps. Les bonnes odeurs, cependant, vont le réveiller. Empêchez-le de venir près de la table.

Junior, quand il voit que nous nous disposons à déjeuner ou à dîner, se dirige vers son coin et s'endort..., enfin il fait semblant, ce qui revient au même. Il sait qu'il n'obtiendra rien.

Les premiers temps, il restait assis à sa place et nous observait, les yeux luisants de convoitise. Je l'ai alors obligé à se coucher. Mais dès que nous nous levions de table, il courait vers la cuisine en se disant : « *Il y aura bien quelque chose pour moi.* »

Là encore, j'ai dû veiller à ce qu'on ne lui donne rien, car il ne fallait pas que, dans son esprit, notre sortie de table soit liée à une possibilité pour lui de manger quelque chose.

Il était à redouter en ce cas que, selon le principe du « toujours plus », il manifeste son impatience de nous voir terminer notre repas, s'approche chaque jour un peu plus de nous, jappe pour faire hâter les choses, et, enfin, pose sa patte sur tel ou tel d'entre nous pour bien lui faire comprendre qu'il serait temps de songer à lui...

Mon comportement à son égard peut paraître assez sévère, uniquement dicté par mon confort personnel.

En fait, j'obéis toujours à la même idée maîtresse : donner à mon chien une éducation qui lui permette de m'accompagner partout, puisqu'il ne posera pas de problèmes aux autres.

Ainsi, au restaurant, habitué à ne pas recevoir le plus petit morceau de nourriture lorsque je suis à table, ni de ma part ni de celle des autres convives, Junior s'installe à mes pieds et ne bouge plus.

Sa discrétion est telle que souvent, on ne remarque sa présence que lorsque nous quittons l'établissement.

Autre avantage à ne pas laisser votre chien quémander : il acceptera moins facilement, en dehors des repas, que n'importe qui lui offre quelque chose. Une telle habitude aidera à lui enseigner le refus d'appât, l'un des exercices de « dressage » les plus difficiles.

Pour ce qui est du rythme de ses repas, votre chiot en prendra d'abord quatre, puis trois par jour.

Pour les chiens de grande taille, il est prudent d'en venir plus tard à deux, un le matin et un autre le soir, pour éviter au maximum les risques de torsion de l'estomac[1].

Dès que le chiot met le nez dans son plat, il faut venir près de lui, lui parler, le taquiner et même, en jouant, lui ôter sa nourriture pour la lui rendre aussitôt.

Au premier signe de mauvaise humeur, grondez-le et s'il s'entête, donnez-lui une petite tape. Ainsi le fait de manger sera-t-il considéré par lui comme un acte habituel, banal, et non une cérémonie sacrée où toute ingérence serait insupportable.

Devenu adulte, il ne fera pas partie de ces chiens hargneux qu'on n'ose approcher parce qu'ils prennent leur repas.

On pourra procéder de même pour ses jouets, ses objets familiers et même un os. On évitera, là encore, qu'il ne devienne l'un de ces ours mal léchés qui grognent quand on touche à leur balle. Les jeunes enfants pourront s'emparer de ce jouet sans risque et entreprendre de joyeuses parties avec lui.

En règle générale, tout ce qu'il possède doit rester accessible au maître.

Le bon pli étant pris, on le laissera manger et jouer tranquillement..., en n'oubliant pas cependant d'intervenir de temps en temps pour le « gymnastiquer » et l'aider à conserver de bonnes habitudes.

Le moment du repas peut aussi être mis à profit, pendant la période d'éducation, pour obtenir d'un chiot trop distrait ou trop rebelle une meilleure concentration sur les ordres.

---

1. Lorsque, après son repas, un chien de grande taille s'adonne à de forts exercices physiques, il risque de se produire des contractions du pylore qui peuvent être mortelles si un vétérinaire n'intervient pas dans la demi-heure qui suit. Le praticien ouvre la cage thoracique, libérant l'air qui bloque l'estomac, et pratique ensuite une intervention très délicate.

Cette méthode, cependant, ne doit être utilisée qu'en dernier ressort, quand toutes les autres ont échoué, car elle ne fait pas appel chez le chien au désir de satisfaire le maître mais à un contentement personnel.

Supposons que le chiot n'obtempère pas à l'ordre : « Assis. »

Lors de son repas du soir, on se tient debout devant lui en lui présentant son plat, empli de cette bonne nourriture qu'il aime, et on lui commande : « Assis. » Souvent, il fera la relation entre votre ordre et l'obtention de la nourriture. Il obéira.

On peut, pour lui offrir plusieurs chances, fragmenter la prise de nourriture. On lui présente une première fois l'écuelle contenant un tiers de la quantité habituelle. S'il obéit à l'ordre, vous lui donnez la ration et le félicitez.

Un quart d'heure plus tard, même opération, pour être sûr qu'il a bien assimilé l'ordre. Il refuse de s'asseoir ? Vous ne lui donnez pas le plat et renouvelez l'essai une demi-heure plus tard.

Si, à la fin de la soirée, il n'a toujours pas franchi cette étape de l'éducation, n'hésitez pas à l'envoyer coucher sans manger, tel un galopin puni pour mauvaise conduite.

Le lendemain matin, on pourra procéder à une autre tentative, mais en se comportant d'une façon dégagée, désinvolte, presque indifférente, comme si on considérait cet exercice comme secondaire — ce qui permettra, en cas d'insuccès, de sauver la face.

Souvent, une nuit passée l'estomac vide porte conseil et rend obéissantes les plus fortes têtes. Si tel n'est pas le cas, recommencez le soir même, mais là de façon ferme et solennelle.

Afin de bien ancrer cet exercice dans sa cervelle, on continuera de lui en demander l'exécution selon cette méthode deux ou trois soirs de suite. Bien sûr, cela n'empêchera pas, au cours de la journée, de le tester simplement en lui lançant l'ordre[1].

Quelques mots au passage sur la composition de la nourriture que vous donnerez au chiot nouveau venu.

Les premiers temps, elle sera identique à celle qu'il aura consommée chez l'éleveur depuis son sevrage.

Non seulement les bons éleveurs savent ce qu'ils font, mais le jeune chien, comme le petit de l'homme, déteste changer ses habitudes nutritives, et une modification importante de la composition ou de la saveur de ses repas pourra le perturber.

Lors de l'indispensable visite chez le vétérinaire, où vous ferez le point sur l'état de santé de votre nouvel ami et mettrez à jour le calendrier de ses vaccins, vous pourrez demander à l'homme de l'art d'utiles conseils sur le meilleur régime alimentaire à lui faire suivre.

Celui-ci pourra, si nécessaire, prescrire des vitamines, des éléments facilitant ou freinant le transit intestinal et surtout du calcium, sous toutes les formes possibles, comprimés ou... camembert.

Quand le chiot aura atteint l'âge adulte et que son régime alimentaire ne subira plus de grands changements, la question ne tardera pas à se poser à vous : dois-je ou non faire appel aux aliments industriels ?

Il y a, comme toujours, plusieurs écoles.

Depuis quelques années, les thèses écologiques ont fait leur chemin chez les amis des animaux, dont certains ne jurent que par une nourriture entièrement biologique ou « naturelle ».

Voilà qui est fort louable. Hélas ! une telle intransi-

1. Cette technique peut être utilisée avec le chien adulte que vous venez d'adopter.

geance pose des problèmes d'approvisionnement (tout le monde ne possède pas un jardin et les produits « purs » sont très chers) et me paraît un peu illusoire dans une Europe dont les vents et les pluies sont chargés en radioactivité et autres émanations chimiques...

Si vous n'êtes pas obsédé par la pureté, sachez que les aliments proposés actuellement dans le commerce apportent un certain équilibre énergétique nécessaire à votre chien ou à votre chat. Mais rien ne remplace la nourriture fraîche ou congelée (viande, poulet et poisson sans arête sont excellents, conditionnés de cette manière).

Pour ce qui est de la viande, une grande querelle oppose ceux qui conseillent de la donner crue, arguant du fait que c'est ce que les chiens mangeaient quand ils tuaient les animaux pour se nourrir par eux-mêmes, aux partisans d'une légère cuisson à la poêle destinée à tuer les microbes. Selon ces derniers, il n'y a plus grand-chose de commun entre la chair des animaux et la viande stockée conservée pendant des mois et sur laquelle prospèrent les germes pathogènes.

De même qu'il est évident qu'on ne les nourrit plus comme il y a trois siècles ou même cinquante ans (et là, n'embellissons pas le passé : les chiens étaient souvent réduits à manger les restes des repas, les chats condamnés à survivre grâce à la chasse aux souris), de même, bientôt, comme nous, ils consommeront des pilules — rassurez-vous, ce n'est pas pour demain.

Ne nous faisons pas trop de souci pour eux : ils pourront parfaitement s'adapter, et penser le contraire serait les sous-estimer.

Je veille, quant à moi, à fournir à Junior tous les éléments énergétiques dont il a besoin en lui donnant à chaque repas de la viande, du riz, des carottes et une cuillerée par jour d'huile de germe de maïs ou de tournesol, ainsi que de temps en temps un demi-camembert, des œufs crus, du poulet ou encore une boîte de thon ou de sardines, pour « casser » le rythme de la viande.

Contrairement à ce que l'on pourrait croire, il ne faut pas offrir trop souvent d'os aux chiens.

Certes, c'est bon pour leurs dents, leur psychisme et leur santé, mais cela provoque chez certains sujets des problèmes de selles [1]. Il est préférable d'en donner un qu'il ne puisse « broyer » (votre boucher saura choisir une partie du tibia). Il existe aujourd'hui dans le commerce de la poudre d'os qui se présente sous la forme de bâtonnets et qui lui apporte tous les éléments dont il a besoin.

Enfin, comme « chewing-gum-lave-dents », on peut demander à la boucherie du cartilage de bœuf. Le chien le mâchera longuement avant de l'avaler.

Quand il était bébé et m'accompagnait au club d'équitation, Junior voyait que j'offrais des carottes aux chevaux et, naturellement, en était jaloux :

« *Qu'est-ce qu'il donne à ces grands animaux et auquel je n'ai pas droit, moi ? Ça doit être délicieux.* »

Je lui en ai abandonné une ou deux. Il a joué avec et s'est habitué à les grignoter. Ce n'est pas pour leurs vitamines que ces légumes sont bénéfiques aux chiens, mais parce qu'ils facilitent le transit intestinal, à condition qu'ils aient été bien cuits.

Junior, parce qu'il se dépense beaucoup, mange beaucoup.

Si votre chien est de petite taille ou fait peu d'exercice, évitez de trop le nourrir, sous peine de le rendre obèse.

Ceci concerne principalement les chiens et chats des

---

1. Le chien « fait du plâtre », ce qui peut entraîner des déchirements de l'anus.

villes. Ce ne sont pas deux ou trois sorties hygiéniques de dix minutes par jour, je l'ai dit, qui permettent aux chiens d'éliminer leur graisse superflue et de se faire du muscle. Quant aux chats, la plupart ne courent plus les gouttières depuis longtemps et restent tranquillement au salon, leur plus grande activité consistant à sauter du canapé sur le tapis et du tapis sur le fauteuil...

Nos amis à quatre pattes sont à notre image, nous, citoyens de pays industrialisés qui nous nourrissons trop.

Idéalement, nos compagnons devraient sortir de table avec une petite faim, comme les diététiciens le recommandent pour nous-mêmes. Si nous appliquons rarement ce saint principe, du moins devrions-nous en faire bénéficier nos animaux.

Pour combattre cette obésité, il ne serait pas mauvais d'instaurer une mini-diète, une fois par semaine (le Coran, la Bible et l'Évangile ne la conseillent-ils pas pour les humains ?).

Mais il ne faudrait pas compenser cette mesure... par une double ration le lendemain ! Pour atténuer les rigueurs de cette pratique, on peut ne pas l'appliquer une journée entière et se contenter de ne supprimer qu'un seul repas.

Rien ne vaut cependant l'exercice : les spécialistes affirment qu'en dehors des promenades hygiéniques, un chien devrait pouvoir se dépenser à peu près une heure par jour, le chiffre variant avec la taille et la race.

Il s'agit d'un vœu pieux, car comment trouver le temps et l'espace nécessaires ?

Avant d'acquérir une maison de campagne, je jouais sur mon emploi du temps pour donner de l'exercice à Mabrouk.

Pendant le trajet aller et retour de mon domicile à mon bureau, j'arrêtais ma voiture avant d'emprunter la grande allée d'Auteuil.

Mab sautait sur le trottoir et je redémarrais, tandis qu'il trottait en restant toujours à la hauteur du véhicule. Lorsque nous arrivions à un carrefour, il stoppait net au bord du trottoir, attendant que j'ouvre la portière pour monter à bord et traverser le passage dangereux.

Seul inconvénient — mais majeur —, il faut éduquer le chien à un tel exercice. Être sûr qu'il ne descendra pas dans la rue, qu'il ne traînera pas derrière la voiture, etc.

Mab avait appris à passer du galop au trot au premier coup d'avertisseur ; deux coups, il stoppait.

Lorsque je suis contraint de rester plusieurs jours de suite à Paris, Junior se trouve privé d'exercice, bien qu'il ait la perspective de se défouler en fin de semaine à la campagne.

Longtemps obnubilé par sa fuite de Montparnasse, je n'ai pas osé lui faire la même confiance qu'à Mabrouk en le laissant se risquer seul sur la contre-allée.

Mais depuis quelque temps, je le sais assez réfléchi pour se lancer sur les traces de son « père » et les premiers essais m'ont montré que j'avais raison.

Tous les éducateurs s'accordent à dire que si un chien ne finit pas tout de suite sa ration, il faut la lui retirer aussitôt. Il comprendra ainsi que les repas se prennent à heures fixes.

Si la nourriture reste à sa disposition, il voudra manger à n'importe quel moment, ce qui entraînera des ennuis aussi bien d'intendance pour ses maîtres que de santé pour lui-même.

C'est donc une bonne habitude à prendre, qui peut d'ailleurs s'appliquer aussi bien au chat.

Avec Junior, je n'ai jamais eu à l'utiliser, car il est tellement glouton que son plat est nettoyé en quelques minutes.

Avec Mab, au contraire, j'étais obligé d'aller à l'encontre de ces recommandations. A cause de son pancréas malade, il chipotait, ne mangeait sa pâtée qu'en deux ou trois fois, malgré tous mes efforts pour la rendre la plus appétissante possible. Et je n'ai jamais eu le cœur de le brusquer...

La propreté, le trottoir

Après les besoins alimentaires, les besoins... tout court.

S'il est âgé de plus de trois mois, un chiot doit déjà avoir pris chez l'éleveur de bonnes habitudes — encore que de petits « accidents » soient toujours possibles.

Sortez-le souvent, en particulier après les repas, afin de multiplier les chances de le voir faire ses besoins à l'extérieur.

Dès qu'il répond à votre attente, félicitez-le avec les marques de la plus grande satisfaction.

En revanche, s'il est plus jeune, il est vraisemblable qu'il ne soit pas propre, tout au moins dans le sens que nous autres, êtres humains, donnons à ce terme : car le chien, selon ses critères à *lui*, l'est déjà, dans la mesure où il ne fait pas ses besoins à proximité de sa couche ou de son « aire » d'alimentation et ne souille pas son corps de ses propres déjections.

Sachons aussi que, lorsque nous affirmons qu'un chat est un animal propre, c'est là une appréciation où interviennent des critères spécifiquement humains : l'animal, en se donnant la peine de recouvrir ses défécations ou son urine, obéit simplement à l'instinct atavique de dissimuler ses traces... et non à l'envie de nous faire plaisir !

Un chiot qui fait ses besoins un peu partout dans la

maison n'a donc nullement conscience de se mal conduire. En outre, ses urines et ses selles font partie de son langage social. Elles lui servent non seulement à marquer son territoire, mais aussi à prendre contact avec d'éventuels congénères à qui il laisse ce message à interpréter (des substances spéciales contiennent des renseignements sur son sexe, son âge, le moment où s'est produit la défécation, etc.).

Si votre chiot n'a pas acquis de bonnes habitudes, vous disposerez des journaux sur une large feuille de plastique à proximité de son panier, mais pas trop près.

S'il accepte d'y déposer ses déjections, vous le féliciterez aussitôt, le caresserez, montrerez toute votre joie.

S'il les dépose autre part, inutile de lui « mettre le nez dedans », de le gronder, de lui donner des tapes. Non seulement tout cela n'aura aucun sens pour lui, mais vous vous exposez à obtenir un effet inverse à celui que vous escomptiez : dans son trouble, surtout s'il est de caractère très dominé, il peut vouloir vous montrer sa soumission... en urinant.

De plus, s'il a un grand besoin d'affection et qu'il se soit aperçu que faire ainsi ses besoins suscite votre colère, mais aussi votre attention, il récidivera...

Par principe, il faut savoir qu'en matière d'éducation, la récompense, les félicitations, la joie du maître ont beaucoup plus d'efficacité que la colère ou les sanctions.

On s'emploiera à privilégier au maximum la gratification au détriment de la répression.

La technique du journal peut présenter l'inconvénient d'habituer le chiot à faire exclusivement sur cette matière, au point de le voir parfois refuser de s'exécuter à l'extérieur, quitte même à malmener sa vessie. Il faut donc n'utiliser les journaux que le temps strictement nécessaire.

Dès que cela est possible, déplacez ces journaux vers

la porte d'entrée, chaque jour un peu plus, en réduisant progressivement leur surface, puis placez-les à l'extérieur. Tout naturellement, le chiot suivra ce trajet... et le problème sera résolu.

De cet apprentissage de la propreté nous pouvons déjà tirer deux enseignements.

Le premier est que le chien prend très vite des habitudes. Savoir les utiliser à notre profit, au lieu de les contrarier, aidera à le mener où nous voulons.

Second enseignement, qui découle d'ailleurs du premier : il ne faut jamais être pressé, mais, comme en diplomatie, avancer « à petits pas ».

Vient le moment où le chiot fait ses besoins dans la rue.

Reste à lui apprendre à bien se comporter dans ce nouvel univers.

On oublie souvent qu'une rue paraît d'abord effrayante, bruyante, hostile à ce petit être encore si impressionnable. Aussi n'aura-t-il pas été inutile, avant de le confronter à ce monde nouveau, de l'habituer aux bruits.

Dans l'appartement, faites-lui entendre la radio, la télé, en augmentant progressivement le volume.

N'hésitez pas à laisser tomber des objets métalliques (fourchettes, casseroles), à manier l'aspirateur.

Vous préviendrez ainsi ces frayeurs soudaines qui s'emparent des jeunes chiens, mais aussi parfois de plus âgés. Mabrouk, à quatre ans, s'est mis à avoir peur de l'orage [1].

Instruit par cette expérience, j'ai pris soin d'habituer Junior aux armes à feu, aux pétards et il a même eu droit à des feux d'artifice dans le jardin.

---

1. Ayant vu tomber à ses côtés, dans le jardin, des fusées d'un feu d'artifice tiré par les voisins qui ne m'avaient pas prévenu..., son réflexe gaulois a joué et il a eu peur lui aussi du « ciel ».

En soi, le fait qu'un chien éprouve des peurs subites n'a rien d'anormal, mais il risque, lors de l'une de ses paniques, de prendre la fuite en transgressant tous les interdits que vous lui aurez inculqués et d'exposer ainsi sa vie.

Le 14 juillet est, à cet égard, un « jour noir » pour nos compagnons. Le lendemain nous sommes submergés par les appels arrivant à l'émission « S.O.S. animaux perdus ».

Le chiot, donc, s'aventure dans la rue.

Bien entendu, *il sera tenu en laisse.* Il n'est pas question de laisser un chien divaguer quand on ne possède pas une totale maîtrise sur lui, c'est-à-dire quand il n'est pas lié à vous par une « laisse invisible » qui fait qu'au moindre appel, au moindre claquement de doigts, il revient au pied.

En même temps qu'il est impressionné, sur le qui-vive, le chiot sent son maître tendu, nerveux.

« Mon Dieu, espère ce dernier, qu'il fasse, n'importe où pourvu que cela ne soit pas à la maison, mais qu'il fasse..., ensuite, je lui apprendrai le caniveau... »

Je ne vous reprocherai pas de céder ainsi à l'angoisse, je crois bien que tout maître de chien y est sujet lors de cette promenade inaugurale.

Encore faudrait-il ne pas persévérer dans l'erreur...

Un jour, je me promenais avec une amie à qui on avait offert quelques semaines auparavant un chiot. Nous bavardions, tandis que le chien découvrait avec plaisir les odeurs de la rue, humait à l'aventure. Tout en parlant, pour m'amuser, je lui ai lancé un petit caillou...

« Oh, non, il ne fallait pas ! » s'est écriée sa maîtresse. Elle était crispée, désolée.

« Il allait faire ! » m'a-t-elle expliqué.

Ainsi donc, tout en poursuivant la conversation, elle

ne l'avait pas quitté des yeux, guettant le « moment où »..., et j'avais tout perturbé !

Nous avons dû prolonger la promenade de vingt minutes.

En fait, par son attitude même, elle communiquait sa propre peur à son compagnon. Il était à craindre que les événements ne se déroulent encore longtemps de cette manière...

Pour ne pas tomber dans cette erreur et ne pas transformer ce qui devrait être des promenades en véritables chemins de croix, agissez en maîtres et en citoyens responsables : *tirez le chiot vers le caniveau.*

Oui, je sais, c'est plus facile à dire qu'à faire car, souvent, ledit caniveau est inaccessible, dans nos cités encombrées, encombré qu'il est lui-même de voitures garées pare-chocs contre pare-chocs.

Et puis, vous pensez qu'en tirant trop sur la laisse, vous risquez de perturber votre compagnon, d'interrompre ce qu'il avait si bien commencé...

C'est vrai que le chiot, à ce moment précis, se trouve dans une position délicate et fort inconfortable. Dans la nature, l'opération se déroule presque en cachette, à l'abri de ses ennemis potentiels. Là, le chien est en terrain découvert et expose son corps.

Soyez ferme, cependant, obligez-le très tôt à se montrer un animal de bonne compagnie. Cela s'imprimera facilement et durablement dans son esprit encore vierge.

Si, au contraire, vous pratiquez la politique du « laisser faire » sous prétexte qu'il est encore trop jeune, vous ne ferez que repousser, donc aggraver, les problèmes.

Quand vous vous déciderez enfin — parfois poussé par les regards hostiles ou les remarques acerbes des passants — à tirer votre nouvel ami vers le caniveau, il ne comprendra pas, toujours logique avec lui-même, que vous lui interdisiez soudain ce que vous lui aviez permis auparavant.

Et le propre d'une mauvaise habitude, c'est qu'elle s'acquiert facilement mais se perd difficilement.

J'ai habitué Junior à faire ses besoins dans le jardin, puis sur le large trottoir de terre de l'allée d'Auteuil. Très logiquement, il a voulu agir de même dès qu'il s'est trouvé à Montparnasse : pas question d'aller ailleurs que sur un petit bout de terrain, près d'un groupe d'arbres ! Tout gentil et bien élevé qu'il est, j'ai dû batailler ferme pendant plusieurs semaines pour qu'il consente à utiliser le caniveau... quand il n'avait ni terre ni gazon à sa portée.

Cette habitude de la terre meuble a fait que, jusqu'à l'âge de vingt mois, il urinait « à plat » comme une chienne. Je ne me suis pas trop inquiété, car son père aussi avait été « en retard ».

Au début, avec Mab, je m'étais fait du souci : pourquoi ne remplissait-il pas cette fonction comme les autres [1] ?

Cette idée m'a obsédé un certain temps et je me souviendrai toujours d'un épisode qui se déroula un soir, en plein Paris, avenue George-V.

Désespérant de parvenir à lui expliquer ce que j'attendais de lui, emporté par mon argumentation j'ai imité l'action d'uriner contre un arbre mais, *en levant la jambe,* pour lui donner l'exemple.

Qu'a pu alors penser de moi mon brave copain ? Et les rares passants ?

S'il est relativement facile d'apprendre le caniveau à

---

1. En fait, les bergers allemands sont souvent en retard pour « lever la patte » par rapport aux autres races.

un chiot, l'opération apparaît un peu plus ardue avec le chien adulte adopté qui a pris de mauvaises habitudes, ce qui est souvent le cas.

Là encore, il faut mener une action « à petits pas », mais attention, *dès les premiers jours,* le tirer d'abord vers une butte de terre ou un arbre, de préférence au caniveau. Gagnez cinquante centimètres, un mètre, soyez patient et obstiné...

Peu à peu, le chien aura compris ou, tout au moins, interprété à sa manière : « *C'est curieux, dès que je me mets en position de faire mes besoins, mon maître me tire dans cette direction...* »

Il va accepter ce qu'il prend pour une lubie, sans que son psychisme en soit autrement perturbé.

Soyez certain qu'au bout de deux ou trois semaines, que le chien soit âgé de deux ou de six ans, il se comportera bien.

Bien sûr, comme pour le chiot, caressez, félicitez, manifestez la joie la plus extrême dès qu'il se sera acquitté de sa besogne.

Très vite, les chiens bien éduqués choisissent, au cours de leur promenade hygiénique, un ou deux endroits de prédilection. On a pu d'ailleurs constater que, si le maître change d'itinéraire et ne passe plus par ces endroits, son compagnon s'abstient et même en vient à se constiper avant d'élire, faisant contre mauvaise fortune bon cœur, de nouveaux lieux pour faire ses besoins.

Ce problème de la promenade hygiénique, notre société, pourtant riche en inventions et en gadgets, n'a pas encore trouvé le moyen de le résoudre.

Nombreux sont ceux qui dénoncent la pollution canine de nos villes, parfois avec raison, parfois avec une véhémence qui peut paraître partisane : ne pourraient-ils pas utilement réserver une part de leur indignation aux gaz d'échappement ou aux pluies acides, aux peaux de banane, aux papiers gras, aux crachats, certes moins immédiatement constatables, mais autrement plus dangereux ?

Certains maîtres, comme mon père, ont habitué leur animal à utiliser une litière dans l'appartement (dans son cas, celle-ci se trouve sur le balcon). D'autres ont même dressé leur chien à utiliser des toilettes à la turque. Mais de telles initiatives sont rares.

Peut-être dans les décennies qui viennent consacrerons-nous un coin spécial dans la maison pour nos compagnons, avec jet d'eau et broyeur ? Ce n'est pas impossible !

Cela peut se retourner contre nos amis, car quelques maîtres, n'ayant plus l'obligation de les sortir pour leurs besoins, les condamneront alors à une vie confinée. Ce dont les chiens souffriront alors, ce n'est pas tant du manque d'exercice (chihuahuas et yorkshires, pour ne citer qu'eux, peuvent assez bien s'en passer) que de la disparition d'un plaisir.

Car c'est bien d'un plaisir qu'il s'agit, lorsque l'un de nos compagnons s'aventure dans la rue ; il analyse dix, vingt odeurs, se livre à de véritables enquêtes pour les interpréter, ressent l'émotion intense de découvrir *qui* est passé avant lui et *quand*... tout en respectant les impératifs de la vie en société, c'est-à-dire en se comportant en « chien-citoyen »...

Encore faut-il que la société fasse aussi son devoir.

Si nous autres, maîtres de chiens responsables et amis des bêtes, obligeons nos compagnons au silence et à la propreté, agissons pour que les autres maîtres de chiens nous imitent, et exigeons de nos édiles qu'ils prennent leurs responsabilités.

La solution à la pollution des cités, ce ne sera sûrement pas une quelconque taxe frappant les propriétaires de chiens ; nous savons par expérience que son montant ne servira qu'en partie à résoudre le problème, et qu'elle touchera les gens de condition modeste, pour qui nourrir un chien représente déjà, souvent, un sacrifice.

On pourrait d'abord installer de petits édicules munis d'eau courante. Ceux qui ont été expérimentés dans quelques villes donnent une satisfaction mitigée et sont encore trop peu nombreux.

Je propose aussi que chaque nouveau parcmètre planté comporte à sa base une petite bande de terre. Il pourrait en être de même pour les arbres. On peut enfin installer des distributeurs automatiques de « sacs-gants » de plastique... que l'on jettera dans le caniveau.

Alors seulement on pourra infliger des amendes aux propriétaires de chiens négligents.

Mais pas avant...

Il faut cependant comprendre le dégoût des passants : non seulement le spectacle n'est pas agréable mais, depuis toujours, nous portons en nous l'idée qu'un chien est sale, comme en témoigne l'anecdote suivante : certains soirs, je m'efforce qu'ils soient le plus rare possible, Junior et moi ne sommes pas à la maison à l'heure de son repas.

Ce n'est pas lui, je l'ai déjà écrit, qui montre des signes d'impatience, mais moi.

Récemment, après une séance de montage qui s'était prolongée plus que prévu, je devais me rendre chez des amis.

Rien à donner à manger à Junior, même pas la possibilité de passer à la maison, le réfrigérateur était vide. Il fallait que je trouve une boucherie ouverte. A 20 h 30, c'était douteux. Après avoir erré au volant de ma voiture, j'ai déniché un traiteur à qui j'ai acheté 500 gr de rosbif cuit en lui cachant que mon chien en serait le dégustateur, car je me sentais un peu coupable.

En fait, mes amis avaient pensé à préparer un petit « fricot » pour Junior.

Alors, tout naturellement, j'ai proposé : « On pourrait manger le rosbif que j'ai acheté en route ? »

« Ah oui, on manque un peu de viande. »

J'ai eu alors la malencontreuse idée de préciser que je l'avais acheté pour Junior. Une légère gêne a plané un instant sur les convives..., qui ont néanmoins fait honneur aux tranches de viande.

Leur réaction m'a rappelé une séquence de la « caméra cachée » de la télévision américaine, qui se déroulait dans une grande surface. On proposait une dégustation gratuite de saucisses. Les gens arrivaient et on les voyait manger avec appétit. Subrepticement, un panneau était posé sur le comptoir portant l'inscription : « Saucisses pour chiens ». La caméra, cruelle, montrait alors les dégustateurs s'empresser de recracher ce qu'ils mâchaient avec tant de plaisir...

Séparation et aboiement

Très vite, le chiot doit aussi apprendre à se bien conduire quand il est séparé de vous.

Commencez par profiter de l'un de ses nombreux petits sommes pour vous esquiver, en ayant pris soin de laisser à ses côtés ses objets préférés, qui l'aideront à accepter sa solitude.

Revenez quelques minutes plus tard.

Nouveau départ, nouveau retour, qu'il dorme ou qu'il soit éveillé et vous cherche. Agissez le plus naturellement du monde, sans paraître prêter à l'événement la moindre importance.

Ainsi habituerez-vous son esprit à tolérer votre absence, considérée par lui comme un fait banal, sans gravité, puisque vous allez revenir.

Peu à peu, prolongez la durée de vos sorties.

S'il gémit et gratte la porte, laissez-le un peu s'exprimer — il se peut qu'il se lasse. S'il insiste, revenez. Grondez-le gentiment, mais fermement, car il ne faut pas qu'il s'imagine non seulement que c'est un jeu, mais surtout qu'il n'a qu'à pleurer pour susciter votre retour.

Il doit être à la fois *déconcerté* et attentif à tout ce qui se passe pour en tirer d'utiles conclusions, comprendre ce que vous attendez de lui et modifier sa conduite.

En ce qui concerne le chien adulte recueilli, ou bien il a déjà une certaine expérience de la solitude et, fataliste, il vous laissera partir aussi longtemps que vous le désirerez sans manifester son désarroi, ou bien, traumatisé, il deviendra véritablement hystérique au moindre départ.

Dans ce cas, qui est heureusement très rare, ne le laissez pas s'installer dans son stress, revenez aussitôt, restez en sa compagnie une heure ou deux après l'avoir gentiment grondé, pour le principe, et faites à nouveau un essai.

Il se peut, si son traumatisme n'est pas trop profond, qu'il ait compris que vous allez revenir et se montre plus sage. Mais ne vous étonnez pas s'il hurle à nouveau : il arrive que les plaies de l'abandon soient très longues à se cicatriser... Recommencez l'exercice deux ou trois jours plus tard, en le graduant au maximum (les « petits pas » toujours...).

Ce qui est important dans tous les cas, c'est de profiter du moindre silence du chien que vous « testez » pour le féliciter (sans trop d'effusions cependant car, départ et arrivée, j'insiste, doivent être banalisés). Vous sortez..., surpris, le chien ne dit rien... Revenez avant qu'il ne commence à gémir ou aboyer. Répétez plusieurs fois la manœuvre.

Évitez de lui laisser faire la « faute » ; intervenez avant. Au bout de quelques exercices, amusé par le stratagème, le chien croira toujours que vous allez revenir tout de suite.

N'oubliez pas non plus quand vous sortez de laisser la radio ou la télé allumée ; c'est un bruit familier qui meublera sa solitude.

Pour certains cas extrêmes, vous pouvez faire appel à la technologie la plus récente : placez une cassette sur laquelle vous aurez enregistré votre voix, dans un magnétophone réglé pour se déclencher au moindre bruit[1].

Dès que votre chien commencera à gémir ou à aboyer en votre absence, il entendra dans un premier temps vos paroles rassurantes et peu à peu, s'il s'obstine, la « voix de son maître » le grondera, le rappellera à l'ordre, de plus en plus durement.

Vous prendrez soin, de temps en temps, d'enregistrer un nouveau message.

En désespoir de cause, quand tout à échoué, et que le vétérinaire n'a rien diagnostiqué du point de vue nerveux qui justifie l'emploi de calmants, on peut fait appel au « collier anti-aboiements ». Muni de piles, celui-ci, à chaque fois que le chien donne de la voix, envoie une petite décharge électrique dont on peut varier l'intensité.

Je m'empresse de rassurer mes lecteurs : ce collier, pour l'avoir moi-même expérimenté (sur ma gorge), ne provoque, je peux l'affirmer, que de légers picotements désagréables sur l'épiderme.

Lorsque, au plus petit aboiement, l'animal reçoit

1. On trouve désormais ces « magnétoscopes à commande vocale » dans le commerce.

cette mini-décharge, il est d'abord étonné. Puis il comprend que cette sensation ne se produit pas s'il reste silencieux, et en tire les enseignements logiques.

Par la suite, même dépourvu de piles, cet accessoire gardera la même efficacité[1].

Si la séparation de la journée n'est pas facile à faire accepter, que dire de celle de la nuit, qui exige des deux partenaires une certaine force d'âme !

Je comprends fort bien qu'on soit tenté d'accueillir dans sa chambre ce petit être si vulnérable, si émouvant, dont on vient de faire la connaissance et avec qui, déjà, on se sent lié par un pacte profond. Comment l'abandonner à sa solitude ?

Il le faut, néanmoins.

Et ne dites pas : « Ce soir, il couche avec moi, mais plus tard, ce sera différent... quand il sera plus grand. »

Non. C'est maintenant — je l'ai déjà dit, mais je n'hésite pas à le répéter — qu'il doit prendre de bonnes habitudes, sous peine, plus tard, de vous causer des ennuis.

J'ai expliqué précédemment pour quelles raisons il faut instaurer une « zone de décompression » entre le maître et son compagnon. Cette conviction énoncée, je ne voudrais pas culpabiliser les maîtres qui prennent grand plaisir à regarder leur chien dormir au pied du lit, voire même sur leur propre couverture.

A dire vrai, souvent, ce n'est pas l'envie qui me manque de les imiter et je dois parfois me faire violence pour me séparer de Junior.

Si vous voulez suivre mon exemple, il faut, dès le

1. On teste actuellement un collier qui libérerait, à chaque aboiement, de la citronnelle, odeur que le chien n'aimerait pas.

premier soir, que vous fassiez dormir le chiot dans une autre pièce.

Vous pouvez avoir la chance que son éleveur ait pris la précaution, durant les derniers jours avant son départ, de l'isoler pour la nuit. Dans cette hypothèse, vous n'aurez pas trop de problèmes. Malheureusement, cette pratique — en vogue dans les maternités — est encore peu courante dans les élevages.

Attendez-vous à souffrir, car il est probable que le chiot va gémir, hurler même, de tout son corps. Il vous réclamera en exprimant une telle douleur, une telle souffrance, que vous devrez lutter pour ne pas céder.

Pourquoi ce petit bonhomme, qui ne vous connaissait pas il y a quelques heures encore, tient-il absolument à rester près de vous ?

Car ce n'est pas sa mère qu'il réclame, mais cet être bipède dix fois plus grand que lui, qui l'a déjà un peu houspillé et tient à le faire obéir à d'obscures lois.

Par quel mystère s'est-il à ce point attaché à vous ? *Sait*-il déjà que vous êtes son maître ?

Si le chien adulte, en général propre, a le droit de coucher dans le salon, c'est dans la cuisine qu'il est le plus pratique de faire dormir le chiot, en n'oubliant pas d'entrouvrir une fenêtre pour qu'il ait de l'air.

Vous prendrez soin de disposer à ses côtés les objets qu'il aime, dont l'un sera imprégné de votre odeur.

Certains recommandent de laisser brûler une petite veilleuse car le chiot peut ressentir les mêmes peurs, face à l'obscurité, qu'un bébé.

On conseille aussi de placer un réveil, entouré de chiffons, dont le tic-tac lui rappellera (!), s'il est très jeune, les battements du cœur de sa mère.

Vous avez tenu bon ? Le lendemain matin, il vous

fera la fête et vous saurez que vous avez réalisé un grand pas[1].

Le premier soir de notre vie commune, j'ai conduit Junior, vers 11 heures du soir, dans une petite écurie où j'avais installé une niche. Pour ne pas l'isoler totalement, je n'ai pas refermé la porte mais disposé un grillage l'empêchant de sortir. La séparation, bien sûr, a été déchirante...

Vers minuit, alors que je regardais le dernier programme de la télévision, j'ai entendu un choc sourd contre la porte d'entrée de la maison.

Je suis allé ouvrir... pour découvrir mon bébé, agité, frétillant et implorant à la fois : ce petit morveux de trois mois, avec une force incroyable, à coups de dents et de pattes, avait mis le grillage en pièces pour courir me rejoindre !

L'émotion m'a envahi.

Mais après l'avoir accueilli, caressé, j'ai dit fermement : « Maintenant, chacun va se coucher. »

Je l'ai reconduit à l'écurie, dont j'ai pris soin, cette fois, de refermer soigneusement la porte.

Et je l'ai quitté, la mort dans l'âme, tandis que ses plaintes résonnaient dans mon dos.

Une heure plus tard, il dormait profondément.

Le lendemain matin, les retrouvailles ont été extraordinaires.

Junior était entré dans le monde des hommes...

Maîtrise de l'agressivité

Autre apprentissage à entreprendre très tôt : la maîtrise de l'agressivité naturelle.

---

1. Cette séparation de la nuit peut surtout vous aider à mieux faire accepter la « séparation de jour ».

L'une des premières manifestations de cette agressivité apparaît quand le chiot, ayant mordillé un objet ou votre main, s'énerve, devient rageur et plante ses crocs plus profond.

Vers l'âge de trois ou quatre mois, le chiot a les mâchoires douloureuses, ses dents percent encore et il éprouve ce besoin de mâchonner qu'on observe chez les petits des hommes.

Puis vient la période où s'exprime son instinct de prédateur, inscrit dans ses gènes. Quel plaisir alors de happer, lacérer, c'est-à-dire s'entraîner au déchiquetage des proies ! A ce jeu, l'excitation vient très vite, puis la jouissance rageuse de détruire tout ce qui tombe sous la patte.

Certains maîtres trouvent très amusant que leur petit chien se fasse les dents sur leurs pantoufles.

Peut-être riront-ils moins quand, le plus logiquement du monde, l'animal s'attaquera aux rideaux, aux pieds de table, aux chaussures, aux bas de pantalons, y compris ceux des visiteurs !

Si aucune autorité ne vient endiguer ce trop-plein d'énergie et lui imprimer des interdits, le chiot deviendra rapidement invivable.

Il importe donc d'intervenir très tôt.

Tout d'abord, procurer au « prédateur » des objets de substitution, qu'il s'agisse de poupées de tissu, de boudins également en étoffe mais de consistance plus ferme, de hérissons de plastique, etc.

Dès lors, s'il mordille autre chose que cet objet, intervenez aussitôt, grondez-le, corrigez-le au besoin. S'il s'obstine, munissez-vous d'un petit pistolet à eau d'enfant et, lorsqu'il est en pleine action, envoyez-lui un jet dans la figure, *après un ordre auquel il n'aura pas obéi.*

Il sera douché, dans tous les sens du terme, surpris,

désemparé. On peut aussi, toujours à l'improviste, lui envoyer un petit objet métallique, genre briquet, trousseau de clés, etc. Ces punitions soudaines sont en général très efficaces, même plus tard chez l'adulte.

Si vous devez vous absenter et laisser votre chien dans l'appartement alors que cet apprentissage n'est pas terminé ou que l'animal se montre particulièrement dévastateur, vous pouvez limiter les risques de dégâts en l'enfermant dans une pièce comportant le moins possible d'objets vulnérables, où vous aurez placé une grosse boule de papier journal. Il s'acharnera sur elle, en fera des millions de confettis mais, grâce à ce « leurre », épargnera le reste du mobilier...

Il faut aussi savoir que le chien peut commettre des dépradations pour des raisons plus complexes que le plaisir de mordiller.

C'est, quelquefois, sa manière à lui de protester.

Mabrouk, quand je le faisais sortir dans le jardin et qu'il voulait revenir dans la maison, n'osait aboyer ou gratter à la porte pour me faire part de son désir. Il était donc contraint d'attendre que je me souvienne qu'il était dehors, ce qui l'obligeait à une certaine patience...

Un jour où j'avais, sans doute, dépassé les bornes, il s'en est pris à mes belles pivoines et les a totalement ravagées ! C'était là un geste de mauvaise humeur et une manière de « marquer le coup ».

Junior, qui n'a pas les scrupules de son père, n'hésite pas à gratter à la porte dès qu'il a envie de rentrer, si bien que mes pivoines et autres plantations ont toujours été épargnées...

Mais lui aussi a utilisé le saccage pour exprimer son mécontentement.

Un matin, en ouvrant la porte de l'écurie, je l'ai découvert nageant littéralement dans la matière plastique. Il avait complètement lacéré son panier-coussin.

Sans doute énervé d'attendre ma venue, il avait donné un premier coup de dent, faisant jaillir de petits cubes de mousse... Le reste avait suivi, le plaisir, l'excitation se mêlant à la colère.

Il me regardait avec, dans les yeux, un mélange de peur, de honte, mais aussi, je l'ai bien senti, de jubilation, cette jubilation qu'ont les petits enfants de marcher dans la boue, de se salir, de faire tout ce qui est interdit.

Malgré le rire intérieur qui me gagnait, je l'ai tancé lestement. Quant à son panier, qui d'ailleurs était déjà trop petit, je ne l'ai pas remplacé.

Junior avait huit mois quand il a commis sa première et unique dépradation « réfléchie ».

C'était aux sports d'hiver. Il était déjà un beau petit jeune homme, qui se tenait très bien partout. Nous avions loué une voiture à bord de laquelle, exceptionnellement, il pouvait s'installer sur la banquette arrière car sur le sol, le pont de ce 4 × 4 le gênait.

Un soir, les amis chez qui nous dînions ayant un peu peur des chiens, je l'ai laissé dans la voiture, devant leur chalet.

Au cours du repas, je ne pouvais m'empêcher de penser à ce chiot qui m'attendait à l'extérieur, dans la nuit. Certes, il avait maintenant l'habitude d'être séparé de moi, mais ici, dans cet environnement inconnu, à bord de ce véhicule inconnu, n'allait-il pas penser que je l'abandonnais ?

A la fin du repas, n'y tenant plus, je suis sorti lui dire un petit bonsoir et voir comment il se comportait.

Me voyant arriver, il s'est assis sur la banquette et m'a regardé, les oreilles pointées. Je lui ai fait un peu de conversation et suis reparti, tranquillisé. Tout se passait bien.

De retour parmi mes amis, je leur ai dit fièrement :

« Ah, il est parfait, quel chien ! » Et la soirée a continué.

A une heure assez tardive, nous avons pris congé de nos hôtes et avons rejoint la voiture.

Là, ouvrant la porte arrière, j'ai eu l'impression qu'un cyclone s'était abattu sur le véhicule...

La banquette était complètement éventrée, et recouverte d'un flot de mousse synthétique !

Junior s'était acharné dessus, l'avait lacérée, littéralement réduite en miettes.

Que s'était-il passé ?

Pourquoi, calme et raisonnable quand je l'avais quitté, s'était-il transformé en animal furieux ?

Alors qu'il attendait gentiment, patiemment, j'étais venu le perturber et, surtout, lui donner une *fausse joie :* il avait cru en me voyant que je venais le chercher ou que nous allions repartir, en tout cas que l'attente était finie.

Mais non, après lui avoir dit quelques mots, je l'avais quitté... pour combien de temps encore ? Déçu, dépité, puis rageur, il avait voulu exprimer sa colère.

Maintenant, il était calme, ne montrant ni honte ni inquiétude. Il semblait me dire : « *C'est de ta faute, tu n'avais qu'à me laisser tranquille, si tu ne voulais pas de moi.* »

Calquant mon attitude sur la sienne, je n'ai manifesté aucune colère. J'ai fait celui qui ne s'était aperçu de rien — ce qui n'a pas été très facile... — et nous sommes repartis.

D'aucuns pourront me dire : « Il fallait le punir, car rien ne l'empêchera désormais de récidiver, de prendre les banquettes de voiture pour d'énormes chewing-gums ».

Sans doute n'ont-ils pas tort.

En fait, j'ai agi par pur instinct, en « sentant » mon chien et en faisant appel aux données inconscientes que j'avais déjà accumulées sur lui.

La suite des événements m'a donné raison.

Junior ne s'est jamais plus attaqué aux banquettes des voitures.

En y réfléchissant, je crois comprendre pourquoi mon comportement avait été payant.

Junior était assez fier, secrètement, du carnage qu'il venait de commettre, destiné à faire passer le message « *Si tu me traites comme cela, je ferai rien que des bêtises.* » Or, mon absence de réaction lui avait fait penser que cette menace ne pouvait pas m'atteindre.

Si je m'étais mis en colère, je serais, d'une certaine manière, entré dans son jeu. Là, j'y échappais. Je continuais à être supérieur à Junior, à tenir mon rôle de maître...

Revenons à l'agressivité. Très tôt, le chiot peut être enclin à vous mordre.

Si, excité par le jeu ou, sur un brusque coup de colère, il vous donne un coup de dent, punissez-le aussitôt sévèrement, et sans aucune hésitation [1]. S'il recommence, ayant pris la punition pour un incident de jeu, montrez-vous plus dur encore.

Il faut qu'il finisse par céder et reconnaisse votre supériorité, même si cela doit aller jusqu'à le frapper. Ne dites pas : « Cette agressivité est naturelle car il a besoin de s'affirmer, et si je le punis, non seulement je risque de le traumatiser mais, face à d'autres chiens, il n'osera pas se défendre. »

---

1. Je précise bien : un véritable coup de dent... Il ne faut pas confondre avec un mordillement ou même avec des « pressions de mâchoires », quand le chien cherche à savoir jusqu'où il peut aller... Faites en sorte, par une tape sur le museau..., que ce ne soit pas trop loin.

Ici encore, ce serait le sous-estimer : il saura parfaitement faire la différence entre le mouvement de mauvaise humeur auquel il se sera laissé aller — et qui aura été sanctionné — et le combat contre un autre chien.

Quant au besoin de s'affirmer, ce n'est pas *contre vous* qu'il doit le satisfaire, mais *grâce à vous,* par l'apprentissage de l'obéissance, qui entraîne une maîtrise sur lui-même.

Sachez que si vous ne brisez pas dans l'œuf cette tentation de vous mordre, même légèrement, même par jeu, vous introduirez en lui une certaine perturbation :

« *Quoi,* pensera-t-il, *je peux m'en prendre au dieu qu'est mon maître exactement de la même manière qu'à mes congénères ou mes " poupées " ? Mais alors, cela signifie-t-il que je n'ai plus de maître ?* »

Moi dont les chiens tiennent une si grande place dans la vie, moi qui les aime d'une façon souvent déraisonnable — on ne peut sans doute faire « pire » dans le genre —, j'ai toujours veillé à ne jamais me laisser dominer par eux.

J'ai raconté dans *Mabrouk, chien d'une vie* comment celui-ci avait mordu un vétérinaire coupable de lui avoir fait, quelque temps auparavant, une manipulation douloureuse. Non seulement je l'avais réprimandé et puni, mais, pendant quelque temps, chaque fois qu'il devait recevoir des soins, je lui serrais le museau avec une lanière, ce qui lui déplaisait fort.

Je peux garantir que cela ne l'a aucunement traumatisé et que, dans son esprit, était gravée cette équation : « *J'ai mordu, il ne fallait pas, j'ai été puni.* »

Lorsque je lui ai appris à attaquer et à mordre sur commande, il s'est montré très bon élève, nullement inhibé par cette punition, contrairement à ce que m'avaient affirmé des « professionnels ».

Qu'est-ce qui peut conduire un chien à mordre son maître, à se révolter contre lui ?

Il peut être atteint d'une tumeur au cerveau ou d'une quelconque malformation provoquant la folie, péripéties que l'on rencontre plus souvent dans les races « non fixées » dont on produit un trop grand nombre de sujets sans surveiller suffisamment leur psychisme. Anatomiquement, ils présentent tous les canons de la race, psychologiquement, ils sont fragiles.

Au moindre doute, une visite chez le vétérinaire s'impose.

La sexualité est aussi un facteur d'agressivité *passagère.*

Ik, l'épagneul rouennais de mon père, la crème des chiens aimant son maître à la folie, a été la proie, un beau jour, d'une crise sexuelle.

Il s'est mis à montrer les dents, à gronder dès que papa s'approchait de lui. Seule ma sœur trouvait grâce à ses yeux, et il considérait tous les hommes comme des rivaux.

La crise battait son plein lorsque je suis venu leur rendre visite. Non sans une certaine présomption, j'ai cru pouvoir régler le problème en faisant acte d'autorité. J'ai « enguirlandé » Ik qui, dans un premier temps, a paru sensible à ma fermeté. Terrorisé, il a émis quelques gouttes d'urine en entendant ma grosse voix et s'est sauvé dans la chambre, pour cacher sa honte, me semblait-il.

Après une demi-heure, il est revenu, a sauté sur le divan à côté de mon père. J'ai alors pensé que tout était réglé.

Mais quand son maître a voulu le caresser, l'animal s'est reculé en grondant. « Ne cède pas, insiste », ai-je conseillé à papa. Celui-ci a écouté, a avancé la main... et le chien l'a mordu.

Bien sûr, il n'a pas refermé violemment ses mâchoires, ce qui aurait pu causer beaucoup de dégâts, quand on connaît la pression que celles-ci peuvent exercer (et qui peut dépasser 800 kg/cm^2 chez le berger allemand).

C'était néanmoins un acte de révolte caractérisée.

J'ai demandé à mon père de lui donner une tape, de le gronder et j'ai ordonné au chien d'aller se cacher... et je suis parti.

Le lendemain le chien était « parfait », la crise était passée et Ik est redevenu le plus brave toutou de la terre.

C'était il y a huit ans... Il n'a jamais recommencé. Il a douze ans au moment où j'écris ces lignes. Lui et papa, qui a quatre-vingt-six ans, forment un « couple » que les habitués du vieux port de Nice... connaissent et saluent tous les matins. Que Dieu les garde !

Une autre circonstance qui peut amener un chien à mordre est la peur, surtout quand il ne voit pas d'autre solution pour se sortir d'une situation difficile, par exemple lorsqu'on l'accule contre un mur en le frappant, sans lui laisser de possibilité de retraite. Ce geste ultime de défense est d'ailleurs commun à toutes les espèces, même celles qui sont réputées les plus inoffensives.

La douleur aussi peut conduire un chien à mordre. J'en ai fait l'expérience avec Junior.

Vers l'âge de cinq mois, alors qu'il jouait au ballon avec un enfant, il s'est cassé une patte en faisant un faux mouvement.

Sans réfléchir, je me suis précipité pour tâter le membre blessé... Le pauvre ! La première fois, il a hurlé de douleur, la seconde il a « gueulé » et, comme je continuais de le triturer bêtement, croyant qu'il ne s'agissait que d'un tendon abîmé ou d'une crampe, il m'a mordu sèchement au poignet, mais sans forcer, pour me dire : « *Eh ! Tu me fais mal, arrête !...* » Son geste, dans ces circonstances, était tout à fait normal.

Vous devez donc dominer l'agressivité de votre chien, sinon ce n'est pas seulement vous ou les gens de votre entourage qui en feront les frais, mais aussi les visiteurs.

Les personnes les plus souvent confrontées à ce problème sont sans conteste les employés des P. et T., du Gaz ou de l'E.D.F.

L'évolution de notre société porte une part de responsabilité dans le phénomène. Autrefois, le facteur était un ami, porteur de bonnes ou de mauvaises nouvelles, qu'on invitait à boire un verre, avec qui l'on discutait. C'est au sein de cet environnement convivial que le chien le percevait et donc, il ne développait à son encontre aucune agressivité[1].

De nos jours, les préposés — qui changent souvent — sont des inconnus, des anonymes, qui n'ont guère de temps à perdre avec nous en supposant que nous en ayons à perdre avec eux.

Circonstance aggravante, ils portent un uniforme, ce qui les rend *différents* du maître, et donc suspects, *a priori.*

En outre, et on doit le déplorer, certains maîtres éprouvent un sentiment d'orgueil en voyant leur chien se comporter de façon agressive, et s'ils le grondent, lors de ces démonstrations de force, ils le font mollement, secrètement ravis.

Cela, le chien le sent parfaitement, si bien qu'il

1. Il est vrai aussi qu'à cette époque... beaucoup de chiens étaient « à la chaîne » !

interprète la petite réprimande comme un encouragement. Une telle attitude irresponsable contribue à répandre l'idée que les gros chiens sont des dangers publics et donc dessert la cause canine en général.

Chaque maître doit être parfaitement conscient que, s'il a le droit de se protéger en possédant un chien de garde, il n'a pas celui de terroriser autrui et de rendre éprouvant le travail des employés de l'administration. Il ne faut pas oublier que, tout au long de leur tournée, ceux-ci peuvent être soumis à la mauvaise humeur d'une dizaine, voire d'une vingtaine de chiens mal élevés[1]...

Lorsque vous recevez la visite d'un releveur de compteurs ou d'un préposé au courrier, si vous n'êtes pas sûr que votre chien se montrera hospitalier, enfermez-le tout simplement dans une pièce. Il n'en mourra pas et tout le monde sera content.

Si le chien est en cours d'éducation et n'a pas encore adopté une attitude définitive sur ce sujet, comportez-vous devant lui en ami du visiteur. Il comprendra que celui-ci doit être accueilli poliment.

Mais pour autant, il n'aura pas le même comportement avec tous les individus : je connais, à la campagne, une préposée au courrier, grande amie de l'émission, qui peut entrer à tout moment dans la maison sans que Junior manifeste la moindre hostilité.

En revanche, un livreur, pourtant familier, suscite sa mauvaise humeur (il n'ira jamais jusqu'à mordre) parce que, je le subodore, cet homme entretient avec la boisson des rapports étroits.

---

1. Depuis des années, le chiffre de 500 000 morsures par an était annoncé comme « officiel ». Une enquête sérieuse a montré qu'il avoisinait en réalité 15 000. Pour faire bonne mesure, nous l'avons doublé. C'est trop, beaucoup trop, mais nous sommes loin du demi-million ! Les P.T.T. annoncent, pour ce qui les concerne, 3 000 préposés mordus chaque année.

Or, le comportement d'un homme qui a bu inquiète le chien, car il le sent différent du maître, à moins que celui-ci ne taquine lui aussi la bouteille...

Malgré la meilleure éducation du monde, certains sujets restent ou deviennent des « mordeurs », allant jusqu'à tourner leur agressivité vers leur maître.

Ainsi que je l'ai précisé, on trouve à l'origine de ce comportement une « crise de sexualité » qui devient chronique. La vie en sa compagnie est alors insupportable : le chien est amour, pas haine.

Dans ce cas, la castration donne d'excellents résultats et il ne faut pas hésiter à y recourir.

Hiérarchie, jalousie, famille

Le chien doit apprendre à s'intégrer à votre environnement familial.

Très vite, il va établir une hiérarchie.

Au-dessus de tout, il y a le maître, pas forcément celui qui donne le plus souvent les ordres (la soumission n'est pas le critère de choix de l'animal) ni celui qui le nourrit (la reconnaissance du ventre n'intervient pas non plus comme élément déterminant).

Des facteurs plus subtils entrent en jeu, dont beaucoup restent mystérieux. Comment expliquer que des chiens s'attachent à des maîtres brutaux et même cruels, sinon par l'existence de ces liens étranges et passionnés que j'ai évoqués dans le chapitre précédent ?

Même au sein d'un couple très uni, où la femme et l'homme s'occupent du chien à part égale, ce dernier a tout de même une préférence pour l'un ou l'autre.

Lorsque des disputes éclatent dans ce couple, l'animal s'inquiète. Dans un premier temps, il montre qu'il n'aime pas cette rupture de l'harmonie, ce *désordre,* en aboyant, en se plaçant entre les deux protagonistes ou en allant de l'un à l'autre. Si la dispute est légère, il se peut qu'il soit un facteur de réconciliation.

Si la mésentente est plus grave et plus profonde, le chien se réfugie dans un coin, car cet éternel enfant est aussi un sage : pressentant que les choses peuvent mal tourner, il tient à s'en mêler le moins possible...

La séparation du couple est toujours mal vécue par un chien. Lorsque les choses se déroulent de façon raisonnable, c'est le préféré, le maître ou la maîtresse qui « obtient sa garde ». Son malheur est moins grand, mais *l'autre* lui manquera toujours.

Dans une moindre mesure, le chien de famille éprouve ce même tourment : il n'est jamais tout à fait content si l'un des membres, grand-parent, parent ou enfant, est absent.

Il n'est pleinement heureux que quand « tout son monde » est réuni.

Je me souviens d'une chienne qui, depuis huit ans, partageait la vie d'un couple de voisins. L'homme donnait des ordres, faisait preuve de plus de force, mais en réalité la chienne considérait la femme comme *la* maîtresse.

Lorsque le couple s'est séparé, la chienne a vécu avec sa maîtresse mais elle pouvait apercevoir, par la fenêtre, l'établissement où travaillait l'ex-mari, ce qui au lieu de la rassurer ne faisait sans doute que lui rappeler plus amèrement encore le bonheur passé.

Trois mois après cette rupture, elle qui paraissait en pleine santé est morte d'une crise cardiaque...

Il ne faudrait pas en déduire que la séparation est toujours fatale au chien, même si les récits abondent où l'on voit celui-ci se laisser mourir sur la tombe de son maître. Il possède aussi des capacités de résistance au malheur insoupçonnées.

L'arrivée d'un nouveau-né dans la famille peut soulever des difficultés avec le chien de la maison. Il voit qu'on s'occupe beaucoup du bébé, que tout le monde l'entoure, s'intéresse à lui. Il se sent alors délaissé et peut devenir jaloux.

Si, pendant les premiers jours, vous l'éloignez en lui criant sans cesse : « Va-t'en ! », vous accentuerez cette jalousie et cela peut le conduire à prendre en grippe cette petite boule de chair vagissante qui monopolise l'intérêt de tous.

Vous devez au contraire redoubler d'attentions pour votre ami à quatre pattes afin qu'il ne se sente pas exclu du cercle de famille. Associez-le à cette venue en lui présentant le bébé, en le caressant lui-même beaucoup plus que de coutume.

Parlez en même temps au bébé, faites entendre sa voix au chien, pour qu'il comprenne bien que cet « intrus » émet le même genre de sons que vous, donc qu'il appartient à votre espèce.

Le chien aura alors l'impression que, lui aussi, il accueille le bébé, au même titre que tous les autres membres de la famille.

Le surcroît de caresses dont il bénéficie lui fera aussi penser que cette venue ne lui aura rien fait perdre en affection, bien au contraire [1].

Restez vigilant, cependant, ne les laissez pas seuls ensemble. Le bébé émet des odeurs très fortes qui attirent le chien. Très excité, il sera tenté de sentir de plus près, de fouiller dans les langes, de bousculer ce petit être, et c'est ainsi que des accidents se produisent.

1. Je me souviendrai longtemps d'une scène à laquelle j'ai assisté, au cours d'un repas de baptême chez des amis. La marraine de l'enfant baptisé était accompagnée d'un petit king-charles qui

Si vous avez bien manœuvré, le chien se considérera assez vite comme le gardien du petit homme si faible encore, et se donnera la mission de le protéger.

Sachez que cette attitude, au demeurant si touchante, peut engendrer certains inconvénients. L'animal aura tendance à exagérer, gronder, montrer les dents quand un étranger s'approchera de son protégé. Il faudra alors intervenir très fermement, car il n'a pas à se montrer agressif sans que son maître le lui demande.

Les sœurs jumelles de l'un de mes confrères avaient compris très vite tout le parti qu'elles pouvaient tirer de leur « garde du corps », une femelle berger allemand.

Dès que leur père les menaçait d'une gifle, elles se couchaient par terre en hurlant. Immédiatement la chienne venait auprès d'elles, et grondait. Elles n'ont jamais été giflées...

Ayant acquis le sens de la famille et le respect de tout nouveau venu en son sein, le chien doit obéir à tous les membres de cette famille.

L'absence du maître ne doit pas le rendre incontrôlable, à la fois pour sa propre sécurité et celle des autres.

Vous devez savoir déléguer vos pouvoirs

L'instrument du pouvoir, le sceptre, c'est la laisse.

Il vous faut donc procéder à la « passation de la laisse », qui se fera en deux temps.

---

avait tenu à être à ses côtés. Entre eux, le couffin où se trouvait l'enfant.

Pas une fois au cours du repas le chien, qui regardait fixement sa maîtresse, n'a abaissé le regard vers cette *chose* qui s'agitait, vagissait sous ses yeux, et qui lui avait volé son idole. Manifestement, il ne se contentait pas de la mépriser, il l'ignorait superbement...

D'abord, après avoir mis le collier au cou de votre chien, vous tendrez ostensiblement cette laisse à la personne à initier. Le chien remarquera immédiatement cette manœuvre car, prêt à partir pour la promenade, il est attentif à vos moindres gestes.

Au début de la promenade, vous marcherez à côté de celui (ou celle) qui tient la laisse.

Puis, arrivés à un certain endroit convenu, vous partirez de votre côté.

Généralement, le chien voudra vous suivre, puisque vous êtes son maître. Vous direz « non » et montrerez la personne qui tient la laisse. Puis vous vous éloignerez et rentrerez à la maison de votre côté.

Assez rapidement, le chien aura compris.

Dans un deuxième temps, la personne à qui vous aurez confié la laisse partira seule en promenade avec le chien.

Assez vite aussi, il s'habituera à l'accompagner sans toutefois la considérer comme le maître à part entière. Il modulera son degré d'obéissance selon la personne qui l'accompagnera (car, bien sûr, elles seront plusieurs à se succéder).

Ainsi, il n'est pas rare que Junior, si je ne suis pas présent, rentre crotté d'une promenade parce qu'il s'est roulé dans la boue, ce qu'il adore. Il sait parfaitement qu'avec moi c'est interdit, mais qu'avec les autres on peut tenter le coup...

Il arrivait aussi à Mabrouk de se laisser aller à ces petits accrocs à l'obéissance, car ayant vécu longtemps seul avec moi, il n'acceptait qu'avec une certaine réticence l'autorité d'un tiers. Junior, lui, arrivé dans ma vie alors que j'étais plus entouré, se conduit en vrai chien de famille...

La marche à la laisse

Quelques mots sur la marche à la laisse, dont je rappelle qu'elle est obligatoire lorsque vous vous trouvez en ville.

Il est indispensable que le chien sache assez vite se déplacer correctement à vos côtés. Qui de nous n'a pas assisté au spectacle souvent comique, parfois navrant, d'un malheureux maître littéralement tiré à hue et à dia et s'épuisant à lancer des commandements aussi désespérés qu'inutiles à un animal qui, manifestement, n'en fait qu'à sa tête ?

Tout cela parce qu'on n'a pas eu le courage, ou plus généralement la patience, d'apprendre au chien à agir autrement.

Or, c'est primordial. Un chien, jeune ou vieux, gros ou petit, qui tire sur sa laisse, c'est non seulement fatigant, agaçant pour son maître, mais cela implique que l'animal, n'étant pas tenu en main, pourra constituer un danger pour lui-même comme pour les autres.

Certains dresseurs préconisent l'usage, pour les cas très difficiles, de colliers étrangleurs qui provoquent une douleur au cou de l'animal lorsqu'il exerce une trop forte traction.

Pour être efficace, cet accessoire demande à être manié par une poigne très solide. Certes, le maître, après quelques séances de poids et haltères, parviendra à tenir assez ferme pour dominer son compagnon, mais celui-ci ne pourra être confié à des bras moins musclés...

Il existe un autre collier de « contention », dont le principe est d'enfermer le museau du chien, ce qui donne de meilleurs résultats.

En fait, seul un véritable interdit, s'imprimant durablement dans l'esprit du chien, sera efficace.

Dès les premières promenades du chiot, il faut donc lui inculquer l'interdiction de tirer.

Jusqu'à l'âge de huit mois, il faut choisir, pour ce faire, des laisses de cuir assez longues, dont l'extrémité fera office de badine. Enroulée autour de votre main, vous en laisserez pendre le bout, dont vous vous servirez pour agacer un peu le museau de votre élève dès qu'il exercera une trop forte traction.

Il faut qu'il s'habitue à se tenir sur votre gauche, car votre main droite doit être libre pour tenir des objets, ouvrir des portes, etc. (et vice versa pour les gauchers !).

Pour les premiers pas, raccourcissez la laisse au maximum, contrôlez complètement la marche du chiot, quitte à ce qu'il colle littéralement à vos jambes.

Dès qu'il amorce un mouvement pour s'écarter, ramenez-le d'une petite traction sèche en criant « stop ». S'il s'obstine, vous lui donnez un petit coup sur le museau.

Très vite, il comprendra que, s'il s'écarte du droit chemin, des choses désagréables lui arriveront.

Dans le cas du chien adopté qui n'a jamais été tenu convenablement en main, le mieux est sans doute de le « mettre dans le vide ».

Alors qu'il exerce le maximum de sa force, ce qui pour lui est parfois un jeu, et aussi une bonne façon de vous tester, donnez brusquement du mou.

Cette absence de résistance inattendue le surprendra, le décontenancera, en même temps qu'elle le privera d'un point d'appui. Tirez alors sèchement à vous, pour lui faire comprendre qui dirige les opérations.

Après plusieurs de ces reprises en main, vous constaterez avec plaisir que votre nouvel élève abandonne sans regret ses mauvaises habitudes.

Tout naturellement, cette marche à la laisse vous servira à lui apprendre à traverser.

La traversée de la rue

Très tôt, faites comprendre à votre compagnon que traverser la rue est un acte *important.*

Pour cela, avant que le chiot ne s'engage sur la chaussée, arrêtez-le, pour lui indiquer qu'il existe là une frontière dangereuse à franchir et criez : « Stop ! » Attendez pendant une bonne minute, puis dites : « Allez », et traversez en le tenant serré.

Par la suite, ce processus devra toujours être respecté, en diminuant bien évidemment le temps d'attente avant le « allez ». Le chien saura que le droit de s'engager sur la chaussée ne lui est octroyé que par cet ordre.

Fait à noter : il comprendra assez vite la signification des feux de croisement : « Les lumières changent de position, les voitures s'arrêtent, il va me dire : " Allez. " »

Vous saurez que votre compagnon est « au point » la fois où, vous engageant machinalement sur la chaussée, vous sentirez la laisse se tendre car votre élève sera resté sur le trottoir, attendant cet « allez » que vous aurez oublié de lui ordonner.

Un beau jour, vous vous apercevrez que vous n'avez plus besoin de le tenir court pour qu'il chemine à vos côtés. Il vous escorte fidèlement, la laisse n'est plus tendue, il est parfait. Désormais, il est apte à passer au degré supérieur : « la marche à la laisse invisible ».

Plus besoin d'une lanière entre vous et lui, le lien qui s'est tissé entre vous le remplacera.

Un excès de prudence m'incite cependant à vous recommander d'attendre qu'il ait assimilé tous les ordres de base pour entreprendre ce nouvel apprentissage.

Parfaitement « tenu », il pourra alors déambuler sans que vous ayez à craindre une réaction imprévisible de sa part face à un congénère de rencontre au comportement hostile ou une chienne en chaleur qui l'entraînera dans son sillage. Le « pas bouger », le « stop » ou le « au pied », enfin le « sifflet d'angoisse », que nous allons étudier dans les pages qui suivent, seront autant de munitions dont vous pourrez faire usage.

Pour le préparer à sa future liberté, lors des marches à la laisse habituelles, tournez à angle droit, faites des huit, des stops soudains, des faux départs, etc., en ne manquant pas de congratuler votre compagnon dès qu'il « colle » parfaitement à votre itinéraire fantaisiste.

Le fait de ne pas vous lâcher d'une semelle sera assimilé dans son esprit à un jeu, et non à une corvée.

Le passage à la laisse invisible se fera par étapes, la transition étant assurée par une laisse avec enrouleur, permettant donc une plus grande liberté d'action, qu'on ôtera pendant des périodes de plus en plus longues au cours des promenades, en choisissant toujours un lieu calme.

Bientôt, vous pourrez le laisser marcher à vos côtés, aller et venir sans entraves.

Cependant, dès qu'il s'agira de traverser la rue, vous le tiendrez par le collier.

Pour ma part, j'use alors d'un ordre spécial, « à la main », dit sur un ton tranquille, qui à la fois apaise Junior et lui indique que là, on n'a pas à discuter, on ne joue pas. Il précède le « allez ».

Si vous adoptez cette technique, vous devrez la tester, en vous engageant sur la chaussée sans vous soucier de votre compagnon — lequel n'a plus la ressource de tirer sur la laisse pour rappeler sa présence.

Certains aboient, d'autres, comme Junior (et Mabrouk le faisait avant lui), ne disent rien et restent sur le trottoir.

Vous pouvez « peaufiner » ce test de l'interdiction de traverser sans ordre en marchant par exemple sur le trottoir opposé, et en demandant à votre élève, resté sur le sien, de vous suivre en parallèle.

Mieux vaut évidemment procéder à cet exercice dans une rue peu fréquentée, car vous ne serez jamais sûr que le chien ne se décidera pas soudain à vous rejoindre.

Plus tard, vous pourrez aussi jouer à la balle avec lui, vous la rapporter..., et soudain, dans l'excitation du jeu, vous jetterez celle-ci de telle manière qu'elle roule sur la chaussée.

Votre chien courra comme un fou derrière sa balle, mais devra « piler » au trottoir.

S'il descend, hurlez, rappelez-le au pied et administrez-lui une mini-correction. Soyez scandalisé... et recommencez l'exercice quelques jours plus tard.

Car il vous faut sans cesse garder à l'esprit que plus vous lui ferez confiance, plus vous devrez être vigilant. Même si vous croyez avoir tout prévu, à tout moment peut survenir... l'imprévisible...

Obstination, patience, douceur, autorité

Votre chien a maintenant assimilé les règles élémentaires du savoir-vivre.

De votre côté, vous avez pu tester vos capacités d'éducateur et apprendre l'obstination, la patience, la douceur et l'autorité.

Les tendances fondamentales du caractère de votre compagnon vous sont à présent connues (par exemple, s'il est curieux ou indifférent, distrait ou attentif, souple ou rétif, etc.). Ces tendances, il peut être intéressant de les comparer aux résultats des tests de Campbell que vous avez effectués précédemment.

A partir de ces nouveaux éléments de connaissance, vous allez pouvoir moduler l'éducation de votre élève en mettant l'accent sur ce qui peut remédier à ses défauts et en allégeant les exercices qui ne vous sembleront pas indispensables.

Pour que l'éducation soit menée de façon efficace, sans heurts et sans tension, il faut respecter un certain nombre de principes, au demeurant assez simples et obéissant tous à la logique la plus élémentaire.

Utilisation des aptitudes naturelles

Votre ami a des talents. Choisissez le moment où il les exerce pour lui enseigner certains ordres.

Supposons qu'il rapporte spontanément les objets qu'on lui lance en y prenant beaucoup de plaisir et ne se lasse pas de cet exercice.

Criez : « Allez » en jetant la balle ou le bâton au loin, et : « Au pied » quand il revient.

Vous trouverez d'autres situations vous permettant de pratiquer cette méthode « par assimilation » qui fera progresser votre chien très rapidement.

Vous pourrez également tirer profit de ce plaisir de rapporter dans un domaine qui ne fait pas spécifiquement partie du « dressage » : votre chien se méfie de l'élément liquide ?

Promenez-vous avec lui sur la rive d'un étang ou d'un lac (que vous connaissez bien) et lancez un objet qui flotte sur l'eau. Il y a gros à parier que, rapporteur inlassable, votre compagnon ne résistera pas à un tel appel, se précipitera bravement... et ne tardera pas à découvrir que ses craintes étaient infondées, que l'on peut nager et s'amuser beaucoup dans cette étrange mare...

Nécessité de créer un climat ludique

Les exercices au début ne doivent pas se dérouler dans une atmosphère studieuse ou tendue, mais, nous l'avons déjà dit, être un jeu, ce qui n'empêchera pas de ménager au chien des moments de détente totale au milieu des séances d'apprentissage.

Inversement, en plein jeu, on pourra lui lancer l'ordre qu'on est en train de lui inculquer, afin de le « gymnastiquer ».

Cette imbrication entre le loisir et l'apprentissage est indispensable pour le rendre plus coopératif et éviter qu'il ne se rebute.

Dosage des récompenses et des punitions

On doit toujours préférer les premières aux secondes, si l'on veut que l'animal progresse dans l'harmonie. Cependant, c'est d'une véritable palette dont vous devrez user dans chacun des deux domaines, en adaptant récompenses et punitions à chaque situation, de façon très graduée.

A vous de faire preuve de discernement et d'intuition.

Pour ce qui est des récompenses, il faut savoir sauter sur la moindre occasion : le chien vous donne un petit millimètre de satisfaction ? Manifestez aussitôt votre joie en le félicitant et le caressant.

Votre bonheur est le sien, ne l'oubliez pas, et pour vous rendre encore plus heureux il sera tenté de faire mieux. Certains maîtres obtiennent des résultats non négligeables de leurs élèves en leur donnant de petits morceaux de viande (prélevés sur leur ration, jamais offerts en supplément).

Une telle méthode ne peut être utilisée que pour « démarrer » et on doit assez rapidement l'abandonner au profit de récompenses purement affectives, du : « C'est bien mon chien » suivi d'une caresse, aux manifestations de l'enthousiasme le plus exubérant.

La bonne éducation ne peut échapper à la punition. Pour une légère faute, des reproches, une voix mécontente suffiront amplement.

Viendront ensuite les petites puis les grosses tapes, enfin, éventuellement, les mini-corrections, qui ne seront utilisées que dans les cas extrêmes.

Plus tard, vous pourrez en effet faire appel à la punition suprême : *l'indifférence, la bouderie,* sur lesquelles nous aurons l'occasion de revenir.

N'oubliez jamais que récompense et punition doivent toujours suivre immédiatement la réussite ou la faute car si l'on tarde, le chien risque de ne plus faire de lien entre l'acte et ses conséquences [1].

Obligation de ne pas rester sur un refus

Quand un cheval se dérobe devant un obstacle, son cavalier s'efforce de le lui faire franchir de nouveau et, en cas d'échec, lui fait sauter des barres plus basses, afin que l'animal sache qu'il doit obéir. Sinon, son acte de refus restera gravé dans sa mémoire comme une victoire et pourra engendrer des habitudes de désobéissance.

Cette règle d'or de l'équitation doit s'appliquer aussi à l'éducation de votre chien.

S'il échoue dans un exercice ou fait preuve de mauvaise volonté, obstinez-vous, diminuez au besoin

1. Je dis bien « risque » car souvent, un chien sait où et comment il a commis une faute.

légèrement la difficulté. Cette nécessité pour le maître de ne pas « perdre la face » est tellement importante qu'il lui faut parfois, devant un refus caractérisé, s'il n'a pas le temps nécessaire pour faire plier l'animal, recourir à la ruse.

Je citerai mon propre exemple : un matin, avant de partir pour Paris, j'ai eu l'idée (idiote) de demander à Junior bébé de me rapporter une balle que je lui lançais. Il a refusé, par caprice — sans doute déjà mis de mauvaise humeur par la perspective de rentrer à Paris.

J'étais ennuyé : je ne devais pas céder, je le savais, mais, en même temps, il me fallait aussi partir car j'avais des rendez-vous à honorer... et ce satané chien qui ne voulait pas obéir !

En fait, j'étais le principal fautif : j'avais contrevenu à un vieux principe bien connu dans l'armée et l'administration, selon lequel il ne faut jamais donner un ordre dont on n'est pas sûr qu'il sera exécuté.

Que faire ?

J'ai détourné la balle en corner.

Pointant le doigt, au hasard, vers la haie, je me suis écrié, en feignant le plus grand intérêt : « Qu'est-ce qu'il y a, là-bas ? Un chat, oui, c'est un chat ! »

Une seconde dérouté, Junior est allé voir de plus près.

Bien sûr, il n'a rien débusqué, mais au moins il avait oublié l'ordre précédent.

J'ai décidé alors : « Bon, on part. »

Junior m'a rejoint sans problème. Je n'étais pas très fier de mon subterfuge, à dire vrai un peu piteux. D'une certaine façon, j'avais triché avec mon copain, lui qui jouait franc jeu avec moi. Mais c'était pour le bon motif : je ne le laissais pas sur un refus, et puis, finalement, n'était-il pas, lui aussi, le bénéficiaire de cette éducation ?

Par la suite, j'ai dû, de nouveau, faire appel à cette

tactique de « l'événement soudain qui change le cours des choses ».

Parfois, il m'a semblé lire dans le regard de Junior cette interrogation : « *Mais qu'est-ce qui lui prend ? Il ne sait plus ce qu'il veut... il est fou ou quoi ?* »

Il m'est même arrivé de penser qu'il n'était pas tout à fait dupe..., mais ce n'était sûrement qu'une impression...

Choix d'un vocabulaire adapté pour énoncer les ordres

Ceux-ci doivent être courts pour être efficaces. Si vous vous habituez à faire des phrases, vous risquez tout d'abord d'en varier le texte, ce qui peut dérouter votre élève. Mais surtout, le jour où il devra obéir au dixième de seconde près, la longueur de votre ordre lui fera perdre du temps.

Dans ce domaine, évitez de baptiser votre chien d'un nom trop long ou difficilement prononçable, ou alors habituez-le à un surnom plus facile à porter...

La phonétique aussi a son importance. Ainsi, certains spécialistes recommandent de dire « *down* » au lieu de « couché ». Cela claque plus sec, et on gagne une syllabe.

Il faut également éviter que deux ordres n'aient des sons trop voisins, sinon gare aux confusions — par exemple entre « viens ici » et « assis », un chien, par moments, ne pourra pas bien faire la différence. Mieux vaut dire : « viens » et « assis ».

De même, il aura parfois des difficultés à saisir la nuance phonétique entre « pas toucher » et « pas bouger », on préférera « touche pas ».

Pour accentuer la portée d'un commandement que vous jugerez important, vous pourrez le faire précéder de « attention », dit sur un certain ton, qui mettra le chien en alerte. Un claquement de doigts pourra aussi accompagner l'ordre et, par la suite, si une grande connivence s'établit entre le maître et l'élève, remplacer l'ordre lui-même.

Certains maîtres trouvent plaisant d'utiliser un vocabulaire spécifique, codé, en quelque sorte, comme « va-t'en » pour « viens » ou « couché » pour « debout », etc.

Cette complication, dont la fonction principale semble être de produire son petit effet en société, peut présenter l'avantage de contrecarrer la manœuvre d'un cambrioleur voulant amadouer l'animal.

Bien sûr, les proches du maître, s'ils ont la garde de ce chien pas comme les autres, devront s'imposer une gymnastique mentale..., qui ne sera pas de tout repos !

Le temps qu'il faut consacrer à l'éducation

Tout dépend, bien sûr, de la personnalité de l'élève... et de votre disponibilité.

Il n'y a pas grand-chose de commun entre le chiot encore un peu perdu, qui s'attache à vos pas mais ne comprend pas très bien ce que vous lui demandez, et le chien adopté doté d'un esprit déjà mûr, très vif, comprenant parfaitement mais ayant un caractère affirmé.

En général, les premières leçons, qui se dérouleront dans votre appartement ou votre jardin, ne doivent pas excéder cinq minutes, mais se répéter si possible plusieurs fois par jour. La capacité d'attention du chien augmentant avec l'âge, vous prolongerez la durée des cours en diminuant leur fréquence.

Parallèlement, vous passerez de l'appartement ou du jardin à des lieux publics calmes, puis de plus en plus animés.

De trop longues séances d'apprentissage, au début, risquent de lasser l'animal en sollicitant trop sa concentration. Il peut alors être conduit à commettre des erreurs ou à manifester un refus.

Or, ces deux situations sont à éviter à tout prix.

Nous avons déjà traité le problème du refus. Pour ce qui est des erreurs, gardez constamment à l'esprit *qu'il ne faut jamais,* dans les premiers temps de l'éducation, *pousser le chien à la faute.* Si donc vous voyez qu'il va en commettre une, par exemple descendre du trottoir sans permission, intervenez aussitôt en disant : « Stop » ou « Pas bouger », avant que ne soit commis l'irréparable.

Ce n'est que lorsque le « dressage » aura atteint une certaine perfection que vous pourrez vous risquer à « piéger » votre élève en créant des situations extrêmes afin d'entretenir et de vérifier ses acquisitions.

Même à l'apogée de son éducation, vers trois ou quatre ans, il ne faut cesser de « gymnastiquer » le chien, car, à tout moment, il risque de se trouver dans des situations exceptionnelles, réclamant de sa part un réflexe qu'on aurait dû lui remettre récemment en mémoire, et sans lequel il se trouvera désarmé, ou réagira trop tardivement, ou mal.

D'autre part, ne l'oublions pas, fût-il le mieux éduqué du monde, il s'évertuera sans cesse à se rapprocher un peu plus de vous, méthodiquement, millimètre par millimètre, et donc à « user » les interdits.

Les ordres de base

« Assis »

Parmi les ordres de base, « Assis » est le plus facile à exécuter, donc à enseigner. Il est très utile dans la vie quotidienne, quand on a besoin que son chien reste à sa place (par exemple lorsqu'on ouvre sa porte à un visiteur, etc.).

Pour que votre élève l'exécute, il suffit, en lui disant : « Assis », d'appuyer doucement mais fermement une de vos mains sur son arrière-train, tandis que de l'autre, à l'aide de la laisse, vous le tirez légèrement vers le haut pour éviter qu'il ne se couche. Sous l'action conjuguée de la pression sur sa croupe et de la traction sur son cou, le chiot ramènera ses pattes arrière sous lui et, tout naturellement, prendra la position souhaitée.

Recommencez plusieurs fois, félicitez-le dès qu'il aura obéi.

Assez rapidement, vous en viendrez à ne plus intervenir physiquement : votre élève fera de lui-même ce que vous lui demanderez, au simple commandement de votre voix.

Cette méthode classique, décrite dans tous les manuels, donne de bons résultats.

On peut aussi en utiliser une autre, que j'ai expérimentée avec mes chiens successifs et préconisée dans *Mabrouk, chien d'une vie*[1].

Son principe est très simple : ce n'est pas l'ordre qui doit entraîner le mouvement, mais le mouvement qui doit susciter l'ordre ainsi que nous l'avons vu plus haut.

Prenons l'exemple du « assis ». Vous profitez du fait que votre chien s'assoit pour lui dire : « Assis » et le féliciter aussitôt. Il se lève ? Vous lancez : « Debout », et ainsi de suite.

Peu à peu, l'animal assimile l'action qu'il réalise au mot que vous avez dit, ainsi qu'au plaisir de la récom-

---

1. Depuis la parution de ce livre, j'ai constaté avec plaisir qu'elle avait été également redécouverte, sous des noms divers, par un grand nombre d'éthologistes ou de dresseurs. Elle fait partie du programme de dressage de Gramat, le Centre cynophile de la gendarmerie nationale.

pense. Il en vient, tout naturellement, à faire le trajet inverse : quand il entend le mot, il exécute l'acte, lié pour lui à la notion de récompense.

Cette technique, assez fine, que nous appellerons « méthode par assimilation » et qui fait appel par priorité à l'intelligence du chien, ne nécessite aucune intervention des « aides » (appui de la main, tension sur la laisse, etc.).

Par contre, il est indispensable que le maître soit très disponible, puisqu'il doit observer assidûment son élève, et attendre que celui-ci agisse le premier.

Elle n'est pas plus efficace, en ce qui concerne les ordres les plus simples, que la méthode classique, mais comme il sera souvent utile d'y faire appel pour les exercices plus complexes, sans doute vaut-il mieux la pratiquer dès le début de l'apprentissage, en alternance avec la précédente.

On peut l'utiliser avec avantage lorsque le chien donne trop souvent de la voix.

Dès qu'il commence à s'égosiller, vous criez : « Aboie » en le fixant, l'index pointé sur lui. Assez vite, il fait le lien entre son acte et le mot qui l'accompagne.

Dans un deuxième temps, après quelques minutes, quand vous pressentez que l'aboiement va faiblir, vous lancez : « Stop ! » Évidemment, au moindre début d'exécution, récompenses, caresses, félicitations.

Pour aider à une meilleure compréhension de l'exercice, n'hésitez pas à lui empoigner le museau et à le maintenir fermé, en répétant l'ordre.

Dès que l'animal répondra parfaitement à vos injonctions, il accordera plus d'importance à l'acte d'aboyer, dont il saura qu'il peut être commandé et interrompu par le maître, donc que celui-ci a son mot à dire et qu'il ne faut pas abuser. L'aboiement, dès lors, cesse d'appartenir à un « domaine réservé » du chien.

Gardez cependant à l'esprit que pour lui, donner de la voix, ce n'est pas seulement s'exprimer, c'est surtout faire son devoir de fidèle gardien du logis ou du troupeau. Il est né avec cette mission dans ses gènes.

On peut affiner ces exercices en obtenant qu'il aboie sur commande.

Vous fixerez le chien et lui ordonnerez : « Aboie ! » comme dans l'exercice précédent. Dès que le moindre petit couinement sortira de sa gorge, montrez sur-le-champ votre satisfaction. Autant vous prévenir que cet aboiement sur ordre ne s'obtient pas sans mal.

Vous devez vous armer de patience car aboyer à la figure de son maître, c'est-à-dire le considérer comme un inconnu, est contre nature[1].

L'aboiement sur commande offre une utilité pratique immédiate : il sert à accroître la maîtrise sur le chien et donc, indirectement, à « huiler » l'exécution des autres exercices.

« *Couché* »

Dès que le « assis » sera bien assimilé, vous passerez logiquement au « couché ».

Pour l'obtenir, certains préconisent d'appuyer sur la nuque du chien, mais il est à craindre qu'il ne comprenne pas et résiste instinctivement.

L'autre technique, plus efficace, propose, tout en lui disant doucement : « Couché », de lui prendre les pattes antérieures et de les faire glisser doucement sur le sol, en tirant vers soi.

---

1. J'ai essayé d'aller plus loin avec Mabrouk (puis Junior). Je voulais qu'il me « montre les dents ». Je n'y suis jamais parvenu. Pour « montrer les dents » il faut être en colère, grogner, adopter un masque hostile... Impossible avec son « papa » !

Sans trop de difficultés, le chien adoptera cette position sur le ventre, qui pour lui signifie jeu, obéissance et soumission. Ainsi, il sera prêt à obéir à d'autres ordres. On peut également faire appel à la méthode par « assimilation ».

L'ordre « couché » est principalement utilisé pour indiquer au chien qu'il doit retourner dans son coin. Quand il importune des visiteurs, s'obstine à venir mendier à la table, on pourra lui dire soit : « Couché », soit « A ta place » et il comprendra alors deux choses : « *il faut que je m'éloigne, et que je me couche à la place où je dors* ». Cet ordre sera valable aussi bien à son domicile habituel que dans des lieux de séjours occasionnels comme une maison de vacances, un hôtel, etc.[1].

Si votre chien a vraiment beaucoup de mal à comprendre le « couché », inutile de chercher à lui faire adopter de force cette position, vous ne contribuerez qu'à le braquer.

Utilisez plutôt ce petit « truc » : placez-le en position surélevée, par exemple sur une caisse ou un banc, et présentez-lui, légèrement en contrebas, un morceau de viande. Pour l'atteindre, il devra amorcer le mouvement désiré. Félicitations, caresses devront bientôt remplacer la viande.

---

1. De même que la position « assis », le « couché » peut être commandé à la main, à distance, selon un code gestuel très précis : le « assis » correspond à la position du bras et de la main à hauteur du visage, paume en avant, le « couché » à cette même main continuant ce geste, mais s'abaissant vers le sol, le long du corps, paume vers la terre. Coups de sifflet ou claquements de doigts pourront accompagner gestes ou mots. N'oublions pas que, parvenu au stade ultime de son dressage, un chien doit obéir aux ordres même lorsqu'ils sont murmurés, ou donnés sur un ton calme, sans autorité excessive.

« Pas bouger »

C'est dans la position « assis » que le chien est le plus apte à comprendre le « pas bouger ».

Je vous recommande de faire appel à une méthode que j'ai personnellement mise au point et qui est assez simple et efficace.

Dès que le chien est assis, amorcez le geste de lui passer son collier autour du cou, mais posez-le sur le museau, devant les yeux, juste à la hauteur du chanfrein.

En même temps, placez votre autre main sous le menton de l'animal, de façon à lui tenir la tête horizontale.

Ainsi suspendu, le collier pend, sans tomber. Le chien, dont l'attention est attirée par cet objet placé devant ses yeux, se trouve alors dans une stricte immobilité.

Dites alors plusieurs fois : « Pas bouger », tandis que, sans geste brusque, vous lui lâchez le menton.

Généralement, le chien baisse la tête et le collier tombe (vous aurez de préférence choisi un collier-chaîne, plus lourd, plus souple, et qui fait du bruit en tombant). Manifestez alors la plus grande désolation : catastrophe, scandale, le collier n'est pas resté sur le museau !

Recommencez la manœuvre plusieurs fois.

Très vite, votre ami va comprendre le jeu, car ce sera un jeu pour lui. Le collier est-il resté suspendu quelques secondes, signifiant un petit moment d'immobilité de l'animal ? Aussitôt, vous l'ôtez. Félicitations, caresses, démonstrations de la plus grande joie, embrassades...

En règle générale — et vous devez le savoir maintenant —, il faut outrer votre joie ou votre mécontentement, ne jamais hésiter à en « rajouter », surtout lorsque vous enseignez au chien un nouvel exercice.

Bientôt, le « pas bouger » sera obtenu sans faire appel à cette suspension du collier, que vous pourrez néanmoins rééditer, nous le verrons, afin de modérer l'ardeur d'un élève trop exubérant.

Pour parachever cet apprentissage, faites exécuter le « pas bouger » lors d'un jeu avec votre compagnon, c'est-à-dire à un moment où il se trouve en pleine excitation.

Faites-le asseoir, placez-vous à quelques mètres, face à lui, en vous préparant à shooter dans le ballon, qui sera posé à vos pieds.

Le chien vous guette, tient difficilement en place, amorce de faux départs...

Ordonnez alors : « Pas bouger », et répétez-le jusqu'à ce que vous obteniez l'immobilité de votre partenaire.

Au début, bien entendu, une seconde suffit. Profitez de cette seconde pour envoyer le ballon en disant : « Va chercher », ou : « Allez. »

Quand il sera habitué à guetter le ballon en restant parfaitement immobile, vous pourrez « corser » le test en ne lançant le « va chercher » que quelques secondes après avoir shooté.

Inutile de préciser qu'obtenir de cet éternel enfant qu'il maîtrise sa passion du jeu ne sera pas facile.

Encore plus subtil, et plus ardu : après le « va chercher », vous le laissez courir à la poursuite du ballon et, quelques mètres avant qu'il ne l'atteigne, vous criez : « Stop ! » pour l'interrompre en pleine course, puis : « Au pied. »

Quand vous y serez parvenu, vous pourrez alors estimer avoir beaucoup gagné en tranquillité d'esprit, car s'il prend la lubie à votre élève de courir derrière un cycliste ou une voiture, vous saurez le « fixer » et prévenir un éventuel accident. Ne vous découragez pas... S'il n'obéit pas au « stop », plus tard, le « sifflet d'angoisse » sera plus efficace.

Ce jeu de ballon, outre qu'il permet de tester certains ordres dans des conditions extrêmes, crée souvent une très grande complicité entre le maître et son compagnon.

J'ai découvert un jour, par hasard, que Junior était capable non seulement de me rapporter un ballon au pied, mais de me le relancer. Nous étions face à face, lui couché et moi accroupi. Je lui envoyais un ballon entre les pattes et l'idée m'est passée par la tête de lui dire : « Donne, Junior, donne le ballon. » Puis : « Pousse, pousse le ballon. »

Sans doute ai-je dû faire en même temps les gestes nécessaires pour qu'il comprenne, toujours est-il qu'après quelques hésitations, il a poussé avec son museau le ballon dans ma direction. Depuis, nous nous livrons sur la pelouse à des parties acharnées.

Je ne doute pas que bien des lecteurs pourraient eux aussi évoquer des jeux qu'ils ont inventés avec leurs compagnons.

Ces connivences dans le jeu ont le grand avantage de sécuriser le chien quand il se trouve dans des périodes à problèmes (s'il est malade, ou en proie à des troubles sexuels, ou encore si ses maîtres se disputent, etc.). Il suffit souvent de quelques minutes de ce tête-à-tête pour qu'il se rassure et retrouve son équilibre.

Terminer par une activité ludique un exercice d'éducation est de bonne pédagogie : le chien pensera qu'il s'est bien comporté, que son maître est content, donc que tout va bien...

Le « pas bouger » est un ordre clé, aux utilisations multiples. Fondamentalement, il apprend à l'animal à maîtriser son impulsivité. Voilà pourquoi on a avantage à l'enseigner très tôt.

Junior avait à peine six mois quand j'ai commencé à

lui poser le collier sur le chanfrein. Une fois l'exercice bien assimilé, j'ai décidé de remplacer le collier par une balle de tennis, ce qui exigeait un effort de concentration plus important, car elle était évidemment plus instable.

A peine restait-elle un quart de seconde que je l'ôtais aussitôt, en manifestant la plus grande joie. Bientôt, il a réussi à la faire tenir une, puis deux, puis trois, quatre, cinq, six secondes jusqu'au jour où, par étourderie, au lieu de la lui ôter, j'ai dit : « Arrête, Junior. »

J'ai alors vu mon chien basculer la tête, faire tomber la balle et la happer au passage entre ses mâchoires. L'idée d'un nouveau jeu était née !

Maintenant, quand je lui dis : « Attrape », il expédie la balle en l'air d'un mouvement de tête et la capte habilement en pleine course. C'est la partie de l'exercice qu'il préfère.

Le « pas bouger » a aussi pour avantage de « fixer » l'animal dans la position (assis, couché, debout, au pied, par exemple) que vous lui avez ordonnée.

Vous pourrez laisser votre chien devant le magasin où vous effectuerez vos courses sans craindre qu'il ne s'en aille humer le trottoir d'en face ou n'entame une bataille rangée avec un congénère, même très provocateur.

Quand Mabrouk a reçu, à six ans, sa médaille de chien de la gendarmerie, à Gramat, il était entouré d'un nombre impressionnant d'autres chiens, menaçants et grondants, et je n'ai pu obtenir qu'il reste immobile pour les besoins du tournage qu'en usant du « pas bouger ».

Junior a vécu une expérience analogue alors qu'il venait d'avoir dix-huit mois et recevait sa médaille de chien d'avalanche.

Non seulement, il était lui aussi cerné par une meute farouchement hostile, mais il se trouvait au pied du directeur du stage, dont les énormes souliers de ski — je l'ai dit — étaient sans doute à ses yeux plus inquiétants que ces molosses de mauvais poil... Là encore, le « pas bouger » a fait merveille.

Autre occasion où cet ordre m'a été d'un grand secours : lorsque Junior a été installé, en compagnie d'un gamin inconnu, sur cette luge qui dévalait les pentes megévoises. Mon brave toutou était loin de se trouver à son aise..., mais il n'a pas déserté son poste avant la fin de la prise.

Descendre de la voiture

Le « pas bouger » est également utile pour apprendre au chien à ne jamais sortir d'une voiture sans en avoir reçu l'ordre précis.

Que d'accidents, parfois mortels, seraient évités si tous les maîtres prenaient la précaution d'enseigner à leur compagnon l'art de bien descendre d'un véhicule !

Première étape : le chien ne connaît pas encore le « pas bouger ».

La voiture à bord de laquelle il se trouve (à l'arrière, bien entendu) s'immobilise. La portière s'ouvre. Le chien est tenu en laisse par une personne qui est restée à ses côtés.

Si l'animal fait un mouvement pour sortir, le passager lui envoie un coup de rappel assez sec, tandis que vous criez : « Pas bouger. » Attendez que le chien soit immobile, la laisse détendue, puis dites : « Allez », pour l'engager à descendre.

Deuxième étape : il connaît et pratique bien le « pas bouger » et n'est pas tenu en laisse.

Vous immobilisez la voiture, descendez, lancez le « pas bouger » et ouvrez la portière, puis attendez.

Si, comme cela doit être normalement le cas, il reste immobile, vous lancez le « allez ».

Troisième étape : vous ouvrez la porte, ne lancez plus

le « pas bouger ». Il attend, immobile, et ne descendra pas tant qu'il n'aura pas entendu le « allez ».

Bien sûr, vous le testerez de temps à autre en ouvrant la portière, dans un endroit tranquille et peu fréquenté, et en vous éloignant. Vous feindrez d'oublier complètement l'existence de votre compagnon.

Il faudra qu'il tienne, qu'il reste à vous attendre sans mettre une patte dehors... Au début, revenez vite, récompensez-le. Et puis vous prolongerez les absences.

Si votre élève est inattentif ou trop exubérant, le « pas bouger » vous sera aussi d'un grand secours.

Avant de sortir en promenade, alors qu'il court en tous sens, très excité, obtenez qu'il prenne la position « assis », puis ordonnez : « Pas bouger. » Comme ce sera alors difficile pour lui, n'hésitez pas à poser de nouveau le collier en équilibre sur son chanfrein. Ce rappel à l'ordre produira vite ses effets : l'animal s'habituera à dominer son côté « tout fou », certes très sympathique, mais aux effets parfois dévastateurs...

Je suis parvenu, avec Junior, à une certaine simplification : au lieu du « assis » puis du « pas bouger », je me contente de lui dire : « Collier », et il vient docilement se placer en face de moi, s'assoit et attend gentiment que je lui passe son collier.

Le rappel

Le rappel est un acte indispensable à toute éducation bien conduite, qui vous permettra de faire revenir en toutes circonstances votre compagnon auprès de vous.

Paradoxalement, alors que les chiens ont naturellement tendance à se diriger vers leur maître, cet enseignement rencontre souvent des difficultés, et demande plus que jamais patience et obstination.

Vous appelez votre chien... et ce jour-là, justement, il

est d'humeur folâtre et a choisi de vous oublier, à moins que, n'ayant pas la conscience tout à fait tranquille, il ne craigne quelque punition[1].

Si le chien ne semble pas décidé à vous rejoindre, utilisez un petit « truc » qui consiste à faire semblant de vous éloigner en courant. Il y a gros à parier qu'il n'y résistera pas...

S'il est vraiment très distrait, ou de caractère têtu, utilisez une laisse, d'un modèle à enrouleur. Dans ce dernier cas, commencez par vous tenir à une courte distance.

A votre appel, s'il n'obéit pas, tirez doucement pour le mettre en mouvement. Dès qu'il vous aura rejoint, félicitations, caresses, etc.

Ensuite, vous pratiquerez à une distance plus éloignée. Quand il vous semblera avoir pris le bon pli, recommencez cette fois sans la laisse.

Le choix des ordres n'est pas indifférent. « Viens » est une expression générale, que vous pourrez utiliser si vous voulez jouer avec votre compagnon ou le caresser.

« Au pied » est au contraire un commandement rigoureux, lancé assez sèchement, et qui ne saurait être discuté. Il sera employé lorsque vous voudrez empêcher votre chien d'affronter un congénère menaçant, par exemple.

Dès que le chien vous a rejoint, à peine arrivé à votre hauteur, lancez : « Assis. » C'est une bonne précaution,

---

1. Vous pourrez éliminer cette dernière cause de désobéissance en prenant l'habitude, très tôt, de ne jamais le faire venir à vous pour le réprimander ou le punir, mais de *marcher vers lui* si telle est votre intention. De même, son nom ne devra jamais être utilisé lorsque vous lui « passerez un savon » ou le corrigerez : vous prendrez soin, au contraire, de le prononcer lors des récompenses, avec amabilité et douceur. Aussi, quand vous direz : « Au pied, Médor », ledit Médor n'aura aucune raison d'être inquiet.

car si vous lui demandez par la suite de venir à vous rapidement, alors qu'il se trouve assez loin, il peut vous dépasser, sur sa lancée, ou s'amuser à tourner autour de vous, etc.

Le « assis » permet aussi de le contrôler parfaitement. Il sera prêt, dans cette position de soumission aux ordres, à recevoir d'autres commandements et à les exécuter.

Il vous sera plus facile aussi de le remettre à la laisse.

Avec certains chiens, le problème n'est pas de les obliger à venir vous rejoindre... mais de les empêcher de courir vers vous avant d'en avoir reçu l'ordre.

Placez-vous à une courte distance de l'animal, ordonnez-lui : « Assis », et : « Pas bouger » et, une fois ces ordres exécutés, reculez lentement, en continuant de lancer : « Pas bouger », éventuellement : « Stop ! » s'il vous semble qu'il s'apprête à se lever.

La première fois, vous vous bornerez à deux ou trois mètres, puis l'appellerez, en accompagnant votre ordre d'un claquement sec de la main sur votre cuisse.

Dès qu'il vous aura rejoint, faites-le asseoir aussitôt à vos côtés en disant : « Assis », félicitez-le. Ensuite, vous passerez, toujours suivant cette même méthode, à quatre, cinq, six ou sept mètres.

Vers huit ou dix mètres, vous franchirez un « seuil » ; généralement, le chien n'en peut plus, désobéit et vient à vous, gagné par l'angoisse.

Vous criez fermement : « Pas bouger », sur un ton courroucé, « Stop ! » s'il persiste, en tendant la main vers lui, paume ouverte.

S'il s'immobilise, aussitôt, appelez-le à vous, félicitez-le, récompensez-le.

S'il avance toujours, ajoutez : « Assis », d'une voix très forte, très dure. Dès qu'il s'exécute, ou même entreprend un début d'exécution, appel et récompense.

Certes, il n'a pas parfaitement obéi, mais il a fait preuve de bonne volonté, ce qui mérite d'être encouragé.

Le lendemain, vous reprendrez l'exercice de zéro, en tâchant d'obtenir un peu plus — les « petits pas », toujours !...

Si le chien, malgré tous vos efforts, vous a rejoint sans l'ombre d'une hésitation, vous lui ordonnez : « Au pied », vous le prenez vigoureusement par le collier, le ramenez à son point de départ et recommencez l'exercice aussitôt, mais à une distance inférieure, pour ne pas le laisser sur un refus.

Le lendemain, vous passez de nouveau le seuil des huit-dix mètres et lancez les mêmes ordres.

S'il les néglige, et vous rejoint comme précédemment, retour à la case départ en le tenant durement par le collier, et exercice de « sauvetage de la face » sur une moindre distance. Vous ne devez *jamais* céder.

Votre élève comprendra la leçon et finira par obéir — bien sûr, jamais parfaitement, jamais immédiatement, au début, mais vous saurez l'encourager en le récompensant. Bientôt, il sera parfait [1].

Pour autant, votre travail n'est pas terminé.

Il vous faut recommencer cet exercice, mais cette fois vous disparaîtrez de sa vue en tournant le coin de la rue, en passant derrière un immeuble ou tout autre obstacle de taille.

Bien entendu, un ami surveillera le chien abandonné à lui-même qui, malgré le « pas bouger », aura souvent comme premier réflexe de partir à votre recherche.

Mais le coin à peine tourné, vous reviendrez sur vos

---

1. Grâce à cet exercice, nous pouvons filmer de très belles courses de Junior que je place à 50 ou 70 mètres de nous et qui, à mon appel, revient au pied... de la caméra !

pas et l'immobiliserez par un nouveau « pas bouger » ou un « stop ».

S'il s'obstine : méthode du retour au collier.

Peu à peu, une idée se fera jour dans l'esprit de votre élève : « *Lorsqu'il part, je peux être tranquille, car je sais qu'il reviendra.* » Dès lors, il vous verra le quitter avec de moins en moins d'angoisse.

Cette disposition d'esprit vous sera très précieuse quand vous lui enseignerez — si cela vous intéresse — la garde d'objets : vous l'abandonnerez pour des périodes de plus en plus longues, mais cette fois en compagnie d'un objet vous appartenant et qu'il aura la charge de garder, une autre personne étant chargée de jouer le rôle du « voleur ».

Au cours de tous ces exercices, il peut arriver que votre élève, jusqu'ici bien disposé, refuse soudain les ordres.

Sans doute êtes-vous allé trop vite (quand les choses marchent bien, on est souvent tenté de brûler les étapes), à moins que vous n'ayez commis l'erreur de manifester votre mauvaise humeur au cours du travail précédent, si bien que le chien, se sentant fautif, s'est recroquevillé sur lui-même, au propre comme au figuré, présentant tous les signes de l'inhibition.

Prenons l'exemple du chien qui n'obéit pas au « rappel » et *s'écrase* sur le sol. Que faire ?

Il existe, globalement, deux solutions.

La première, la plus « douce », est la suivante.

Ne bougez pas de l'endroit où vous vous trouvez, attendez patiemment puis, d'une voix normale, calme, comme si de rien n'était, demandez « assis » ou « couché ». Le chien bougera, pas forcément pour exécuter l'ordre donné car il aura l'esprit encore troublé, mais par simple réflexe, à moins que ce ne soit pour vous montrer malgré tout sa bonne volonté.

Passez à un autre commandement, d'une voix toujours aussi atone, puis à un troisième. Par cette « gymnastique » vous le remettrez peu à peu sur ses rails en lui faisant oublier sa faute, comme vous paraissez l'avoir oubliée vous-même. En faisant plaisir au maître, sa confiance en lui lui reviendra.

Quand vous sentez que le contact a été rétabli entre vous, appelez-le au pied.

Il vous rejoindra en général, à petite vitesse, pas trop fier de lui.

Câlinez-le, pour bien sceller vos retrouvailles... et reprenez la séance interrompue.

S'il a résisté à votre reprise en main et campe sur ses positions, n'insistez pas : votre élève a adopté le « jeu du refus ».

Détournez alors en corner, en vous intéressant à tout autre chose.

Reprenez le travail le lendemain et, s'il s'obstine encore, le surlendemain, afin qu'il comprenne que ce « jeu du refus » ne paie pas, que rien ne vous décourage, que ce n'est pour lui que reculer pour mieux sauter, et qu'il est préférable de se montrer obéissant.

Il ne faut pas toutefois que ce refus dure plus de deux jours. Le premier soir en lui disant bonne nuit, manifestez un peu votre mécontentement. Dites-lui qu'il n'est pas un chien obéissant, etc., et le lendemain, refaites l'exercice *avant* de lui donner sa « pâtée du matin ». Avec certains sujets, le résultat est garanti.

Deuxième solution, plus dure.

Vous avancez vers lui de quelques mètres, le fixez, puis repartez en lui tournant le dos, tout en l'appelant en frappant votre cuisse du plat de la main.

Cet « aller et retour » peut l'inciter à vouloir vous

rejoindre, par une pulsion instinctive plus forte que sa mauvaise humeur. Ne tentez le coup qu'une fois ou deux, pas plus.

En cas d'insuccès, rejoignez calmement le chien, tout en lui parlant. Une fois à sa hauteur, tout en continuant de parler, passez-lui la laisse. Ensuite, infligez-lui une petite correction, toute symbolique.

Puis reprenez l'exercice en cours, en commençant par une distance moindre.

S'il ne consent toujours pas à bouger, manifestant ainsi ouvertement son opposition, revenez vers lui, faites-lui exécuter un ordre de base (pour ne pas rester sur un refus), mettez-le à la laisse et retournez en sa compagnie à la maison, sans manifester le moindre sentiment et surtout, sans lui dire un mot ni même le regarder.

Vous pourrez alors constater qu'il marche à vos côtés d'une manière parfaite, respecte religieusement tous les interdits, bref, se comporte en chien exemplaire.

Vous avez commencé à utiliser l'arme suprême : la bouderie, que nous allons étudier après le « debout » et « reculé ».

Nota

Au stade où vous en êtes maintenant, vous pouvez évaluer assez précisément les dispositions de votre chien.

Il se peut que les résultats ne soient pas à la hauteur de vos espérances.

N'en faites pas porter la responsabilité à votre élève avant d'être certain que votre pédagogie n'est pas en cause.

Peut-être vous êtes-vous montré trop impatient d'obtenir immédiatement des résultats, si bien que votre nervosité l'a brusqué, à moins que vous n'ayez manqué de fermeté ou plus simplement de clarté dans vos ordres.

Après cet examen de conscience, si vraiment vous ne vous sentez pas responsable, il peut être utile de conduire le chien dans un club d'éducation.

Là, souvent, la vue de ses congénères exécutant des ordres l'aidera à mieux comprendre (d'où l'avantage pour le maître d'utiliser un vocabulaire classique, que le chien retrouvera dans ce monde différent).

La valeur de l'exemple n'est pas négligeable et l'on a vu des chiens apparemment fermés à toute compréhension se mettre à progresser après cette visite.

Vous pouvez aussi en profiter vous-même pour observer la façon dont pratiquent d'autres maîtres...

L'avis d'un professionnel *qualifié* pourra vous aider à redresser la barre.

Les jeunes maîtres, eux, ont la possibilité de fréquenter avec leur compagnon des écoles spécialisées, adaptées à leur âge.

« Debout » et « reculé »

Le « debout » et le « reculé » sont des ordres de « classe supérieure » qui peuvent paraître sans véritable utilité. Ils sont pourtant très efficaces pour mieux contrôler le chien.

Debout

Le « debout », qu'on pourra enseigner à la suite du « coucher », est un ordre difficile à inculquer car ni la laisse ni la main ne peuvent intervenir. En effet, soulever un chien couché en le prenant sous le ventre risque, surtout s'il est très jeune, de lui rappeler la période où sa mère le soulevait du sol pour le transporter. Il appréciera sans doute très peu cette réminiscence tardive d'un acte d'autorité.

Par la méthode classique, le chien étant couché ou

assis, vous ordonnez : « Debout », en amorçant un recul. Instinctivement, le chien se lèvera pour vous suivre.

Dès qu'il est sur ses pattes et qu'il s'avance, vous devrez lui ordonner : « Stop », « Pas bouger », en diminuant peu à peu l'intervalle de temps entre ces deux commandements, si bien qu'il finira par comprendre que, « debout » entraînant aussitôt « stop » et « pas bouger », cet ordre signifie qu'il doit se lever et rester sur place.

La méthode par assimilation-association donne souvent d'intéressants résultats.

Dès que le chien se lève, par exemple au cours de l'exercice de rappel, vous lancez l'ordre « debout » même s'il avance vers vous, puis vous passez au « stop » ou au « pas bouger » en diminuant ensuite l'intervalle entre ces deux ordres.

En tout état de cause, le « debout » peut demander beaucoup de patience avec certains sujets.

Recul

Le « reculé », qui n'est pas un mouvement habituel, est, lui aussi, difficile à enseigner.

Certes, nombre de lecteurs pourront observer que leur chien recule très facilement. C'est en effet le cas.

L'épagneul de mon père — toujours lui — a l'habitude, quand il a faim, d'entrer dans la cuisine sans attendre que son maître, qui s'y trouve déjà, l'appelle. Papa lui ordonne alors : « Recule », et il s'exécute. Pour autant, cela n'implique pas qu'il le ferait en d'autres circonstances.

En effet, si l'on pousse un chien pour le faire reculer, on s'apercevra qu'il a aussitôt tendance à se retourner, à pirouetter.

Il faut donc en revenir à la méthode par assimilation. Prononcez le mot dès qu'il agira de lui-même.

C'est ce que j'ai fait avec Junior, qui exécute souvent des bonds en arrière quand je m'apprête à lui lancer un ballon.

Il a parfaitement compris l'ordre, que j'utilise maintenant lorsque nous attendons, avant de traverser une avenue et que les voitures ou les bus lui frôlent dangereusement le museau.

Pour les chiens pisteurs, d'avalanches ou de catastrophes, qui ont besoin de savoir exécuter cette manœuvre sur ordre, existent des moyens d'apprentissage plus coercitifs.

On les fait pénétrer dans un gros tube de ciment ou de plastique transparent (pour observer leurs mouvements) clos à une extrémité, et dont le diamètre leur interdit de se retourner.

Pour leur enseigner à reculer, on les tire par la queue, ou plus simplement, on les siffle... Ils ne peuvent sortir... qu'à reculons, tandis que le maître chien scande : « Recule, recule. »

Le refus de l'appât

Pour les mêmes raisons de sécurité qui vous ont conduit à lui enseigner le rappel, vous tenterez d'apprendre à votre copain à ne pas absorber de nourriture traînant à terre, ni à en accepter sans votre ordre d'une main inconnue.

Je dis bien « tenterez » car c'est beaucoup lui demander, surtout si, comme Junior, il est doté d'un appétit féroce.

Mais songez que cet interdit peut lui sauver la vie en lui évitant d'absorber, à la campagne, des appâts ou des graines empoisonnées, à la ville ces médicaments qu'on a la mauvaise habitude de jeter n'importe où, et s'il est chien de garde, les boulettes empoisonnées lancées par les cambrioleurs.

Il est important que cet apprentissage s'appuie sur des bases solides.

Il faut d'abord qu'il ait acquis de bonnes habitudes alimentaires : repas à heures fixes, interdiction de venir mendier à la table, etc.

Vous devrez bien entendu demander à vos amis ou vos invités d'éviter de le nourrir à tout moment, ce qui ruinerait vos efforts.

L'un des premiers exercices consistera à lui apprendre à n'accepter aucune nourriture offerte par la main droite. Cette discrimination, le chien la fait très rapidement, même si l'on tente de le piéger en croisant les bras. Comme il y a plus de droitiers que de gauchers, vous limitez ainsi les risques d'acceptation d'une friandise par une main inconnue.

Les cocktails faisant partie de la vie « professionnelle » de Junior — la plupart suivent un tournage et lui aussi, après tout, a droit à une récompense —, nous avons passé un accord tacite : je lui laisse « faire son numéro »... et il n'accepte aucune nourriture de la main droite.

Il se plante à côté du buffet et regarde alternativement un plat contenant la nourriture convoitée et une personne occupée à la savourer. Son regard est d'une telle intensité, exprime une telle supplication que tout le monde rit... qu'on finit par céder... mais qu'on reste interloqué de voir le chien ne pas attraper la friandise que l'on tend de la main droite !

Pour entraîner l'animal au refus de l'appât, il y a plusieurs méthodes.

Leur principe est identique : lier la boulette de viande qu'il peut trouver sur son chemin à une sensation désagréable.

Certains professionnels préconisent d'introduire du poivre dans cet appât.

Je ne sais trop si cela est efficace à long terme : le chien, méfiant, ne risque-t-il pas de se servir de son odorat pour sélectionner les boulettes qui ne sentiront pas le poivre ?

D'autres proposent de surveiller l'animal et, dès qu'il manifestera le désir de manger quelque chose qui traîne, de le frapper à distance à l'aide d'un lance-pierres.

Voilà qui peut sembler parfait... mais qui exige du maître non seulement une adresse certaine mais, en tout cas dans les premiers temps, une présence continuelle et une observation sans faille de son chien en train de vaguer.

On peut aussi « piéger » l'appât. C'est ce que j'avais tenté, en disséminant dans le jardin, à l'intention de Mabrouk, de petites tapettes à souris garnies de viande. Mais comme j'avais commis l'erreur de préparer ces pièges en sa présence, astucieusement, il n'y avait pas touché.

Pour Junior, j'ai procédé plus discrètement..., mais lui non plus n'est pas tombé... dans le piège, sans doute parce que les petits mécanismes de fer lui inspiraient une certaine méfiance...

Le recours à un collier à pulsion électrique peut se révéler efficace. Mettez-lui d'abord le collier pendant une journée, sans le faire fonctionner, pour qu'il s'y habitue.

Le lendemain, disposez des morceaux de viande et attendez, l'émetteur à la main, qu'il s'en approche. Dès qu'il ouvre la bouche pour happer l'un de ces appâts, expédiez-lui une mini-décharge électrique.

Étendez ensuite l'expérience à l'extérieur du jardin (il ne faut pas qu'il relie la douleur à un type précis de boulettes mais à tout ce qu'il serait tenté d'avaler).

Au bout d'un certain temps, vous cesserez de lui envoyer les petites secousses électriques — le collier continuant, comme on le sait, d'être dissuasif par sa seule présence.

Le risque existe cependant qu'une fois ce collier ôté, votre élève ne reprenne ses mauvaises habitudes [1]...

Ainsi donc, il n'existe pas de méthode infaillible pour empêcher un chien de succomber à la gourmandise. Il vous faudra exercer une vigilance constante.

Pour ma part, comme avec Mab, si je vois Junior s'apprêter à goûter une nourriture de rencontre, je crie : « Beurk ! » sur un ton dégoûté. Il sait que je désapprouve son acte, et cela marche quelquefois. Certes, la vue de cet homme criant : « Beurk ! beurk ! » dans la rue peut paraître étrange au passant non averti, mais il ne faut pas hésiter à affronter le ridicule pour le bien de son chien [2].

La bouderie

En règle générale, vous ferez appel à la bouderie quand le chien rompra le pacte tacite qui vous lie, pour laisser s'exprimer sa mauvaise humeur. Bien sûr, cette bouderie n'est à utiliser que lorsque le fautif est déjà

1. Il s'agit — on l'aura compris — d'une variante du collier anti-aboiement.

De tels colliers ne devraient pouvoir être achetés que sur présentation d'une ordonnance délivrée par un vétérinaire. De toute manière, si je ne puis vraiment recommander un tel objet, je me dis aussi qu'il peut sauver de la « piqûre » ou de la mort par accident de certains cas jugés désespérés !

2. Je crie aussi : « Pas par terre » avec Junior. Cela marche bien comme je l'ai écrit plus haut.

parvenu à un certain degré d'éducation... et que vous vous aimez bien tous les deux.

Jusqu'ici, votre élève, lorsqu'il faisait une bêtise ou opposait un refus délibéré, était grondé ou, dans le pire des cas, recevait une tape ou un coup de laisse sur les fesses. Mais vos rapports d'amour n'en étaient pas affectés (qui aime bien châtie bien...).

D'une certaine façon, reproches et coups manifestaient l'intérêt que vous lui portiez : vous vous *occupiez* de lui, il était quelqu'un d'important à vos yeux.

Pour un chien qui se nourrit d'amour, rien n'est pire que l'indifférence. Voilà pourquoi la plus profonde détresse emplit le regard des chiens abandonnés dans les refuges : certes, ils ont le boire et le manger, mais ils s'en fichent bien car il leur manque le principal : l'amour d'un maître...

Or, c'est à votre indifférence à vous, son maître, son dieu, que se heurte soudain votre compagnon.

Bien sûr, vous lui donnez sa pâtée, vous le promenez, rien n'est changé dans la vie matérielle de tous les jours..., mais tout est différent. Comme vous êtes lointain, inaccessible, séparé de lui par un mur immense !

Le chien ne comprend pas.

Il vous observe, se pose des questions, s'inquiète : « *Qu'est-ce qui lui prend ? Il se comporte comme si je n'étais plus* son *chien, comme si je n'existais pas ! Mais enfin, je suis là... Ce n'est pas possible qu'il ne puisse pas me voir, me remarquer... Regarde-moi, écoute-moi !* »

Cette incompréhension, puis cette angoisse, vous en observerez la progression dans les yeux, dans l'attitude de votre compagnon.

Vous, vous avez envie de vous précipiter vers lui, de le câliner, de lui dire que tout est fini, qu'on oublie tout, qu'on est redevenus copains... Mais non, il vous faut vous gendarmer.

Le moment le plus difficile est, sans conteste, celui de la séparation du soir.

Comment résister à l'appel de ce regard étonné : « *Quoi, tu ne me dis pas bonsoir, on va se quitter comme ça, sur rien du tout, comme des étrangers ? Qu'ai-je fait pour mériter un tel traitement, moi qui t'aime tant ? C'est injuste, c'est même ignoble, ce que tu me fais...* »

Résistez, résistez, sinon tout cela n'aura servi à rien et, dans deux ou trois jours, il vous refera le « coup du refus » avec d'autant plus de détermination qu'il sait désormais que vos systèmes de défense ne sont que des velléités.

Au contraire, si vous persévérez, le chien comprend assez vite que la bouderie est de votre part une attitude délibérée.

Alors, à son tour, il allumera un contre-feu : il semblera en prendre son parti, philosophiquement, et continuera sa petite vie.

Et là, je vous préviens que la situation sera difficile à supporter.

Car jouer les indifférents envers quelqu'un qui en souffre, ce n'est déjà pas tellement agréable, mais le faire devant quelqu'un qui semble lui-même indifférent, quelle débauche d'énergie cela demande !

C'est comme interpréter une pièce de théâtre devant des fauteuils vides.

Persistez, sachez que son indifférence est aussi feinte que la vôtre et que la victoire reviendra, selon le proverbe japonais, « *à celui des deux adversaires qui saura souffrir une minute de plus* ».

Tenez bon... et ne suivez pas mon exemple.

Junior ayant commis je ne sais plus quelle faute, j'avais décidé de « marquer le coup » par une indifférence systématique.

Le psychodrame a commencé un après-midi. Et très vite, j'ai eu devant moi un chien de rêve : il allait au-devant de mes désirs, anticipait, comprenait « au quart de tour », en même temps qu'il semblait me dire : « *Alors, c'est fini, cette petite brouille ? On est copains, tout de même, non ? Regarde comme ça marche bien entre nous.* »

Moi, je faisais celui qui ne voyait rien, n'entendait rien, ne comprenait rien.

Le soir, nous nous sommes séparés sans notre petite séance rituelle de récapitulation-confession. Je l'ai laissé en plan, sans un mot, et me suis dirigé vers l'escalier, m'obligeant à ne pas me retourner.

Mais je le devinais, assis à sa place, dans la salle de séjour, me suivant des yeux, oreilles dressées, plongé dans la détresse mais aussi un peu indigné d'un pareil traitement.

« *D'accord, j'ai commis une faute — je ne comprends d'ailleurs pas pourquoi tu y attaches une telle importance —, mais on ne va tout de même pas se quitter comme cela, sans " bonne nuit ", sans bisous, sans calinous, sans rien...* »

J'ai tenu bon... jusqu'à 1 heure du matin.

Là, j'ai craqué. Il fallait que j'aille le voir.

Je me suis levé...

Quand j'ai ouvert la porte de ma chambre, je l'ai découvert sur le palier, qui m'attendait...

On s'est embrassés comme des fous, on était les plus heureux du monde !

Mais j'avais commis deux erreurs.

La première, dans le cadre de la bouderie, en cédant si vite, ce qui a compromis pour un temps une totale reprise en main.

La seconde en ne relevant pas la désobéissance de mon chien : il avait transgressé un interdit en montant l'escalier et en venant sur le palier (transgression tolérée uniquement quand il y avait des enfants, jamais quand j'étais seul).

Dans mon émotion, je ne m'en étais pas soucié.

Lui, si car le chien, dans son obstination extraordinaire à vouloir se rapprocher sans cesse de nous, est passé « maître » dans l'art de grignoter du terrain ! Il garde parfaitement en mémoire ces victoires successives que sont pour lui nos oublis et nos faiblesses.

Le lendemain, dès les premiers signes de mon réveil, Junior s'est empressé de monter l'escalier.

Tout de même, quand j'ai ouvert la porte, il s'est écrasé sur le plancher, a pris l'attitude du chien qui a commis une bêtise.

J'aurais pu lui laisser prendre cette habitude de m'attendre devant ma porte : après tout, c'était attendrissant, ce compagnon montrant son impatience à me voir apparaître..., mais que se serait-il alors passé dans sa tête ?

« *Ah, maintenant il veut bien que je l'attende sur le palier, c'est parfait, je sens son odeur sous la porte, je suis plus près de lui... mais ce serait encore mieux si je pouvais pénétrer dans sa chambre... et encore plus formidable si, un jour, j'avais la possibilité de grimper sur son lit... ce qu'on s'amuserait bien, tous les deux !* »

J'ai décidé de mettre le holà en le grondant ferme et en lui ordonnant de descendre, tout en sachant parfaitement qu'à la première occasion, il tenterait de reprendre ce terrain perdu...

Ne faites donc pas comme moi et respectez la bouderie jusqu'à son terme — une journée entière, au moins.

Certains « spécialistes » affirment que les chiens ne font pas de lien entre un acte délictueux et sa sanction s'ils sont séparés par un trop grand intervalle de temps.

C'est vrai pour les fautes vénielles, mais lorsque le manquement à l'obéissance est d'importance, je peux vous garantir que le chien lie parfaitement les deux.

Tout d'abord, il ne prend pas conscience qu'une sanction lui est appliquée, mais très vite cette notion chemine dans son esprit et au terme de l'expérience, quand vous reprenez l'exercice litigieux, vous le voyez l'exécuter parfaitement, comme à la parade !

Le changement de personnalité

Si malgré tous ces conseils (peut-être pas suivis scrupuleusement) votre chien a « pris la main », s'il est devenu véritablement le dominant — et vous le dominé — au point que sa désobéissance vous rende la vie impossible, n'en concluez pas pour autant que tout est perdu, que vous devez vous séparer de lui.

Il reste encore un dernier moyen à tenter. Certes, il est difficile, mais l'amour que vous portez à votre compagnon ne vous incite-t-il pas à tout essayer ?

Vous devez changer non seulement vos habitudes, mais aussi votre propre personnalité de maître.

L'horaire des repas sera modifié. Vous modifierez également les heures et l'itinéraire des sorties... En l'emmenant en terrain inconnu vous le désarçonnerez.

Vous ne parlerez plus à votre chien de la même manière : les mots, les attitudes seront différents.

Bref, il vous faut devenir un *autre.*

Cela demande une attention constante pour ne pas se trahir et des qualités de comédien. Il importe que tout cela fasse vrai, donc de mimer la réalité car le chien, nous le savons, décèle très facilement la supercherie.

Comment va réagir votre compagnon ?

Pendant deux ou trois jours, il sera interloqué, même

s'il donne l'impression de s'en ficher complètement.

Et puis, il constatera que vous avez changé.

Cette situation neuve, il la vivra souvent comme une nouvelle approche, un peu comme le chien qui vient d'être adopté découvre un univers inconnu. Tout doucement, il va s'adapter à vous, prendre la mesure de ce « nouveau maître »...

C'est le moment de recouvrer votre autorité perdue, en vous conformant bien à mes conseils, en vous obligeant à ne pas céder, comme vous aviez tendance à le faire.

Ce sera dur, parfois très dur.

Mais s'il vous arrive de songer à baisser les bras, gardez à l'esprit qu'il s'agit pour votre ami d'une dernière chance : c'est cela ou la castration, voire la piqûre chez le vétérinaire...

Le sifflet d'angoisse

Si la bouderie constitue la punition suprême, le sifflet d'angoisse est, lui, l'ordre ultime.

Bien appliqué, il vous sortira, vous et votre chien, de situations difficiles. C'est une arme que vous ne devrez pas utiliser à tout propos, mais dans certains cas très précis où la stridence inhabituelle du sifflet, sa soudaineté et sa rareté déclencheront un véritable réflexe de Pavlov chez votre compagnon.

Ce sifflet, vous ne devrez le faire retentir, à l'entraînement, qu'une fois tous les deux ou trois mois, en provoquant des situations qui le justifient, afin de lui conserver son efficacité.

Il s'agit de siffler dans vos doigts ou, si vous ne savez pas le faire, d'utiliser un sifflet à roulette qu'il vous faudra toujours conserver sur vous (ce qui après tout ne sera pas une gêne, car, compte tenu de la violence qui nous entoure, sa présence peut vous aider dans d'autres circonstances...).

J'ai décrit le principe du sifflet d'angoisse dans *Mabrouk, chien d'une vie.*

J'ai inventé cet appel par hasard, alors que je tentais désespérément de rappeler mon vieux copain, que j'avais seulement depuis quelques mois, et qui s'était lancé à la poursuite de cavaliers et de leurs montures, qu'il découvrait pour la première fois.

Après des hurlements, des : « Mabrouk !... Mab, reviens !... au pied ! » etc., et comme il s'éloignait de plus en plus, j'ai voulu attirer son attention avec le bruit le plus fort que j'avais à ma disposition : celui que je pouvais émettre en sifflant dans mes doigts.

Mabrouk l'a entendu mais a continué sa poursuite.

Au terme de celle-ci, éduqué grâce au ciel à ne pas descendre du trottoir, il a laissé la troupe traverser la place d'Auteuil et, penaud, la « fête terminée », il est revenu lentement, très lentement vers moi.

A vingt mètres, il s'est arrêté et s'est écrasé sur la terre de l'allée. J'ai attendu — contrairement à tout ce qu'on préconise — qu'il vienne à mes pieds, pour le traiter de tous les noms et lui infliger un coup de laisse un peu sec sur les fesses. J'ai ensuite sifflé dans mes doigts, puis recommencé : un coup de laisse (très symbolique cette fois), un coup de sifflet à réveiller ceux qui, là-haut, dans les immeubles, faisaient peut-être encore la grasse matinée. J'ai répété le manège cinq ou six fois.

Le sifflet s'est vraiment ancré dans les oreilles et le cerveau de mon chien.

Une semaine plus tard, au cours d'une promenade au bois, il a revu des cavaliers et s'est lancé de nouveau à leur poursuite.

Il n'avait pas fait dix mètres quand j'ai utilisé mon sifflet baptisé depuis d'angoisse.

Il a pilé net.

Trois ou quatre fois seulement, au cours de nos six ans passés ensemble, j'ai utilisé cet ordre, que Mabrouk savait, si j'ose dire, sans appel. Notamment pour l'arrêter au moment où il voulait attaquer l'un de ses semblables.

En une occasion j'ai eu tort car quand j'ai sifflé, il était déjà en plein combat avec un dogue et il s'est arrêté net, risquant du coup une mauvaise morsure.

Junior connaît bien le sifflet d'angoisse. Je ne le lui ai enseigné qu'à l'âge de seize ou dix-sept mois, car il faut attendre qu'un chien atteigne une certaine maturité pour qu'il assimile bien cet ordre.

Je l'utilise notamment pour arrêter une attaque, quand il suit son entraînement de chien de défense, ou lorsqu'il veut poursuivre un congénère.

Pour que son oreille n'oublie pas cet ordre impératif, je saisis parfois l'occasion où il course les poules avec un peu trop d'enthousiasme pour le rappeler à moi — mais encore une fois, pour ne pas *user* ce sifflet d'angoisse, je m'en sers très peu.

A vous donc de suivre ces indications pour disposer de ce moyen. C'est la seule fois où vous pouvez — car le jeu en vaut la chandelle — amener à la faute votre compagnon, afin de pouvoir le punir en associant à cette punition les coups de sifflet.

Choisissez une faute assez grave, une tentative de poursuite d'un cycliste ami, un refus de revenir à vos pieds, par exemple.

Attention, les coups de laisse doivent être *vraiment* symboliques, seuls votre voix courroucée et le sifflet doivent être forts. N'hésitez pas à insulter votre toutou, il comprend très bien la différence qu'il y a entre « cochon », « salopard » et « bon chien », « beau garçon » (et ce n'est pas seulement le son de votre voix qui l'aide.

Faites le test, dites-lui « beau garçon » sur le ton de « cochon » et vice versa, vous verrez sa réaction).

Plusieurs lecteurs de *Mabrouk, chien d'une vie,* qui ont appris à se servir du sifflet d'angoisse, m'ont écrit pour me remercier.

Deux d'entre eux m'ont assuré qu'il avait sauvé la vie de leur compagnon.

Défense et attaque

Si vous possédez un chien de grande taille, il est utile, et même indispensable, de connaître son degré d'agressivité, ainsi que ses capacités d'être un chien de défense.

Je vous suggère de vous rendre dans un club de sa race et de le montrer à un dresseur qualifié, qui lui fera passer quelques tests.

Si ce spécialiste vous dit que votre compagnon est d'un caractère plutôt passif, refusant délibérément de considérer quiconque comme un ennemi en puissance, vous pouvez parfaitement vous en satisfaire (je connais nombre de propriétaires de molosses ravis que ceux-ci se comportent en charmants toutous).

Que cela ne vous dispense pas de le soumettre à une éducation « pointue », car il peut à tout moment être pris d'un accès de fureur, après une grande peur par exemple, et il faut que vous puissiez alors le dominer.

Si votre chien est jugé d'un caractère agressif, s'il a le coup de dent facile, vous devez paradoxalement l'éduquer à l'attaque et à la défense, afin de maîtriser, de canaliser cette énergie, sous peine de le voir un jour faire des dégâts...

La finalité de cette éducation particulière est d'empêcher un animal de se laisser aller à son instinct. Condi-

tionné, inhibé même par les exercices, il ne mordra plus que sur commande. C'est l'idéal... mais pas facile à obtenir, surtout si vous n'avez pas une emprise totale sur lui.

Je vous conseille de faire d'abord venir un dresseur à domicile, puis d'assurer vous-même le travail, en vous rendant au club pour donner l'occasion à votre élève de voir comment se comportent ses pareils.

Là encore, vous modulerez les exercices selon la personnalité de l'animal.

Mabrouk était un chien toujours sur le qui-vive.

Parfois, quand je discutais, dans mon bureau, avec un visiteur ou l'un de mes collaborateurs, et que le ton montait, il se plaçait entre nous et, sans bouger, faisait entendre de petits cris de gorge semblables à ceux d'un loup, qui étaient autant d'avertissements.

La nuit, quand nous nous promenions, s'il voyait des passants venir dans notre direction, il se rapprochait de moi et, quand les inconnus n'étaient plus qu'à une vingtaine de mètres, allait posément au-devant d'eux. Il les rejoignait, les escortait, continuait de trottiner en leur compagnie après m'avoir croisé, puis les abandonnait pour revenir vers moi.

Jamais je ne lui avais enseigné un tel comportement, qu'il réservait à la nuit.

Désireux d'en savoir plus, j'ai demandé à deux dresseurs de jouer le rôle de passants.

Comme à l'accoutumée, Mab est allé au-devant d'eux et les a accompagnés.

Ils m'ont dépassé de quelques mètres, puis ont fait demi-tour pour m'attaquer.

Il a alors poussé un hurlement sauvage et a bondi sur eux.

C'était impressionnant — d'autant plus impressionnant qu'on sentait bien que ce n'était pas le fruit d'un dressage, mais un comportement inné.

Junior, dans les premières semaines de son « dressage », montrait un manque total d'agressivité : tout le monde il était beau, tout le monde il était gentil...

J'aurais pu, vers l'âge de dix mois, entreprendre de développer son agressivité.

J'ai préféré laisser les choses venir d'elles-mêmes. Il était un élève surdoué qui voulait rester bébé le plus longtemps possible, il ne fallait donc pas le brusquer.

Il a commencé à donner de la voix quand je grondais un enfant, à la maison. Manifestement, il n'était pas d'accord et voulait le faire savoir. Et puis, insensiblement, il s'est mis à délimiter ses territoires, celui de la maison, d'abord, dont il s'est promu le gardien. Au bureau, il a résolu le problème à sa façon : pourquoi se lever, aller sentir les visiteurs et revenir à sa place, comme le faisait Mabrouk ?

Quand quelqu'un entre dans la pièce, il se lève et vient s'étaler de tout son long sous mon bureau et s'endort paisiblement, car il a les pieds de l'étranger à quelques centimètres de sa tête et sait donc exactement ce qui se passe.

Souvent même, c'est entre les pieds du visiteur qu'il s'installe (pour être sûr de ne pas être surpris). Ce qui n'est pas toujours du goût de tout le monde !

Son agressivité ne se manifeste que lorsque les laveurs de vitres apparaissent derrière la baie, dans leur nacelle. Il ne comprend pas d'où sortent ces deux hommes, ce qu'ils font, et aboie par méfiance.

Le soir, quand nous nous promenons, il ne fait pas les allées et venues qu'effectuait son « père », mais surveille très attentivement les passants que nous croisons.

Moi, j'observe leur chien.

Nous n'avons pas les mêmes inquiétudes...

Mabrouk était un bagarreur perpétuel, ne reculant ni devant la taille ni devant le poids d'un adversaire, ce qui m'obligeait à une vigilance constante et parfois à l'usage du sifflet d'angoisse.

Junior, d'un caractère plus paisible, n'attaque jamais le premier. Cependant, si on le provoque, il fait face bravement et devient même mauvais. Quand un chien fonce sur lui, il recule d'abord de plusieurs mètres pour se laisser le temps de bien observer l'adversaire, puis décrit un large cercle pour passer à la contre-attaque, dans ce style particulier aux bergers, que l'on retrouve dans leur façon de garder une maison : ils n'attaquent pas de front les visiteurs animés de mauvaises intentions mais les laissent entrer, pour mieux leur couper ensuite la retraite.

« On peut entrer dans une maison gardée par un berger allemand " dressé ", disent les spécialistes, mais on n'en sort pas facilement. »

Vers l'âge de deux ans, j'ai fait tester Junior par un spécialiste.

L'homme, inconnu de Junior, a fait de grands gestes menaçants dans ma direction.

Mon chien est resté impassible.

Le dresseur m'a alors empoigné, mimant parfaitement une agression... ce qui n'a pas produit plus d'effet. Junior nous observait tranquillement, se demandant à quel jeu nous étions en train de jouer.

J'étais un peu déçu, et puis je me suis souvenu du premier test passé par son père. Un dresseur était entré dans mon bureau en criant, m'avait menacé... et Mabrouk lui avait gentiment apporté sa balle !

En fait, dans l'esprit du chien, l'agression de ce dieu qu'est son maître par un autre bipède est un acte bizarre, échappant à toute logique.

Tout au plus aboiera-t-il pour marquer sa désapprobation parce qu'ils ont enfreint l'ordre des choses.

A moins d'être spécialement éduqué, il viendra

rarement, *d'une manière efficace,* au secours de son maître.

Nouveau test d'agressivité.

Le dresseur, à une dizaine de mètres de moi, a commencé à agiter un bâton, tandis que je tenais Junior par le collier et m'employais à le « conditionner », à susciter en lui l'inquiétude, l'agressivité. Je répétais : « Qu'est-ce que c'est ? Attention !... attention !... »

Mais mon compagnon se contentait de me regarder avec étonnement, se demandant visiblement ce que signifiait tout cela.

« Il ne marque pas beaucoup d'agressivité », a conclu le dresseur.

C'était le moins qu'on puisse dire.

J'ai employé les jours suivants à inculquer à Junior un nouvel ordre, celui d'attaquer.

J'utilisais pour cela un commandement spécial, destiné à rester secret entre nous : j'engage mes lecteurs à faire de même, ainsi éviteront-ils que leur chien n'attaque inconsidérément, dans n'importe quelle circonstance.

Puis le dresseur est revenu et nous avons mesuré l'efficacité de mon enseignement.

J'ai fait asseoir Junior, lui ai dit : « Pas bouger », et me suis avancé vers l'homme.

Celui-ci a fait le simulacre de me frapper, tandis que je criais comme si j'étais en danger (il importe, dans tous les exercices, de faire toujours « vrai », sinon, tout risque d'être remis en cause).

Junior était tendu, mais restait immobile, respectant le « pas bouger ».

J'ai alors lancé mon ordre d'attaque.

Sans un cri, sans un aboiement, il s'est élancé sur le bras du dresseur et a refermé ses mâchoires dessus. Bien entendu, le bras était recouvert d'une protection.

« C'est bien, a apprécié le spécialiste, continuons. »

Armé d'un petit jonc, il s'est posté à une dizaine de mètres de Junior, l'excitant de la voix. Je sentais croître la tension du chien mais il ne bougeait pas.

A mon ordre, il a foncé, toujours silencieux, et attrapé le bras du dresseur. Celui-ci a résisté, tourné sur lui-même en frappant un peu le chien avec sa badine. Mais Junior n'a pas desserré l'étreinte de ses mâchoires.

Quand je l'ai appelé au pied, il a aussitôt lâché sa prise pour venir me rejoindre.

« Il a du mordant, a conclu le professionnel, et surtout il est discipliné. »

Cette dernière remarque m'a fait très plaisir, car le problème que posent souvent les chiens de défense, ce n'est pas tant d'obtenir qu'ils attaquent, mais qu'ils cessent de mordre et reviennent au pied[1].

Nous avons « peaufiné » les jours suivants.

Les séances ne se sont plus déroulées dans le jardin, qui est pour Junior un lieu ouvert, où les gens vont et viennent, où l'on s'amuse, mais dans la maison.

Quand le dresseur y est entré, accompagné d'un assistant jouant comme lui le rôle d'un cambrioleur, il les a, à mon ordre, férocement attaqués, mordant aussi bien la jambe que le bras, comme nous le lui avions enseigné, tournant autour d'eux pour éviter de recevoir des coups.

La séance terminée, il s'est montré un chien gentil, comme cela est souhaitable de tout chien de défense digne de ce nom.

Nous avons aussi travaillé à l'arrêter en pleine

1. En fait, on développe au maximum l'agressivité de ces chiens. Finalement j'ai compris que Junior — l'absence d'aboiement est significative — attaquait par intelligence et par discipline, ce qui est mieux.

attaque, à le faire revenir au pied à tout moment, quelle que soit l'attitude de l'agresseur.

Il a aussi appris, au « stop », à surveiller celui-ci, face à lui, ne l'attaquant que s'il faisait mine de bouger.

Lorsqu'il a été bien « affûté », je l'ai habitué à défendre — dans la rue — les autres personnes de mon entourage, notamment les enfants. Pour ces derniers, ce n'était du reste qu'une formalité : on sait que les bergers, qui les adorent, en sont les vigilants gardiens. Aussi certains dresseurs recommandent-ils de mimer l'attaque sur un enfant lorsque le chien qu'ils testent se montre apathique : il est rare que l'animal ne vienne pas les défendre...

A cet égard, j'ai remarqué que Junior avait le même comportement que Mabrouk quant à l'initiative de la défense... Comme son père, il ne se lancera pas contre mes éventuels agresseurs si je ne lui en donne pas l'ordre, alors que, pour quelqu'un de son entourage, il suffit que l'on crie, et il fonce sur l'attaquant.

Tout le monde n'a pas la possibilité ou le désir de faire exécuter à son chien tous ces exercices.

Certains préfèrent en confier le soin à des établissement spécialisés.

Cela peut être parfois une bonne solution, à condition qu'ils participent toujours eux-mêmes aux séances d'éducation. Dans le cas contraire, ils risquent que l'animal, de retour chez lui, se montre beaucoup moins docile qu'avec son dresseur.

D'autres préfèrent acquérir un chien « clés en main ». Depuis quelques années, des établissements proposent en effet des animaux de deux ou trois ans complètement dressés, y compris à la défense et à l'attaque.

Cela peut satisfaire ceux qui sont pressés de posséder

un chien dissuasif, après un vol ou un cambriolage, ou ceux pour qui l'animal n'est qu'un élément du train de vie, un bel objet auquel ils ne sauraient s'attacher.

Je mettrai en garde ces derniers : la profession n'étant ni organisée, ni protégée, ni reconnue, n'importe qui peut s'improviser « dresseur », vendre, acheter ou élever des chiens, exactement comme s'il s'agissait d'objets de consommation courante. Rien ne prouve donc que le chien qu'on leur vendra aura les qualités requises.

Donc, avant de s'engager je leur conseille, là encore, non seulement de visiter l'établissement pour vérifier la façon dont les pensionnaires sont traités, mais, s'ils ont jeté leur dévolu sur un animal, de tester aussi ses aptitudes en lançant simplement quelques ordres.

L'idéal serait que le dresseur-vendeur soit assez psychologue pour déterminer le « couple idéal » et puisse destiner au futur maître le chien correspondant à sa personnalité, sinon les relations avec cet animal déjà adulte et doté d'un caractère très affirmé risqueront d'être conflictuelles.

On a vu récemment, et là, c'est un véritable scandale, certains établissements se procurer des chiens présumés caractériels afin d'en faire de véritables tueurs.

On affecte ces animaux à la garde de propriétés ou d'usines. Lâchés la nuit dans des espaces clos, ils sont récupérés le lendemain matin à l'aide de laisses spéciales, tels des animaux féroces, pour être ensuite enfermés toute la journée.

Les amis des animaux ne peuvent qu'être douloureusement choqués par de telles pratiques, qui font du compagnon millénaire de l'homme une brute primaire et redoutée.

⁂

Voilà !

Vous avez maintenant à votre disposition toute une série de moyens vous permettant de faire face au cas particulier posé par votre copain.

A travers mes suggestions, mes remarques, vous trouverez celles qui vous (et lui) conviennent. Vous adapterez mes conseils à la personnalité de votre chien... qui est unique. Vous inventerez — ou réinventerez — des trucs qui donneront de meilleurs résultats.

Gardez toujours présent à l'esprit, cependant, que l'on doit éduquer en jouant, et aussi que les moments que vous consacrerez à votre animal créeront entre lui et vous une complicité encore plus grande..., si cela est possible.

J'aurais beau tricher et fermer les yeux de toutes mes forces, il y aura toujours un chien perdu quelque part qui m'empêchera d'être heureuse.

« La Sauvage », Jean ANOUILH.

L'hiver arrive au moment où je vais mettre un point final à ces pages.

Avant « eux », la saison engourdissait l'homme de soleil que j'étais.

Aujourd'hui j'y trouve des consolations.

La fourrure de mon chien, qui redevient soyeuse, brillante, et qui l'encombrait tant cet été, va lui permettre de résister aux plus grands froids.

Plus de guêpes ni d'insectes eczémateux, plus de tiques ou de moustiques porteurs de sombres maladies.

Tout, pour un temps, va devenir sain.

Et moi qui n'aime que la chaleur !

Pourquoi une telle transformation ? Pourquoi en moi de telles peurs, de telles contradictions, de telles angoisses ?

Parce que du poste d'observation où je me trouve, je constate tous les jours que la condition animale est pire que celle des esclaves du XVIIIe siècle, pourtant déjà traités « comme des bêtes ».

Innocents parmi les innocents, les animaux apportent à notre condition humaine une fraîcheur, une pureté, une simplicité, une générosité et une tendresse que nous ne trouvons pas toujours dans nos relations avec les autres.

Au fond, tous ces sentiments, toutes ces émotions, nous les recherchons chez un père, une mère, un frère, une femme, un enfant, un ami.

Souvent ceux ou celles que nous aimons ont deux ou trois de ces qualités.

Rarement les cinq en même temps !

Et je n'évoque pas la fidélité, la bonté, la dépendance pathétique...

Serions-nous donc des fous, nous tous qui aimons les chiens, les chats, les chevaux, les oiseaux ?

Serions-nous fous, nous qui sommes parfois leurs esclaves ? Plus fous que ceux qui au long des siècles ont mis leur vie en jeu, sacrifié leur ambition pour une cheville gainée de soie ?

Fous dans un monde où l'on tue des vieilles dames pour cent francs, alors que d'autres gagnent des millions au loto ; où on lance des bombes sur les enfants et où l'on tente d'en faire survivre d'autres avec des cœurs de singe ; fous, alors que les frigos du monde assouvi regorgent de beurre et de viande invendus tandis que des populations entières meurent de faim ?

Nobis quoque peccatoribus...

Oui, Seigneur, nous sommes tous des pécheurs, mais vous reconnaîtrez bien les vôtres..., les innocents.

Le temps file, file.

Déjà quatre ans que Mabrouk a disparu. Déjà plus de trois ans que Junior est à mes côtés.

Je le vois ce matin tout vif, la mine joyeuse, l'œil allumé, frais comme s'il sortait de sa douche, qui m'attend au pied de l'escalier.

J'ai la grippe, mal à la tête, des problèmes : son coup de langue matinal balaie le tout.

Je lui ouvre la porte de la maison.

Il m'interroge du regard :

« *Tu viens ? Non ? Ah !* »

Il part tout seul vers le fond du jardin afin de constater que son univers n'a pas changé depuis hier soir.

Il fait son inspection : les poules, les chevaux et — surtout — le chiot des voisins.

Junior lui apprend à courir le long de la haie de lauriers comme Poppins le lui avait appris, comme Mabrouk l'avait enseigné au dit Poppins trop tôt disparu lui aussi.

Aujourd'hui, le petit complice n'est pas au rendez-vous. Spectateur jamais rassasié de ses pantomimes, je guette mon chien. Assis précautionneusement sur ses fesses, les oreilles pointées en avant, il regarde intensément le jardin de l'autre.

Je siffle très doucement, et le voilà qui revient au galop vers son « papa ».

Un galop que je *crois* toujours pataud car, dans ces moments-là, je ne vois pas le grand chien qu'il est devenu mais le bébé qui fonçait vers son maître en faisant des bonds de cabri.

Comment exprimer alors l'émotion que je ressens durant ces secondes où il accourt vers moi, heureux, confiant, tendre, drôle !

Peut-être par cette petite phrase :

« Viens, mon fils, on rentre. »

Table des matières

Achevé d'imprimer en janvier 1987
sur presse CAMERON
dans les ateliers de la S.E.P.C.
à Saint-Amand-Montrond (Cher)
pour
les éditions Robert Laffont

Dépôt légal : janvier 1987.
N° d'Édition : 30252. N° d'Impression : 2841-1893.